D1110111

Belles Galères

Patrick Cauvin

Belles Galères

ROMAN

Albin Michel

ISBN 2-226-05313-1

Avertissement au lecteur

Un livre est un jeu.

S'il ne l'est pas, il verse trop souvent dans l'univers du sérieux, domaine dangereux dont on sait qu'il possède un redoutable voisin : l'ennui.

Vous allez lire deux histoires, celle de *Cécilia* et celle de *M.* Elles n'ont apparemment rien de commun, si ce n'est le fait que ce sont deux histoires d'amour. Cela ne serait pas une raison suffisante pour les rassembler toutes deux sous la couverture d'un même livre.

Alors, pourquoi cette réunion ?

Vous allez trouver la raison, bien sûr.

Bon courage... et bonne lecture.

CÉCILIA

6 septembre

Sur le banc du square Marius-Constant, un Kabyle en bonnet caucasien épluche une banane verte.

Cela s'est passé ce matin, vers dix heures. La chose ne m'a pas paru primordiale sur le moment, et il y a tout lieu de penser qu'elle n'est pas, en effet, capitale pour l'avenir de l'humanité, mais l'image me poursuit.

Je me demande bien pourquoi.

Certains spectacles ont une importance subjective. J'ai vu, étant enfant, une femme belle et chic, qui se mettait les doigts dans le nez, accoudée à une balustrade de marbre blanc. Cela a contribué à me donner de la féminité une image infiniment trouble et inquiétante. Que peut-on attendre de créatures diaphanes et cambrées, capables de se sortir, en public, la glauque pourriture contenue dans leurs nasales tuyauteries ?

J'ignore ce que le Kabyle caucasien à la banane modifiera en moi, peut-être ne le saurai-je jamais. Tout cela est jeu d'oisif... Je puis au fil de mes balades m'arrêter à ce qui n'arrête pas les autres, c'est-à-dire le dérisoire, l'impondérable... Le fait que, non content d'y penser, je prenne la peine de l'écrire surenchérit sur la vacuité de mon existence.

Heureux celui dont la vie est vide. Il peut remplir ses matins frisquets de Kabyles à bananes. Qui l'eût remarqué à part moi ? J'ai la vivide. Voici peut-être une tâche en

11

ce bas monde : être frappé et enregistrer ce dont l'importance est nulle, spectacles par le vent aussitôt emportés.

Qui se souviendra jamais du vieil Arabe en son vieux jardin?

Personne bien sûr, et tant mieux! En tout cas, je me sens le gardien de l'anodin, ce qui, jamais, ne surchargera la mémoire des siècles.

Conneries que tout cela! Je finirai la soirée au vin espagnol, les fonds de bouteilles malaguènes conservent tous les parfums de toutes les Arabies...

9 septembre

J'AI entendu un jour l'une de mes institutrices dire de moi à ma tante : « Il est très en avance pour son âge. »

Je devais avoir dix ans.

Peut-être en avais-je donc, en réalité, trente ? Peut-être même avais-je, sans le vouloir, atteint l'âge que j'ai aujourd'hui ! J'ai pris ça pour un compliment, m'étonnant tout de même qu'il y eût quelque mérite à se trouver avant les autres à un endroit où ils arriveraient fatalement à leur tour. Je crois que la même institutrice dirait, aujourd'hui, la même chose de moi. J'ai quarante ans et je suis toujours très en avance pour mon âge, ce qui m'amène à penser que je suis, en fait, un monsieur de, disons soixante. La seule différence c'est que ce n'est plus là un compliment. Ce qui est précocité au début devient gâtisme sur la fin. Mais il est vrai que je mène depuis longtemps une vie de vieux, lente et dolente... Cela surprend parfois le peu de gens qui m'entourent... Je vis à l'économie, à la sérénité... Elles viennent plus tard d'ordinaire, comme une sorte de couronnement déjà un peu funéraire ; moi j'y suis déjà... J'ai dû marcher trop vite sur le chemin de la vie, d'où ma fatigue et ce piètre résultat : je suis encore en avance.

12 septembre

Ça y est, Anselme Rombilloux a rompu.
Ouf!

Ou plutôt Denise a rompu pour lui. C'est la sixième fois en quatre ans.

Les femmes cessent de l'aimer, non pas parce qu'il est moche, bête, méchant, pas drôle et pas bien porté sur le matelas, elles le quittent pour tout cela bien sûr, mais surtout parce qu'il est pauvre. Ça fait six ans que je le lui répète. Il ne me croit pas. Pourtant je lui ai tout expliqué en long en large et c'est très simple, le prolétariat qui vit dans vingt mètres carrés conserve les mythes amoureux, élaborés et vécus par une classe sociale qui se déplace dans la galerie des Glaces. Chez les rupins, les amants se voient de loin en loin, entre deux jets, trois Courchevel, au détour d'un Rubens... hou hou chérie!... Elle est là-bas tout au bout, dans le jardin d'hiver, entre deux azalées, adorable cette femme, quelle finesse, elle ne vieillit pas. Tout est fait pour l'éloignement, même les tables, chacun à un bout, cent mètres de distance, on se devine à peine dans la lueur des candélabres, chacun sa chambre, en plus aux deux ailes du château, et quand ils sont dans le même pieu, il est immense, faut ramer pour se retrouver. Bref, ça dure l'amour dans ces cas-là : ils passent leur temps à cavaler pour se rejoindre, les amants à particules, shopping à Hong Kong pour la comtesse, et lui pour ses affaires à

Istanbul, ça leur fait des coups de téléphone enfiévrés, voilà de la tendresse qui dure, forcément, elle ne s'use pas à ce rythme... « Je l'aime comme au premier jour. » Tu parles d'un mérite, ils se sont vus trois semaines en vingt ans. Divine surprise aux noces de diamant : nous ne nous lassons pas l'un de l'autre ; la belle affaire ! La chasse solognote pour Monsieur, et Alphonsine qui descend le Nil en felouque... Et pendant ce temps, les Rombilloux entassés qui tentent d'imiter : on veut s'aimer toujours aussi, comme les comtesses, comme Juliette, comme Chimène : toujours la folie des grandeurs, ils voudraient jouer Tristan et Iseut dans leurs pieux Lévitan et leur F3 à vide-ordures sur le palier. Ils s'étonnent que l'amour s'épuise, ils se disent que là-haut, du côté des duchesses, ils devaient avoir l'âme plus noble, mieux trempée. A moins de quatre cents mètres carrés de surface, l'amour se fane, c'est une fleur de luxe, une fleur à fric, pas pour les pauvres. Alors si vous commencez à vous trouver saumâtre dans le fin fond de vos placards, dites-vous bien qu'il n'y a pas trente-six solutions : c'est Versailles ou la débandade : y aura pas de pitié.

Mais tout ça, Anselme l'admettra jamais, refus total : Monsieur est Romantique, monsieur croit à l'éternité en amour et n'a pas encore compris qu'il y a antinomie entre sa pièce-cuisine de la rue Clauzel, à 1 200 francs par trimestre, et la pérennité des sentiments. Je ne vois pas pourquoi je continue à gaspiller ma salive.

Je connais Rombilloux depuis plus de dix ans et je me demande bien pourquoi je continue à le supporter alors que les trois quarts du temps il m'insupporte et que ses sempiternelles histoires d'amour perpétuellement recommencées me valent d'infernales soirées.

Car Rombilloux considère que c'est une nécessité absolue de me présenter à chaque fois la dernière en date, cela se passe invariablement mal, mais il présente, rien ne peut l'arrêter sur la douce voie qu'il s'est choisie : celle de la répétition bornée.

Cela se passe mal pour une raison simple :

J'ai horreur des couples papouilleurs, et Anselme tombe régulièrement sur une papouilleuse née.

Il est, je suppose, arrivé à tout le monde, qu'au cours d'un dîner, avec un naturel absolument parfait et une décontraction totale et souriante, un couple légitime ou non se mette à se fourrer les mains partout tout en continuant à blablater sur la situation internationale, ou la récente varicelle de leur cher petit René...

Pour Rombilloux, le phénomène se trouve cent fois décuplé — que dis-je, il est porté à une puissance invraisemblable.

Il s'assied avec la nouvelle jeune personne sur le canapé du grand salon et susurre d'une voix mouillée : « Voici Thérèse. »

Elle sourit et je n'ai pas achevé de leur servir un Martini qu'ils sont déjà occupés à se palper mutuellement les fessiers.

Cela fait drôle.

En ces cas-là, je redouble de bavardage et je regarde ailleurs, attirant l'attention sur la couleur du soir couchant ou les moulures du plafond (j'ai un plafond à moulures)... Pendant ce temps, les chatouillis prolifèrent et je ne m'aperçois toujours de rien avec le rouge qui me vient et un malaise qui monte : je ne sais en ces cas-là jamais où me mettre. Je l'avoue, j'éprouve un terrible et rétrograde sentiment : les grandes pelotes me semblent bien sans gêne, je ne vois pas pourquoi l'on m'offre un tel spectacle, gratuit évidemment, mais qui laisse deviner une sexualité débridée qui m'exaspère... On ne peut pas ne pas avoir l'air coincé devant de tels ébats : après tout, rien ne m'interdit de faire pareil, cela pourrait faire des soirées charmantes et animées de grands pétris-

16

sages. Le record, en la matière, appartient à Denise, la dernière fuyarde.

C'était une créature minuscule, mais sans doute sur-chauffée car, dès sa première visite, j'ai eu l'impression qu'elle lui tombait dessus du haut d'un tremplin de haut vol, je ne lui avais pas encore tendu la soucoupe de cacahuètes qu'il avait disparu, littéralement inhalé par cette sorte de pompe aspirante et frénétique.

Je finis par ne plus voir Anselme car, happé, il était toujours dessous, et toute conversation étant de ce fait impossible, je les laissais seuls, allant remuer des verres dans la cuisine ou pensant longuement dans les W.-C. en contemplant mélancoliquement la lunette, annonçant mon retour par des toux violentes, de façon à leur permettre de reprendre des positions plus réglementaires, mais pas du tout, je les retrouvais toujours imbriqués, soudés au chalumeau, et il est difficile dans ces conditions d'échanger des idées-forces, j'apercevais de lui parfois un œil vaguement navré, un nez qui pointait à travers sa ventouse humaine, qui le recouvrait, l'épousait comme un drap humide et lui roulait des saucisses chaque fois qu'il tentait de proférer un son. Inutile de dire que je la haïssais profondément.

Je pouvais évidemment lui dire de se tenir un peu tranquille et d'arrêter de tripoter les gens en public, mais nous nous serions fâchés, et cela aurait fait de la peine à mon copain qui sentait bien le problème et tentait de fuir les papouilles sans les repousser, d'esquiver les tendresses sans les éviter et qui, par de complexes et subtiles reptations, tentait de s'extirper du réseau des caresses sans que son attitude soit comprise comme fuite ou embarras. Il déployait d'épuisants trésors d'ingéniuité pour expliquer ses retraits, prétextant des crampes, des glissades, des réflexes, trouvant des excuses en mimant d'amoureuses satisfactions ; bref, il trimbalait une emmerdeuse, une sangsue à deux pattes, une pieuvre à lunettes, une broyeuse de gentils faiblards.

Enfin ! ils ont rompu. Le voici effondré jusqu'à la prochaine. Nous nous verrons ce soir, il éclusera quelques Fernet-Branca bien tassés, ayant toujours prétendu que cet alcool amèrement puissant possède le parfum exact du désespoir lorsqu'il est bien profond.

J'ai toujours eu le don de me laisser envahir par les parasites. Anselme est le pire de tous, et je m'étonne toujours que les écrivains et philosophes n'aient pas écrit des pages talentueuses sur le sentiment d'agréable satisfaction que l'on éprouve à se faire parasiter... Lié sans doute à un complexe de supériorité solidement ancré. Mais il est vrai qu'il m'énerve de plus en plus souvent. Sans doute parce que je m'aigris. Je grossis également.

Je m'aigris et je grossis, il n'y a là aucune contradiction, sauf si l'on prononce cette phrase à voix haute.

Je dois signaler également, pour être sûr de ne rien oublier concernant mes activités de cette fin de semaine, que j'ai coupé ma barbe, qui me va bien tout en me vieillissant. Je suis donc en ce moment plus jeune mais plus laid. Le tout est de savoir si je suis beaucoup plus laid que plus jeune. De plus, lorsque je dis que ma barbe m'allait bien, je dois préciser qu'il s'agit d'opinions subjectives sans rien de sérieux qui vienne étayer cette thèse. Je pense personnellement que la barbe me seyait lorsque j'avais des cheveux mais qu'aujourd'hui barbe et calvitie mêlées contribuent à me donner l'allure d'un très vieux professeur, spécialiste en énergie thermonucléaire et adepte de pantoufles Thermolactyl, je crois donc que j'ai bien fait de la couper jusqu'à ce qu'un reflet me renvoyant brutalement mon profil de limande-sole, à la faveur d'un cruel jeu de miroirs, me donne envie de laisser pousser une pilosité colmatrice. Je n'en sortirai jamais.

J'ai reçu, comme chaque année aux alentours du 15

18

septembre, les comptes de Furbach. Je viens à peine de les ouvrir car je dois dire que ce genre de lecture me fatigue assez considérablement, et j'ai tendance à flanquer en l'air les soixante feuillets bourrés de chiffres pour ne retenir que l'ultime nombre situé au bas de la dernière colonne.

Cette fois, Furbach m'a surpris. Nous nous voyons une fois tous les ans et encore... C'est un petit bonhomme sautillant et ricaneur. Il ne reconduit jamais ses visiteurs jusqu'à la porte de son bureau car il est en général en chaussettes sur la moquette.

Bref, en ouvrant l'enveloppe je pensais être un homme riche, et je me trompais lourdement : je suis extrêmement riche.

Je dois préciser que je n'ai à cela aucun mérite, tout en revient à des aïeux inventifs et entreprenants, pour qui la sidérurgie devait être une grande source de joie, un père directeur de banque, qui a toujours compensé une intense faiblesse de jugement par une invraisemblable baraka qui, les dernières années de sa vie, l'avait conduit à choisir ses placements uniquement en utilisant le jeu de pile ou face, technique qui ne devait jamais le décevoir.

Cette année donc, le cynique Furbach a fait des merveilles. Je n'ai l'air de rien comme ça quand je marche dans la rue, mais je pèse lourd. Surtout dans l'agro-alimentaire et les grandes surfaces. Le plus fort de tout c'est que j'ai une succursale de l'un de ces magasins à deux rues de chez moi. J'y vais parfois chercher des sortes de biscuits croustillants, d'origine suédoise, et des sardines à l'huile. J'y prends aussi mes boîtes de pois chiches. Il y a toujours la queue aux caisses. Je choisis toujours la même vendeuse à l'air dédaigneux, mais à la forte poitrine. Elle a un ton frondeur et rend implacablement la monnaie. Elle serait surprise de savoir que tout son univers m'appartient. Et elle avec. Du dernier baril de lessive adoucissante à l'ultime paquet de saucisses à cuire. Il faut dire que je l'ignorais moi-même hier encore. Curieux tout de même. Il faudra que j'y retourne pour voir l'effet que cela me fait d'être mon propre client. De toute façon je n'ai plus de décaféiné.

Furbach me fait l'effet d'être un pianiste, il enfonce des touches... Il prend des pincées de mon pognon, l'injecte dans des caisses et il gonfle, il en reprend et recommence ailleurs. De temps en temps il diversifie : je possède le temps d'un été ou d'un hiver quelques cargos de sorgho à Marseille qui, revendus, viennent soutenir l'installation d'usines thaïlandaises fabriquant des raviolis italiens qui doivent en principe faire fureur sur le marché nord-européen, mes billets voyagent et voilà que je finance la construction d'un ensemble touristique de style louisianais en Sierra Leone qui, au vu des résultats, doit faire fureur chez les Hollandais... Parfois je récupère toutes mes billes ou presque et je les verse dans le même sac, me voilà principal actionnaire de deux forages pétroliers dans la Baltique et je suis déjà reparti... Tout cela se passe évidemment sans que j'en sois le moins du monde informé... Je déambule dans mon quartier, les mains dans les poches en sifflotant, je m'arrête prendre un demi en terrasse au coin de la rue de Clichy et du boulevard et je ne sais même pas que je fournis en carburant tous ces crétins qui roulent au ras du trottoir, à quelques mètres de mes talons. Ils me doivent leurs embouteillages. Qu'ils l'ignorent est normal, que je ne le sache pas est curieux, mais quelle importance...

J'écris beaucoup ce soir.

Ce n'est pas tous les jours ainsi.

C'est peut-être parce que je continue mon journal sur un nouveau cahier et que le papier glisse mieux... Je suis sûr que cela compte beaucoup pour les écrivains. On se demande parfois pourquoi certains de leurs passages sont ratés, pourquoi certains sont mieux que d'autres... En général ils s'embrouillent et ne donnent pas la réponse, c'est parce qu'ils n'osent pas dire qu'ils ont changé de stylo et que la plume dérapait ou accrochait ou inversement qu'elle glissait sur le papier, sans effort, un tracé facile comme une arabesque patineuse et que...

Tantine a appelé. J'irai demain. Les histoires avec Dufayeux continuent. Cela doit bien faire quinze ans que cela dure. Dufayeux est un nom que j'ai toujours associé aux velours crème des salons de thé pour dames à voilette, un nom qui sent le chocolat somptueux et qui se prononce pointillé de fines particules de biscuits à la cuillère. Je n'ai jamais vu M. Dufayeux. Un nom sucré pour marque de cacao.

Cette fois j'éteins.

14 septembre

VIEILLIR, c'est attribuer plus d'importance au temps qu'il fait qu'à celui qui passe... Cet automne 90 est pourri et l'envie de chaleur a été telle que j'ai passé l'après-midi dans la serre du Jardin des Plantes. A chacun son Porto Rico.

Etrange le Jardin des Plantes, peut-être sera-t-il l'un des derniers endroits vieillots de Paris... On découvre au hasard des allées de lourdes bâtisses anciennes où doivent mourir les derniers savants à lorgnons et cols cassés... Des vitres brisées, des rideaux sommaires entre lesquels on devine de poussiéreux ossements, un univers de bocaux douteux, de squelettes en miettes... De vieilles dames papotent près d'une tranche géante de séquoia... Il y avait autrefois un phoque asthmatique dans un bassin à sec aujourd'hui... Donc je déambule dans l'ancien jardin (je passais par là pour me rendre à la Sorbonne au cours de mes grises et juvéniles années) et j'ai retrouvé ma statue. J'avais autrefois toute une théorie à son sujet, je l'avais longuement expliquée à une étudiante laide qui en fut éblouie. Je me demande encore aujourd'hui pourquoi je m'étais donné tant de mal, elle ne m'intéressait pas du tout mais j'avais tendance en ces époques à m'épater moi-même. Cette statue représente un Indien se bagarrant avec un ours. L'intérêt est qu'on ne sait pas du tout qui va gagner. Je me suis arrêté devant tout à l'heure et j'avoue ne pas avoir retrouvé mon enthousiasme d'autrefois pour l'impact métaphysique se détachant de l'œuvre.

Je suis allé dans la serre

Peu de gens y pénètrent et c'est dommage, voici encore un coin de Paris méconnu. Peut-être y a-t-il plus de monde l'hiver, ce doit être agréable, il y fait trente degrés très humide... On y subit une sorte de sauna habillé. C'est très haut, des poutrelles et un vitrage du XIXe siècle et, en dessous, la jungle. Inutile d'aller en Afrique se faire chier avec la douane, les aéroports et tout le bataclan, d'autant plus qu'il n'y a plus de jungle en Afrique, tandis qu'ici on se trimbale dans un condensé de feuillages, de lianes, de troncs épanouis, le tout pétant de sève, on passe par des escaliers et on est dans les arbres, dans le fracas des piafs, l'eau vous coule dans le cou, on ruisselle dans le pull-over, on pose le barda, on sort la carabine, on tue des lions, on bouffe du singe, c'est formidable. C'est la jungle de Tarzan, totalement irréelle, absolument confinée... Et puis je m'enchante à vrai dire toujours de me trouver dans des endroits bizarres... Nous étions quatre à nous balader sous bananiers et palétuviers. Un couple de Hollandais en perdition, un vieillard amoureux des plantes grasses et moi. Le vieux lorgnait sur les cactus en pots... Je le soupçonne d'en faucher les espèces rares. Les Hollandais devaient chercher autre chose et avaient l'air surpris. Ils suaient beaucoup.

Bref, c'est très bien, il y a des bancs... On mijote dans les chlorophylles et la vie passe. Impression curieuse d'être en pleine nature et il suffit de vingt mètres pour que Paris soit là, tout plein de rues, tout bétonné. Je suis sorti avec des perles d'eau sur le veston et une odeur de terreau dans les narines, un froid soudain dehors malgré le soleil... Je suis remonté par la mosquée, derrière les arènes... Je me sens plus jeune par là... C'est bizarre ce sentiment qui me vient souvent de changer d'âge en changeant d'arron-

23

dissement... Pas que d'âge d'ailleurs, d'apparence... J'ai la sensation d'avoir beaucoup traîné aujourd'hui. Ce qui est étonnant, c'est que cela me surprenne encore car, après tout, cela fait quarante-trois ans que je traîne. Mais il y a des jours où l'on arrête de traîner pour traînasser, ce qui est — quoi qu'on en pense — fondamentalement différent pour un spécialiste du train-train. C'est le cas aujourd'hui, je n'ai pas arrêté d'évoluer dans un univers pâteux, dont le dessus avait tendance à se figer comme une crème refroidissante, j'ai tenté de farfouiller un peu dans ma bibliothèque, mais tous les bouquins étaient bizarrement identiques et ennuyeux. J'y ai peut-être passé trop de temps d'enfance. Une vieille pièce en rotonde et boiseries à l'ancienne, 25 000 volumes grimpant jusqu'à la verrière et moi tout au bas, dérisoire... Cela m'a fatigué soudain. J'ai connu il y a quelques années une femme dynamique prénommée France-Thérèse. Nous nous entendions assez bien quoiqu'elle commençât toutes ses phrases par : « Je ne comprends pas. » Le nombre de choses qu'elle ne comprenait pas était donc incalculable mais avait en général trait à mon genre de vie : « Je ne comprends pas pourquoi avec tout l'argent que tu as, tu ne voyages jamais ! »

Je lui ai expliqué longuement qu'il suffit de voir la tête des gens dans les aéroports pour se dire que l'on n'est nulle part aussi bien que chez soi, mais elle avait du mal à comprendre cela aussi, j'avais beau ajouter que l'on vend des merguez au pied des pyramides et des cornets vanille-framboise au sommet des temples mayas, cela ne l'a jamais vraiment persuadée. Elle croyait aux cartes postales et aux publicités pour touristes, j'ai fini par lui dire que j'aimais Paris, ce qu'elle n'a pas compris puisqu'elle le haïssait. En fait elle était, je puis le dire avec le recul, sans risque d'erreur, d'une étonnante stupidité.

« Je ne comprends pas pourquoi tu mènes la vie que tu

mènes. » Difficile là aussi à faire comprendre que je ne mène aucune vie et que c'est elle au contraire qui me tire ou me freine. En général, elle freine plutôt.

Et puis j'aime cet appartement. Trois cent vingt mètres carrés sous cinq mètres de plafond, un balcon, deux terrasses, quatre cheminées dont deux monumentales, c'est « bien suffisant lorsque l'on est seul ». C'est ce que j'explique à Rombilloux les soirs où je veux me faire détester.

Lorsque France-Thérèse était venue pour la première fois chez moi, elle avait parcouru les pièces, levé le nez sur les lambris et les tentures, parcouru les couloirs et avait proféré cette étonnante formule : « Je ne comprends pas cet appartement ! »

Il ne lui avait pourtant rien dit, mais elle était ainsi faite. Les entretiens que nous eûmes par la suite à son sujet m'éclairèrent un peu : elle le trouvait ancien et sombre, ce qui est vrai. Et surtout vide, ce qui est juste.

C'est exact que par désintérêt — si l'on excepte quelques meubles nécessaires (mais finalement bien peu le sont) — les pièces étaient désertes, peuplées uniquement de tableaux bitumeux représentant pour la plupart des soleils difficiles perçant des paysages brumeux parmi lesquels couraient des nymphes maladives. On aime ou on n'aime pas.

Je tentai un instant de lui parler de « dépouillement », je crois me souvenir que le terme était cette année-là à la mode, mais rien n'y fit, elle continua à ne pas le comprendre.

Le jour où elle me surprit en train de manger sur la table de la cuisine des pois chiches à même la boîte avec une cuiller en bois acheva sans doute son instruction : elle me trouva pour toujours hermétique à toute tentative de compréhension.

Je me souviens avoir en une ultime tentative déclaré que

Marbella en Porsche décapotable c'était possible, qu'une croisière en yacht entre palaces grecs c'était possible, qu'un jet particulier c'était possible, que faire du shopping à Londres et meubler une villa à Deauville c'était possible, mais que j'avais définitivement choisi de manger des pois chiches, tranquille au cœur du IXe arrondissement, parce que j'étais chez moi, que je m'y sentais bien et que, solitaire comme un diamant, c'était là ma vision du bonheur.

Je ne la revis plus. L'idée de partager mes conserves et de faire ensuite à petits pas le tour du pâté de maisons en une promenade digestive au milieu des marchands de quatre-saisons de la rue des Martyrs ne correspondait pas à son idéal de vie. Elle a donc fui. Je lui souhaite de rouler, cheveux horizontaux, dans des décapotables luisantes et vertigineuses en buvant du champagne frappé et en riant aussi fort que sur les affiches des tour operators.

Il existe deux catégories de femmes : celles qui ressemblent au musée du Louvre et celles qui ressemblent au musée du Louvre le mardi. France-Thérèse était dans la deuxième jusqu'aux sourcils.

Rien de très intéressant à la télé ce soir. J'aurais dû louer une cassette chez Lucien mais son stock de vieux films noir et blanc est réduit.

Merde ! j'ai oublié d'aller chez Dufayeux !

Tantine ne va pas être contente. Demain sans faute...

Normalement elle a des gens qui s'occupent de ses locataires, qui récupèrent les loyers, règlent les problèmes d'ascenseurs qui grincent ou de paillassons qui s'usent, mais si j'ai bien compris elle en a fini avec eux puisque depuis quelque temps l'immeuble est vide.

A l'exception de Dufayeux justement.

Là est le problème. Trente-cinq ans qu'il est incrusté dans son appartement du troisième. A mon avis, il ne le quittera jamais. Je comprends très bien ce monsieur, personnellement j'agirais comme lui. Le problème est que Tantine a une proposition de la SOGITAM. Je ne sais pas ce que fabrique la SOGITAM. Rien sans doute, mais ce qui a séduit Tantine c'est qu'ils ont des bureaux laqués, avec des ordinateurs élégants, et qu'ils remplacent les cloisons par des carrés de géraniums plastifiés, tout cela pour une somme hallucinante. Et si, au milieu de cela, se trouve l'enclave Dufayeux qui doit encore porter des supports-chaussettes, des cols cassés et dont les tentures doivent sentir le chou-fleur, ça la fout mal pour la SOGITAM.

De toute façon, je sais ce que la Tantine pense : mon neveu bien-aimé est plus à même de mouvoir ce vieux monsieur car il le comprendra mieux que tous les jeunes crétins à attaché-case et à complet aéré que je lui ai envoyés depuis ces derniers mois. Elle doit penser qu'entre vieux croûtons, on risque mieux de s'entendre. Non pas que je sois vraiment vieux, mais il est indéniable que je suis croûton.

Demain sans faute.

15 septembre

Eh bien ! ça c'est très bien passé.
Etrangement, mais bien.

Je dois dire d'abord que lorsque je dois franchir les
limites du IXe, c'est-à-dire passer d'un côté les grands
boulevards ou de l'autre la place Clichy, je suis dans
l'exacte disposition d'esprit qui dut être celle de Savor-
gnan de Brazza à l'orée du siècle, ou d'Amundsen,
l'explorateur des neiges, un peu plus tard...

J'ai toujours tendance, lorsque je passe la Seine, c'est-à-
dire lorsque je descends plein sud, à m'habiller plus
légèrement. A l'inverse, si je grimpe vers les régions plus
arctiques (porte de Clignancourt. La Chapelle, Saint-
Ouen, etc.), je me vêts chaudement.

L'immeuble de Dufayeux se trouvant dans les régions
tempérées des alentours du parc Monceau, je ne changeai
rien à mon habillement et pris le chemin des Batignolles,
cette rectiligne trouée qui ouvre dans le magma des
maisons une ligne assez désertique. Les magasins sont par
là fort anciens, on y rencontre des antiquaires toujours
fermés, et une vitrine qui m'a toujours fort intéressé car
elle vante les mérites de la gymnastique immobile : on y
voit une dame fuselée qui dort, tandis qu'autour de sa
taille un appareil fourmillant de fils et de caoutchouteuses
pustules est branché. La notice explique que, sans efforts
(elle a vraiment en effet l'air de dormir), elle perd, durant

son sommeil, tous les kilos superflus. Cela me fait encore rêver. Il y a quelques garages sans intérêt et un libraire soldeur toujours vide. Il a l'air furibond. Il lit toujours, et ce qu'il lit a le don de le mettre en colère, c'est à mon avis une erreur commerciale, on pourrait en déduire que tous ses livres sont mauvais.

Très vite, après le fleuriste, commencent les grilles du jardin qui est très beau quelle que soit la saison, j'aime beaucoup la partie où se trouvent les colonnes anciennes aux chapiteaux romanesques. J'y ai rencontré, je devais avoir une quinzaine d'années, une fille très belle dont les souliers se fermaient avec des boutons. Elle avait également de longues chaussettes et j'ai tout de suite pensé que je ne l'oublierais jamais, ce qui se révèle parfaitement exact jusqu'à aujourd'hui tout au moins. Je lui ai souri et pas elle.

Fin de l'histoire d'amour.

J'ai pensé quelquefois que, crispé par l'importance de l'enjeu, je lui avais fait un faux sourire qu'elle a peut-être pris pour une grimace. Cela aurait alors été un terrible quiproquo. Bref, nous ne nous sommes jamais revus. On tirerait difficilement cinq cents pages de cette histoire, mais on pourrait l'intituler *Jouets du destin,* ou *Désastreuse fatalité.*

C'est derrière le parc que s'élève l'immeuble.

Un bel escalier à l'ancienne, une odeur de vieille cire et de quelque chose d'agréablement croupissant. Le jour tombait par des sortes de vitraux et j'ai eu l'impression de devenir moi-même verdâtre. Cela ressemblait un peu à la serre de la veille, en moins feuillu évidemment.

J'ai sonné et j'ai entendu aussitôt le glissement des patins et la respiration. Je me suis demandé si ce M. Dufayeux proférait des borborygmes en série ou avait une crise d'asthme. Je n'ai pas pu éclaircir le problème car il a ouvert la porte après avoir inspecté le palier au judas.

J'ai décliné mon nom et quand j'ai ajouté : « Je suis le neveu de Mme Regnancourt », il a joint les mains et ses yeux ont fixé le plafond avec l'expression des Pietàs de l'Ecole florentine. Il s'est mis à ressembler à celle qui se trouve dans une salle des Offices et dont chaque paupière plombée semble peser trente kilos.

Comme je sais que je prends moi-même cette expression lorsque je dois me rendre à un thé ou à un dîner avec Tantine, je l'ai trouvé immédiatement sympathique.

Ce que je dois dire d'abord, c'est que Dufayeux est très vieux. Plus que vieux même. A ce point-là, il faudrait inventer un nom spécial. Mais enfin il trottine encore et il m'a fait entrer dans le salon.

Pute borgne ! comme aime à s'exclamer dans ces cas-là Anselme Rombilloux dans un des raccourcis saisissants qu'il affectionne...! Livres, registres et dossiers s'élèvent en falaises.

Ce type a Etretat chez lui.

Il a réussi à vivre au fond d'un canyon qu'il a dû fabriquer au fil des décennies ; il me précède, zigzaguant entre les à-pics, et nous gagnons l'étroite vallée d'un salon. Sur les tables grimpent de réguliers himalayas de volumes et de classeurs à armature de fer. Les fenêtres semblent avoir été découpées au milieu des volumes et, les marronniers de la rue voilant le soleil, la pièce danse dans la lumière des feuilles. Je m'assois dans un fauteuil adossé à des rangées successives de livres qui montent en surplomb et Dufayeux s'installe en face de moi. Nos genoux se touchent presque et il est évident pour moi, au bout de dix secondes, que si ce type déménage, il meurt. Avec un intérêt surprenant, ma Tantine a trouvé le seul plénipotentiaire qu'il ne fallait pas engager pour plaider sa cause. Comment voudrait-elle que moi qui suis le roi de l'enkystement, l'empereur de la pantoufle, l'adepte ferventissime du chez-soi, je tente de chasser de chez lui un vieillard qui a dû sécréter, durant un demi-siècle, les murs de sa carapace, qui doit aspirer le même air depuis trente ans et qui, enfoncé dans son appartement comme dans une vieille et bien-aimée robe de chambre, semble malgré l'âge et une certaine inquiétude dans les yeux le plus heureux des hommes?

— En général, on offre du thé, a-t-il dit, mais il n'y a que du rhum.

Comme il était onze heures du matin, j'ai refusé en arguant de l'heure et il a eu quelques phrases bien senties sur le fait que le découpage de l'activité humaine suivant vingt-quatre divisions, elles-mêmes subdivisées en soixante intervalles qui, eux-mêmes, etc., était une convention qui ne devait pas affecter nos désirs profonds et que la temporalisation de l'envie par l'individu le mettait dans la position d'un être qui fabriquant une prison s'y enfermerait lui-même après en avoir jeté la clef. En conséquence de quoi je me suis retrouvé avec, dans les mains, un verre à moutarde plein d'un alcool épais comme une étoffe, qui m'a fait éclater les papilles en feu d'artifice.

Je m'apprêtais à avoir le désagréable devoir de lui préciser le sens de ma visite lorsqu'il a plongé droit dedans.

— Cela fait longtemps que votre tante désirerait me voir partir!

Il respirait en emphysémateux donnant l'impression d'utiliser trois fois plus d'air que la plupart des mortels.

J'ai balbutié quelque chose sur la SOGITAM, l'ennui des procédures, le fait qu'il se trouvait isolé dans cette grande maison et que, s'il lui arrivait quelque chose...

Il a des yeux de malice. Je m'en suis aperçu à ce moment-là, un vieux monsieur espiègle et ennuyé au milieu de ses montagnes de savoir, seul comme un paysan au cœur de son domaine... Il sirotait son rhum,

31

par à-coups, ponctionnait le liquide par goulées courtes et chuintantes.

J'ai entamé le début du baratin que m'avait seriné la Tantoche : on lui trouverait un autre appartement, aussi grand, ce serait peut-être difficile dans le même quartier, mais dans un autre, pas trop loin, ou dans une banlieue agréable, il en existait, il pourrait même...

C'est là que son œil est devenu encore plus malicieux.

— Finissez votre texte, a-t-il dit, après nous parlerons...

Il a sorti ça tellement gentiment que je me suis senti contrit. Au fond, c'est moi qui venais l'emmerder et il prenait la peine de m'écouter. En plus, à jeun, son rikiki commençait à m'exploser les neurones.

J'ai montré les enfilades répercutées par les glaces des portes, les chargements de livres le long des murs se terminant en amoncellements au-dessus des placards, des armoires.

— Et vous arrivez à vous y retrouver ?

Il a aspiré son tord-boyaux comme une éponge.

— Je peux vous retrouver n'importe quel titre en moins de trois minutes.

Les armatures métalliques des classeurs brillaient dans la lumière chahutée d'ombres vives.

Bien sûr, la question me tournicotait dans les hémisphères depuis le début : que pouvait bien faire ce vieux type au milieu de tout ce conglomérat ? Pourquoi ces notes, ces bouquins, ces tonnes de paperasses ?

— Puis-je me permettre de vous demander quelle était votre profession ?

Ses yeux sont devenus ronds et j'ai senti ses orteils frétiller dans ses charentaises, il se dégageait de lui une odeur de vieux velours, de laines anciennes, un parfum pas si loin de la nursery, comme si la fin rejoignait le début dans un attendrissement mystérieux.

— Pourquoi ne me demandez-vous pas ce qu'elle est aujourd'hui ?

Et toc ! Toujours cette impression que les vieux ne foutent plus rien. J'aurais pu m'apercevoir que la table était pleine de papiers et qu'un classeur était ouvert. Il y avait une hotte de stylos dans un pot en grès, des tubes de colle, une agrafeuse, une machine à écrire plate comme une galette, des trombones partout, trois paires de ciseaux...

— Je vous aurais répondu que mon travail à présent est l'exacte continuation de celui d'hier...

Il m'a semblé qu'il était tard, que je commençais à avoir une casquette en acier chromé qui s'était installée autour de mon crâne, et que sa pointure était trop étroite. J'ai pensé que je n'avais rien résolu mais c'est une impression qui m'est tellement familière que je n'en ai pas éprouvé de malaise. Et puis j'avais obéi : je m'étais rendu chez Dufayeux, et le vieux m'avait répondu... Mais au fait qu'avait-il répondu ?

C'est alors que je me suis aperçu que je ne lui avais pas posé la question pour laquelle j'étais venu.

— Excusez-moi, dis-je, ne croyez pas que ça m'amuse de vous demander cela, mais avez-vous l'intention de quitter bientôt cet appartement ?

Il s'est levé. De plus près, son pull-over semblait une cotte de mailles à col roulé, coupe Duguesclin.

— Absolument pas, annonça-t-il très joyeusement.

On s'est serré la main. Je ne sais pas trop pourquoi je lui ai donné mon téléphone et il m'a donné le sien... et il m'a reconduit jusqu'à la porte à travers le défilé des Rocheuses. Là, il s'est produit une chose bizarre : avant de m'ouvrir, il a jeté un œil par le judas comme pour voir s'il n'y avait personne sur le palier.

On s'est serré la main de nouveau, il sentait vraiment le bébé et il avait l'air encore plus gentil et rigolo qu'au début, je lui aurais bien demandé si je pouvais revenir, mais je n'ai pas osé. J'ai quand même pris mon courage à deux mains et j'ai annoncé assez pâteusement :

— Et pourquoi ne voulez-vous pas partir, exactement ?

Son sourire s'est un peu figé et il a dit :

— Ce serait un peu long à expliquer, mais ce n'est pas que je ne veux pas : je ne peux pas.

Et voilà ! la porte s'est refermée.

Mission accomplie, si j'ose dire. C'est Tantine qui va être ravie. J'ai attrapé une musette au vieux rhum avec un centenaire et je flageole sur le boulevard. Je me suis trouvé un banc dans le square et je m'y suis endormi avant de m'être assis dessus. Ce sont les cris des gosses qui m'ont réveillé, j'avais un peu faim mais pas très envie d'aller au restaurant. J'ai transigé pour un pain au chocolat et un pain aux raisins dans la boulangerie-pâtisserie en face du lycée Carnot. Je n'aime pas trop les environs de lycée, ce sont des lieux calmes et sereins qui, d'une seconde à l'autre, se remplissent de meutes hurlantes. J'ai donc filé vers des horizons moins inquiétants, tout en mangeant.

Ce n'était pas fameux, rassis pour l'un et racorni pour l'autre.

Les boulangers-pâtissiers sont souvent des escrocs, je l'ai bien des fois remarqué. J'ai pensé à France-Thérèse, si elle m'avait vu postillonner mes miettes dans la rue, elle aurait dit qu'elle ne comprenait pas cette façon de s'alimenter. C'est pourtant souvent la mienne les jours de grande déambulation. J'ai pensé rentrer mais il n'y a que du tennis l'après-midi à la télé en ce moment, et ça finit par me lasser, l'année dernière j'ai tellement regardé de rencontres à cette période de l'année que j'ai eu l'impression que l'un de mes bras avait doublé de volume. C'est ainsi que j'ai pu savoir que si je tenais une raquette, je serais gaucher.

Je suis allé me balader dans une rue où je sais trouver deux brocanteurs. Ils n'ont jamais rien mais nous discutons. A une époque, l'un d'entre eux possédait une toile de quatre mètres sur trois représentant une marguerite fanée dans un verre à dents, sur fond de carrelage. C'est la peinture la plus débilitante que j'aie pu voir de toute ma vie, j'ai d'ailleurs failli l'acheter par pur masochisme. Il a fini par la vendre à un Suisse de passage qui avait, m'a-t-il dit, une oreille plus décollée que l'autre, ce qui est le signe incontestable des grands suicidaires. Je pense que la marguerite a dû l'encourager dans cette voie morbide.

Mon attitude envers ces deux brocanteurs est curieuse : je sais qu'ils n'ont rien mais je ne peux m'empêcher d'aller le vérifier au cas où, contre toute attente, ils auraient quelque chose. Ils n'avaient une nouvelle fois rien et je suis rentré chez moi à petits pas en caressant des envies de sieste. Il faisait bon dans le hall, les mosaïques gardent sans doute la fraîcheur.

Le vieil ascenseur démarre avec un chuintement incongru. La première fois que quelqu'un monte dedans, il est surpris par cette sorte de flatulence interminable d'envergure déraisonnable. France-Thérèse ne s'y est jamais habituée, elle préférait monter à pied. Elle ne comprend pas que l'on ne fasse pas réparer cet appareil. Il n'y a pas à le réparer puisqu'il marche très bien.

Il pète, c'est tout.

Henriette, qui n'est pas venue, il faut le dire, très souvent, l'appelait le « mal-élevé ». Elle l'avait annoncé à ses copines : « Edmond a un ascenseur mal élevé. » Personne ne comprenait ce que cela voulait dire et je protestais faiblement. Henriette devait sortir très vite de ma vie, à supposer qu'elle y soit réellement entrée, son fiancé vivant dans la banlieue de Grenoble, jouant arrière latéral le samedi dans une équipe de football d'une localité voisine et possédant un CAP de charcuterie, venait de finir

35

son service militaire ; j'ai d'ailleurs mangé de ses andouillettes à plusieurs reprises et je peux certifier qu'elles étaient excellentes. Elles sentaient même beaucoup moins le caca que la majorité de leurs consœurs, le caca étant — comme nul n'en ignore — le parfum fatidique de cette catégorie de charcutaille. Je déconseille entre autres de renifler de l'andouillette dans un ascenseur couineur, l'enchaînement des sensations pourrait être fatale, surtout si vous avez avec vous une inconnue que vous tentez de séduire... Je sens que je vais m'endormir avec la vision de ce bon vieux Dufayeux... Il faudra téléphoner à Tantine demain, dire que je n'ai pas vraiment enlevé le bastion. Trop sommeil pour continuer.

16 septembre

Plus de biscottes au petit déjeuner, j'ai dû alterner café-crème et tranche de jambon, il en restait une doucement cantonnée dans le fond du frigidaire. Nécessité absolue d'opérer dès aujourd'hui une virée chez la caissière dédaigneuse au corsage bombé. Même la réserve de pois chiches s'épuise. Pas la peine d'être quasi-propriétaire d'une chaîne de magasins d'alimentation pour mourir de faim.

C'est Tantine qui a appelé. Je m'en suis sorti en lui expliquant que j'avais choisi une tactique insidieuse, qui serait efficace mais lente. Ma visite d'hier avait été une simple prise de contact, le but étant de créer entre Dufayeux et moi une relation de sympathie et de l'avoir à la persuasion souriante.

Je lui ai expliqué que la mise en demeure et les méthodes juridiques ordinaires utilisant toute la gamme des possibilités légales pour virer un locataire resteraient lettre morte.

Il faut dire que si ce brave Dufayeux, avec sa bonne tête de professeur Tournesol, avait l'idée de raconter son histoire à quelque journaliste de la presse écrite ou audiovisuelle, il y a de grandes chances que la SOGITAM pourrait remballer les ordinateurs pour ne pas passer pour le grand méchant loup dévoreur de gentil vieillard.

Tantine m'a écouté et n'a guère paru persuadée. Elle a

eu une remarque acide du style « J'aurais bien dû me douter qu'en ayant recours à tes services... » Chaque point de suspension pesait trois tonnes.

Avant de raccrocher, la vision des piles de bouquins soutenant le plafond m'est passée devant les yeux et j'ai demandé :

— Au fait, qu'est-ce qu'il faisait comme métier, ce Dufayeux ?

— Je ne l'ai jamais bien su exactement. Il était dans la recherche, il traficotait dans des laboratoires, mais pour dire quoi...

Tantine est incollable sur deux sujets. Sur le calcul des agios, dividendes, actions, obligations, ventes, rachats de parts et, également, sur les salons de thé compris entre l'avenue Foch et Saint-Honoré-d'Eylau. Imbattable sur la qualité des petits fours, mais il ne faut pas espérer grand-chose d'autre. Je suppose que si je lui avais demandé ce que fabriquaient Einstein, Ampère, Pasteur, von Braun, Darwin et une centaine d'autres, elle m'aurait également répondu qu'il traficotaient dans des laboratoires.

En tout cas je me suis senti débarrassé de cette histoire pour un bout de temps, et c'est à ce moment-là que dans l'euphorie de la liberté retrouvée j'ai dû décider d'aller au cinéma dans l'après-midi.

J'allais autrefois le plus près possible de chez moi.

On s'en serait douté.

Malheureusement mes cinémas sont devenus des fast-foods ou des officines où l'on vend des tours Eiffel clignotantes, des arcs de triomphe lumineux et des sacrés-cœurs en métal doré faisant lampe de chevet, le tout servant de couverture à des bookmakers arméniens ou pieds-noirs. Si ce sont toujours des cinémas, on y joue des films qui ont tous eu un prix lors des derniers phallus d'or de Copenhague. Ce n'est pas cher, on peut, annonce la pancarte au-dessus de la caisse, en voir trois pour vingt francs.

Je n'ai jamais vu personne y entrer.

Je passe parfois devant mais je n'y suis jamais allé, pour deux raisons : je serais très gêné de demander un ticket à la caissière qui a l'air sévère et à qui je serais obligé d'annoncer le titre du film choisi. Sur l'affiche il y a des points de suspension, ce qui facilite évidemment les choses. On lit en effet : « Prête-moi ton c... ». Mais je ne veux pas demander à cette dame : Une place pour *Prête-moi ton c...* Ça ne veut rien dire « ton c... ». Et d'un autre côté, ça me paraît encore plus difficile de lui dire tout à trac : « Prête-moi ton cul ». Alors que nous ne nous connaissons même pas. La deuxième raison est que le scénario de tous ces films est, semble-t-il, bien faiblard. Me voici donc obligé d'aller au quartier Latin.

J'aimais bien y rôder autrefois, les gens m'y paraissaient assez fragiles, plus doux et plus polis qu'ailleurs... Avec les années ils sont devenus plus jeunes, plus exactement me voici à présent plus vieux et je les trouve surtout éminemment plus cons.

Impression personnelle qui n'engage que moi.

De plus, je n'aime pas choisir mes films à l'avance, j'aime aller à la rencontre d'un inconnu et on se tombe dessus au hasard d'une salle. C'est bien mieux. Comme le quartier Latin est au sud par rapport à chez moi, j'ai remplacé mes habituelles chaussettes de laine par du fil d'Ecosse et pris, sous ma veste, un pull-over plus léger.

Je suis descendu par le 95, il était conduit par un employé brutal qui m'a paru préoccupé par l'unique souci de ne pas prendre de voyageurs car il fermait très rapidement les portes et démarrait très vite. Son entreprise était d'ailleurs illogique car non seulement il ne voulait pas prendre de voyageurs, mais il semblait ensuite vouloir les garder, tentant de laisser les portes de sortie fermées le plus longtemps possible. La vieille dame en face de moi serrait l'anse de son cabas d'une main terrorisée. Peut-être le connaissait-elle.

Pas une seule reprise d'aucun film, que l'habituel cortège de fadasses nouveautés. J'ai finalement vu *Opération Rangoon*.

Dieu sait pourquoi !

Les photos m'avaient paru appétissantes. Le type qui tenait le rôle principal avait le tort de changer souvent de moumoute, à chaque fois j'avais du mal à le reconnaître. Il passait en outre beaucoup plus de temps à embrasser les dames qu'à courir après les voleurs.

Les explosions des voitures incendiées m'ont réveillé à intervalles réguliers, la voiture n'avait pas encore fini de brûler qu'il embrassait déjà une nouvelle dame. Incorrigible !

En fin de compte ça ne se passait pas à Rangoon car « Rangoon » était en fait le nom du chef qui dirigeait tout du haut de son building d'au moins trois étages. Je suis sorti effondré.

A chaque fois que je vois un navet de ce style, je ne crois plus à la grandeur de la condition humaine. J'ai trop investi dans le cinéma.

Il faisait bon et j'ai décidé de tenter la traversée de la Seine à pied par le Pont-Neuf. Opération réussie.

J'ai tout de même pris un taxi dès mon arrivée sur la rive droite et chez moi je me suis écroulé dans un des fauteuils tendrement défoncés que France-Thérèse ne comprenait pas.

Et j'ai téléphoné à Dufayeux.

Il était tard pourtant, presque neuf heures et demie. Difficile d'expliquer pourquoi... Ce n'était pas particulièrement l'envie de parler à quelqu'un. Dieu merci, ce genre de stupidité m'a abandonné depuis belle lurette et il m'est arrivé de rester une bonne quinzaine sans dire autre chose que : « Un demi, s'il vous plaît, garçon » et « Excusez-moi » lorsqu'on m'écrase les pieds dans le métro. Donc j'ai téléphoné.

J'ai trouvé un prétexte pour lui demander sa profession. J'ai toujours trouvé des prétextes. Pour tout. Je ne fais rien sans eux. Ils sont le pain et le sel de la vie, ils permettent de ne rien affronter directement, ce sont de grands morceaux de coton hydrophile.

J'ai donc, une fois de plus, inventé une histoire de papiers à remplir. J'ai eu en réponse un rire flûté. Il fait partie de ces gens qui, lorsqu'ils rient, effacent trente ans d'un coup.

— J'exerce une profession qui n'a pas véritablement de nom. Je crois d'ailleurs que ce sont les plus intéressantes.

J'ai mâchonné une ânerie du style « j'ai un formulaire à remplir et il faut inscrire quelque chose... »

— Je suis dans les molécules, a dit Dufayeux.

J'ai eu l'impression, à cet instant, qu'il se moquait de moi. Il a dû avoir conscience de mon trouble car il a ajouté, comme quelqu'un qui veut arrêter une plaisante-rie :

— Biologiste. Vous pouvez noter : biologiste.

— Très bien.

— Ou chimiste. Je ne sais pas qui l'emporte sur l'autre. Si on le savait, un des plus grands secrets de l'univers serait levé. Si vous voulez être plus précis, dites que je suis biochimiste ou chimio-biologiste, le choix est autorisé. Comment avez-vous trouvé mon rhum ?

Il avait tellement l'air de bonne humeur que j'ai senti que la mienne changeait, j'en avais oublié ce crétin de Rangoon.

— Meurtrier. Je me suis endormi sur un banc en sortant de chez vous.

Il riait tellement que j'ai dû éloigner l'écouteur de mon oreille.

41

— C'est parce que vous l'avez mal bu. Vous buvez mal, je l'ai remarqué. Il y a une technique du bien-boire.

— Il faudra que vous me l'appreniez.

— Vous en auriez bien besoin. Mes respects à Madame votre tante.

Raccroché. Ça m'a scié les mollets. Cet homme est menacé, je pourrais être une aide pour lui, il a tout intérêt à se concilier mes faveurs pour que j'intercède, pour que je plaide, je ne sais pas moi, et au lieu de ça, il raccroche...

Chimio-biologiste. Rien que ça. Je me demande s'il a eu une notoriété autrefois dans ce domaine.

Je me suis senti tout de même détendu après ce coup de téléphone, un peu vexé mais détendu, plus par son ton de voix que par ce qu'il m'a dit. Je me suis rapproché de la fenêtre et j'ai regardé le ciel. Complètement dégagé. Des milliards d'étoiles et la Voie lactée juste au-dessus, comme la traînée crayeuse du chiffon sur le tableau noir. Une fois de plus, le phénomène a joué : cela ne m'a pas étonné car il se produit à chaque fois : la vision de ces espaces infinis, de ces myriades d'étoiles, ajoutée au silence nocturne, crée en moi un sentiment profond : celui d'un mortel emmerdement.

Je me suis trouvé sous la voûte étoilée, en compagnie, un assez grand nombre de fois et, en général, cela n'a jamais loupé, la personne auprès de moi, homme ou femme, prélude par quelques soupirs de caractère philosophiquement préparatoire et, dans les secondes qui suivent, le discours prononcé comporte invariablement les mots d' « infini », parfois de « Dieu », d' « immensité », l'adjectif « insondable », l'expression « peu de chose » reviennent également souvent et, dans les cas désespérés, on peut entendre « sublime spectacle ».

Je n'ai jamais compris cet engouement qu'il y a à trouver tout cela tellement étonnant, mais peut-être est-ce que je fuis les délires romantico-stellaires de mes contemporains.

42

Rombilloux est particulièrement imbattable dans ces moments-là, il devient très mondain et fait les présentations : « A gauche c'est Cassiopée et, au-dessus, Bételgeuse, on doit voir Aldébaran en dessous. » Il enchaîne en général avec des considérations métaphysiques absconses englobant la présence superfétatoire de l'humanité sur cette bonne vieille croûte terrestre.

Chimio-biologiste.

J'ai dû en voir à la télé. Ce sont des gens avec des microscopes et qui vous parlent de l'A.D.N. comme si vous y compreniez quelque chose. J'avais horreur de la chimie au lycée. Des vapeurs jaunâtres sortaient des tubes d'éprouvettes, le papier tournesol devenait bleu, tout le monde toussait et le prof alignait au tableau des lettres et des chiffres. Je me souviens de $SO_4 H_2$ et de $NaCl$. Je n'arrivais pas à comprendre le rapport avec les fumées et les changements de couleur. Quant à la biologie, on avait Pasquier en terminale. « Pasquier-pue-des-pieds », pour être plus exact. On passait deux trimestres à torturer des grenouilles. Je me souviens aussi d'un bocal bourré de têtards balourds. On ne s'en est jamais servi. C'est peut-être pour cela que je me souviens bien de lui. Il y avait aussi de grands dépliants avec des types coupés en deux dans le sens de la longueur, mais cependant souriants. Des tuyaux écœurants grouillaient partout à l'intérieur avec des flèches comme pour le code de la route. Une expression m'est restée : « fonction glycogénique du foie ». Je me demande pourquoi car je n'apprenais rien. J'ai su très tôt que j'avais suffisamment de milliards derrière moi pour ne pas avoir à forcer outre mesure.

S'il déménage, il faudra au moins six camions pour les bouquins et les registres.

Qu'il se démerde ! Je dors.

17 septembre

« VIEUX con ! »
C'est ce que l'on vient de me dire à la sortie de
la ligne de métro Porte d'Orléans-Porte de Clignancourt,
à la station Réaumur-Sébastopol.

Il était 18 h 37. Il y avait foule. Je poussais parce que
j'étais poussé et quelqu'un que je n'ai pas bien vu, placé
devant moi, s'est retourné et a proféré à mon intention,
nettement et textuellement, cette formule lapidaire :
Vieux con.

Il devait être jeune probablement.

Peut-être était-il con aussi, d'ailleurs.

En tout cas, cela m'a laissé rêveur. Depuis, j'interprète,
je m'interroge. Je me demande si ce qui me gêne le plus est
d'avoir été traité de con ou de vieux. Sans doute de vieux
parce que ça, ça se voit, alors qu'il ne pouvait pas savoir,
en si peu de temps, si j'étais con. D'un autre côté, s'il avait
dit « con » tout court, cela aurait eu une brièveté trop
cinglante qui m'eût blessé peut-être plus profondément, et
je me demande si l'adjectif n'a pas été finalement un
adoucissant, s'il n'a pas joué, en fait, un double rôle : tout
d'abord il tempère, et j'ai l'impression tout à coup qu'un
vieux con est moins con qu'un con tout court... Cela est
peut-être dû à une sorte de respect des anciens surnageant
aux rebords de nos consciences... Il y a là une nuance
d'importance : le vieux con n'est peut-être con que parce

qu'il est vieux ; il ne l'a pas toujours été, peut-être fut-il brillant, intelligent, peut-être autrefois ne poussait-il pas dans le métro... Bref la connerie est ici un produit de l'âge dont il est la victime, il est donc plus attendrissant qu'inquiétant, c'est un privilège du troisième âge en quelque sorte, et peut-être qu'en approfondissant encore, je trouverais dans l'expression qui m'a défini en ce court moment une infime nuance de tendresse. J'imagine les visages émus de mes copains de régiment se retrouvant à l'automne de leur âge et se traitant mutuellement, les larmes aux yeux, de vieux cons. Pudeur des amitiés viriles... Peut-être cet inconnu dans le métro a-t-il exprimé soudain une brutale montée de tension retenue à mon égard...

On peut évidemment ne pas être d'accord avec mon interprétation et penser au contraire que l'âge n'arrangeant pas les choses, se manifestant par une lourdeur, de pesanteur (le poids des ans), un vieux con est plus con qu'un con moins vieux ou qu'un con tout court...

En tout cas je n'ai rien répondu par manque de réflexe, je trouve mes mots toujours après...

Répondre n'est d'ailleurs pas si facile qu'il y paraît car on répond à une question : or, je n'ai pas été questionné.

Loin de là.

C'était plutôt une affirmation péremptoire. Peut-être pas complètement fausse, et ce monsieur entr'aperçu était-il un fin connaisseur. Que répondre donc à quelqu'un qui vous apprend sans préparation excessive que vous êtes un vieux con ? Le plus normal est de le traiter de la même manière, mais avouez que ce serait un aveu d'impuissance que d'employer exactement ses propres termes ; cela dénoterait un tel manque d'imagination que je ne puis absolument pas m'y résoudre.

Trois solutions s'offrent : petit, gros ou grand.

Choisissons.

Petit con ne me satisfait pas pour deux raisons contradictoires ; c'est à la fois trop gentil puisqu'un petit con est tellement con qu'il n'est même pas capable d'être un con tout entier ; il y a dans cette formule quelque chose d'à la fois mignard et d'inachevé qui me laisse insatisfait.

J'écarte tout de suite « gros con » qui, de loin, me paraît être la solution la plus vulgaire ; elle a un aspect d'obésité, d'enflure, de graisse et de bêtise épandues qui me choque. On peut être grossier sans être obscène ; « gros con » appartient aux deux catégories.

Reste « grand con ». Là encore je demeure perplexe ; l'adjectif est ici presque un hommage. Proférer cette formule, c'est se poser aussitôt comme un petit homme râleur dressé sur ses ergots face à un grand escogriffe, dadais longiligne ; c'est ce que dit dans la cour de récréation le bambin du cours préparatoire au grand du cours moyen deuxième année qui vient de lui piquer ses réglisses. Cela serait ridicule que je profère ces mots d'enfant, moi qui suis un vieux. Un vieux con pour être plus exact.

Alors, que faire ? Le silence ? Ce serait digne, mais il est dur de s'y résoudre, le silence est l'injure des forts. « Indescriptible con » me paraît trop long, rien de tranchant, rien de vif ni d'incisif ; non, il ne faut pas dépasser les deux syllabes sinon on n'en finit plus, et puis cela ne fait pas sérieux. J'ai cherché l'adjectif *ad hoc*, j'ai fait les dictionnaires comme les dames font les magasins, je n'étais pas loin de penser que, finalement, j'étais bien un vieux con lorsque la solution m'est venue d'un coup, exactement ce qu'il fallait, ni trop long ni trop court, la réplique parfaite.

Pauvre con.

Maintenant que je l'ai écrite, je ne la trouve plus si bonne. Je me demande si « pauvre » n'introduit pas une dimension d'apitoiement qui me pose comme une sorte de richard hautain à smoking, cigare et double Rolls par rapport à un brave homme sans le sou que je toise dédaigneusement; non, décidément, ça ne va pas non plus.

Je crois que je ne suis pas fait pour adresser des injures ; je me contenterai donc dorénavant d'en recevoir, ou alors je devrai prendre la décision ferme de ne plus prendre le métro.

J'avais passé la journée à déambuler après un arrêt dans le square des Arts et Métiers.

J'ai une passion pour les squares, sans doute depuis toujours. Le grincement du petit portillon vert a dû représenter pour moi au temps de ma lointaine enfance la musique annonciatrice des délices du bac à sable et des courses à perdre haleine dans les allées de l'été... Quarante ans plus tard, je ne me lasse pas de l'odeur d'eau qui, après les arrosages, stagne en ces lieux... J'en aime les fusains, les bancs constellés de chiures de pigeons et les rires ténus des marmailles sous les frondaisons. J'aime contempler les mères tricoteuses, un œil rivé sur la poussette où somnole la progéniture potelée... Nulle femme n'a l'air plus sage que dans les squares... C'est le temple en plein air air des mères réelles... Une douceur court sous les ombres des tilleuls... Je connais presque tous ceux de Paris mais j'en découvre toujours de nouveaux, c'est très curieux... Le toit en pagode d'un kiosque à musique, une balle rouge court sur le gazon violet à force d'être vert, un gardien bleu se promène. Un rire monte près des marronniers, surmontant les rumeurs du boulevard tout proche... Je ne sais pas s'il existe un guide des squares, ce serait à faire... Les toilettes s'y dissimulent derrière des massifs touffus, l'eau court sur les faïences — toute une fraîcheur carrelée... On lit dans certains le nom de l'architecte : Tartempion. 1908...

J'ai fait quelques provisions en rentrant et j'ai cherché

47

dans le journal les programmes du soir à la télévision lorsque le téléphone a sonné.

J'ai pensé que c'était Sabine Audureau car c'est à peu près l'heure où elle se manifeste lorsque l'envie lui en prend. C'était Dufayeux.

— Vous n'avez pas perdu de temps. Deux lettres recommandées dans l'après-midi !

Je suis resté pas mal de temps la bouche ouverte et j'ai fini par proférer :

— C'est pas moi.

Je devais déjà dire ça lorsque j'étais au cours préparatoire.

La repartie n'était pas brillante, mais elle a dû paraître sincère car le vieux a parlé plus lentement. Il y avait une vibration dans sa voix qui ne s'y trouvait pas d'ordinaire.

— Excusez-moi, mais j'ai pensé que vous y étiez pour quelque chose... Je devrais avoir l'habitude, c'est bien la soixante-quinzième que je reçois, mais deux d'un coup ça fait beaucoup et j'ai cru que vous étiez à l'origine de cette accélération de la procédure.

J'ai avalé ma salive.

— Je ne vire pas les gens dont je bois le rhum.

J'ai regretté aussitôt d'avoir dit ça. D'abord parce que c'était un peu emphatique et, surtout, parce que ça semblait me ranger de son côté assez définitivement, je voulais bien ne pas trop forcer pour le faire partir mais de là à l'aider à rester... J'ai l'art de me fourrer dans ce genre de situations... Il a eu un soupir rapide et déjà courageux, comme une reprise en main de soi-même. C'était un vieux petit soldat fatigué qui d'un coup d'épaule se remontait le barda sur le dos.

— En parlant de rhum, il en reste, si ça vous tente, vous venez quand vous voulez, je suis toujours là.

— Demain dix-neuf heures ?

— Si cela vous convient.

48

Ma bonne Tantine a donc passé la vitesse supérieure. Elle a dû comprendre que mon intervention ne serait guère déterminante et ses hommes de loi et autres sbires ont dû être relancés assez sérieusement. Pauvre diable de Dufayeux !

Je suis content de retourner chez lui.

Une demi-heure après, Sabine Audureau a appelé. Sabine et moi avions fait ensemble, au temps des facultés, des études imprécises et molles. On l'appelait à cette époque « la Tourmalet », pour la raison essentielle qu'il était très difficile de la grimper. C'était une époque où l'on s'intéressait au Tour de France et où les jeunes filles mettaient un point d'honneur à rester vierges. Cela explique ceci. Elle est actuellement, après une impressionnante collection de dépressions nerveuses, employée au ministère de l'Education nationale. Elle a été tellement traumatisée par les enfants qu'elle change de trottoir si elle en aperçoit un à moins de trois cents mètres devant elle.

Il nous arrive de couchetter car elle est beaucoup moins « Tourmalet » qu'avant.

Il serait cependant erroné de conclure de nos nuits qu'elles se déroulent dans la folie des sens et la chaleur du désir, cela doit encore, pour rester dans les comparaisons cyclistes, être plus près d'un lent et classique Paris-Roubaix que d'un sprint éperdu sur le ciment d'une piste un jour de championnat du monde. Elle m'a proposé de passer vendredi. Elle voudrait voir un film au Ciné-Club et son poste a du mal à accrocher la deuxième chaîne.

Je lui ai dit : « Bien volontiers. »

Cela faisait longtemps que je n'avais pas manifesté un tel enthousiasme et elle a dû penser que j'étais pris d'une sorte de furie sexuelle, alors que j'étais simplement content d'avoir deux rendez-vous dans la même semaine. Me voici bien occupé : Dufayeux demain, Tourmalet vendredi. La vie est un véritable tourbillon.

18 septembre

JE vais raconter le plus précisément possible.
C'est un exercice dont je n'ai pas l'habitude et ce journal va prendre une autre allure.

D'habitude il me sert à divaguer, je le remplis avec n'importe quoi puisqu'il ne s'y passe rien, mais voici que les choses changent. Enfin elles ne changent certainement pas mais disons que j'ai envie de les faire changer. Il faut donc arrêter de laisser sa plume avancer seule pour lui faire relater ce que je veux, c'est une autre paire de manches.

La journée a débuté sportivement.

Je me suis fait un tennis soporifique sur Antenne 2 et je suis parti vers dix-sept heures. J'ai enveloppé une bouteille de gevrey-chambertin 1963 dans un journal. Je ne sais pas pourquoi mais à mon avis ce vieux type doit aimer le vin.

Si la chère Tantine apprend un jour que j'apporte des premiers crus de Bourgogne millésimé à son locataire irréductible, ça fera des vagues. Elle risque de me déshériter. En supposant que je sois sur son testament. Dans la mesure où sa fortune doit être égale à la mienne, ça me ferait un joli doublé. Même impôts déduits. Donc je suis parti chez Dufayeux.

Impression bizarre que les rues de ce quartier me seront familières... Comment puis-je déjà le savoir ? Les rues sont des femmes peut-être. Elles savent qu'elles se donneront et chaque pavé, chaque pierre est promesse...

J'ai serré ma bouteille sous le bras et pénétré sous le porche. Le hall d'entrée sent la nécropole. On cherche dans les recoins de vieilles couronnes fanées. Pour savourer tout cela j'ai délaissé l'ascenseur et pris l'escalier. Dufayeux habite le troisième. Au deuxième et demi une voix de mezzo-soprano a dit « merde » et un grondement tambouriné m'a collé contre la tapisserie dans un réflexe de baroudeur.

La première sphère a heurté la rampe, rebondi et s'est envolée droit sur moi, les autres dévalaient, sautant quatre marches à la fois. J'en ai pris une dans le mollet et tenté d'attraper les autres au rebond, mais il est extrêmement difficile d'arrêter des pommes de terre en plein vol.

Chaque élément de l'ensemble semble être en effet doué d'une activité dont la finalité consiste à vouloir aller plus loin, plus vite et surtout ailleurs que les autres. A trois centimètres de mon œil droit, deux tubercules se sont croisés et heurtés de plein fouet tandis que les autres dévalaient, percutant les murs et le tapis dans un tintamarre d'enfer. J'ai pu happer la dernière. Elle m'a paru de loin la plus petite, elle était de toute façon la moins véloce, un peu comme un traînard dans une armée.

J'ai alors vu deux jambes vêtues de jean descendre vers moi et j'ai tendu ma patate lambine.

— Je n'ai pas pu faire mieux, ai-je dit.

C'était un peu comme si, invité à une chasse au tigre, vous reveniez avec un couple de perdreaux dans la musette, mais enfin la dame qui descendait m'a regardé sans trop de sévérité.

— Vous n'avez pas été touché ?

— J'ai fait la guerre.

Tout en lui répondant, j'ai constaté que c'était bien une mezzo-soprano, j'en ai déduit que c'était elle qui

51

avait dit « merde ». Sans doute au moment où le sac avait crevé.

— J'espère que la porte en bas est fermée, a-t-elle dit.

Elle avait un air songeur qui s'est accentué lorsque je lui ai appris que non.

J'ai même ajouté qu'en tenant compte de la vitesse acquise et de la déclivité de la rue, il était possible que certains projectiles soient actuellement en train de rebondir en direction de la place des Ternes, voire des périphériques. Elle a eu un gémissement et s'est assise sur une marche.

— Croyez-vous qu'on en parlera dans les journaux ?

Je lui ai répondu que si l'une des patates infernales s'écrasait sur le pare-brise d'un autobus, le conducteur aveuglé et surpris pouvait déjà avoir lancé son véhicule contre un camion arrivant en sens inverse et que l'on pouvait déjà compter une trentaine de morts.

Elle a hoché la tête et m'a remercié pour tout le réconfort moral que je lui procurais.

Je lui ai donné une trentaine d'années. Elle avait des lunettes sur le haut du front comme Roland Garros, et une fossette en pleine joue. On y voyait mal mais j'ai tout de même constater qu'elle n'était pas vraiment jolie, ce qui ne m'a pas empêché — et je me demande bien encore pourquoi — d'avoir envie de deux choses successives. Tout d'abord de la posséder sauvagement, debout contre la rampe d'escalier, ensuite de lui faire partager ma promenade favorite qui m'entraîne fréquemment d'un petit bar à terrasse ombragée de la place Saint-Georges, jusque dans les fins fonds de Lamarck-Caulaincourt après une audacieuse halte-incursion dans l'un des squares en pente de la butte Montmartre. Je n'avais pas fini de m'étonner moi-même de cette double envie qu'elle me demandait si je n'étais pas un huissier.

J'ai protesté de mon innocence et c'est alors seulement

que j'ai pensé que cette semeuse de pommes de terre devait avoir quelque chose à faire avec Dufayeux puisqu'il était l'unique locataire de l'immeuble. J'ai parfois un côté Hercule Poirot.

Elle m'a appris qu'elle était de la famille et nous avons ensemble monté jusque sur le palier.

Devant la porte du biochimiste, dressés sur le paillasson en piles irrégulières, j'ai pu distinguer : 2 boîtes de thon à l'huile — des maquereaux-tomate dits « A la Guilvinec » (j'ai cru me souvenir que je les payais 14,35 F —, un paquet de sucre en morceaux n° 4 — 2 saucissons secs — 3 étuis de spaghettis de marque indéterminée — des paquets de 500 grammes de riz incollable — de la viande dans un papier hermétique — 2 boîtes d'œufs du jour — une bouteille d'huile de colza avec le règlement du jeu-concours sur l'étiquette — 4 éponges sous cellophane, le modèle dont un côté gratouille et l'autre aspire — des biscottes (elles sont en promotion actuellement) et un quart de régime de bananes dans un sac contenant également un camembert avec couvercle à sujet religieux.

— Il y avait également des pommes de terre, a-t-elle dit.

C'est alors que la voix de Dufayeux a retenti :

— Qu'est-ce qui est arrivé ?

— J'ai fait tomber les patates, ne t'inquiète pas, je vais les ramasser.

C'est alors que, toujours devant sa porte, le vieux a poussé une exclamation :

— Mais c'est notre buveur de rhum !

Je me suis demandé pourquoi il restait à l'intérieur, l'œil collé au judas.

J'ai dit : « Oui c'est moi, bonjour ! » en pensant qu'on devait avoir l'air idiot de s'adresser à un panneau de bois et, lorsque je me suis retourné, la jeune femme avait disparu, j'ai vu son avant-bras tourner sur la main courante, j'ai eu l'impression qu'elle levait son visage vers moi. Et la porte s'est ouverte. Il sent toujours le bambin — les colonnes de livres derrière lui m'ont paru encore plus massives dans la pénombre. Il a débarrassé ma bouteille de son papier et a louché avec entrain.

— Dites donc, ça n'a pas l'air d'être tout à fait du vinaigre, votre petite affaire !

Il a du mal à se baisser mais a tenu à m'aider à porter les provisions dans une sorte de placard amélioré qui sert de cuisine. Le réfrigérateur ressemble à un sarcophage dressé, avec un côté carrosserie de Buick des années 50.

— Coupez le saucisson, nous allons le manger avec le vin.

Tout allait très vite... Nous avons franchi les murailles des dossiers et il a posé bouteille et verres sur un coin de table avec un soupir de satisfaction. Une lumière tombait de la fenêtre, un gris joyeux comme il devait en exister sous Louis XIV sur la robe des dames, soie et souris. J'ai pensé que la jeune mezzo-soprano avait dû récupérer toutes ses pommes de terre et n'allait pas tarder à faire son apparition. Un regret m'est venu d'arborer ma cravate la plus moche. France-Thérèse m'en avait offert de magnifiques mais j'utilise toujours les anciennes. Je ne refais jamais le nœud, je le passe au-dessus de ma tête comme un pendu et je serre.

Dufayeux m'a tendu deux feuilles de papier bleu.

— Le dynamisme de Madame votre tante est remarquable.

J'ai parcouru. C'étaient des commandements à vider les lieux. Je n'ai pas de grandes clartés sur les droits des propriétaires mais cela m'a paru tout de même assez léger, n'importe quel avocaillon pouvait parer le coup sans avoir à consulter le code civil.

Qu'est-ce que fabriquait la demoiselle à la fossette ?

Il a versé le vin, l'a fait tourner, a fermé un œil, reniflé, plissé les sourcils, remué les oreilles, frétillé des orteils et fini par se l'expédier au fond du gosier. Il a produit alors un bruit de soupape et grommelé quelque chose au sujet du mycodermaceti, et de quelques autres termes à consonance latine avant de se frapper le front.

— Puis-je vous demander de vous rendre sur le palier ?

Je ne comprenais rien de ce qui se passait, je me suis retrouvé devant la porte et je l'ai ouverte.

Le sac de pommes de terre était là.

Elle l'avait posé sur le paillasson, on voyait la déchirure du filet par les mailles desquelles l'évasion avait eu lieu. Elle en avait récupéré une petite moitié.

Pourquoi était-elle partie ?

J'ai transporté le sac dans la cuisine et je l'ai fourré dans le bas d'un placard.

Dufayeux mâchonnait du saucisson, l'émail parfait du dentier devenait de plus en plus clair dans la pénombre grandissante.

— Heureusement que Cécilia ne m'oublie pas, dit-il, la situation deviendrait vite préoccupante.

— C'est une de vos parentes ?

— Mon arrière-petite-nièce.

— Et pour la cuisine, le ménage...

— Je me débrouille, mais je ne sors plus — jamais.

J'ai eu envie de lui demander pourquoi. Il avait l'air encore bien ingambe, mais il avait été si catégorique que je n'ai pas osé poser de questions, elle aurait paru incongrue devant une telle fermeté.

— Il y a du bœuf mironton, a-t-il dit, il réchauffe. Le mironton est cent fois meilleur réchauffé...

J'ai de ce qui a suivi une impression de grande douceur. Je suis en train de me dire que le mot « douceur » n'était jamais venu sans doute sous ma plume. Il vient de s'y placer naturellement. Cela a commencé par les muscles, tout s'est relâché et je me suis senti parfaitement mou...

J'étais chez un vieux savant dans le vieux quartier d'une vieille ville, nous nous sommes lentement et délicieusement empiffrés du somptueux ragoût et du vieux bourgogne et une paix s'est installée dans le halo de la lampe.

La nuit était lointaine et j'ai pris conscience qu'une vie s'était écoulée là, que le vieux monsieur avait sécrété sa coquille et que, si on l'en extrayait, il en mourrait peut-être...

Pendant un long moment, il a mis une sorte d'entêtement joyeux à me demander ce que je faisais et m'a avoué ne pas comprendre vraiment que je puisse ne rien faire... Je lui ai expliqué que j'y réussissais très bien et que, dès le début, cela ne m'avait pas posé le moindre problème. Il s'en est étranglé dans son mironton et, quand nous avons attaqué le camembert, nous étions toujours sur cette question.

Je lui ai expliqué que l'on apprenait aux gens depuis l'enfance que le travail était le seul moyen d'obtenir de l'argent, ce qui est le plus grand mensonge qui ait été prononcé sous la face du ciel. Je ne l'ai pas persuadé. Dans la foulée, il est cependant tombé d'accord sur le fait que l'amour d'un métier n'était pas plus explicable que l'amour éprouvé pour une femme... C'est à ce moment-là que nous avons parlé de lui.

La bouteille était vide et il est allé en chercher une autre.

J'ai remarqué, lorsqu'il est passé devant moi, que les semelles de ses pantoufles étaient usées. Il doit garder ses charentaises autant que moi mes cravates.

Ce type doit avoir dépassé largement les quatre-vingts ans, je dépasse à peine les quarante et je me sens avec lui une grande quantité de points communs. Je ne suis pas sûr que je doive m'en inquiéter.

A la fin de la soirée, la partie du labyrinthe qui mène de la salle où nous mangions jusqu'à la cuisine n'avait plus de secret pour moi. On tourne à gauche après les amoncellements reliés des archives concernant les mémoires de la Société des sciences et, une fois à droite, après les paquets de fascicules ronéotés entassés sur deux épaisseurs, j'ai déniché le décaféiné et deux tasses. Là-dessus il a sorti son vieux rhum. Comme j'émettais quelques remarques au sujet du cholestérol, il a eu quelques formules fulgurantes sur ce qu'il considère comme le grand gag médical du siècle. C'est alors que je lui ai demandé en quoi consistait exactement le but de ses recherches.

Il a eu l'air étonné.

— Je vous ai dit que j'étais biologiste...

Comme j'ai dû avoir l'air de ne pas comprendre ce qu'il voulait dire, il a écarté les mains en un geste d'évidence :

— Je n'ai recherché qu'une seule chose : la vie.

Je ne sais pas pourquoi j'ai voulu poursuivre la discussion.

— La vie, c'est assez vague et...

J'ai vu ses yeux s'arrondir.

— Mais la vie n'a rien de vague ! Elle est ce qu'il y a de plus simple. Regardez près de votre coude, à gauche.

Je l'avais déjà remarqué au milieu du fatras ambiant, c'était un pot minuscule avec une sorte de plante grasse, grosse comme un trèfle à quatre feuilles.

— Cette saloperie s'appelle *paletuvia aquae*, dit-il. Et la vie est le point commun qui existe entre elle et vous. Et vous trouvez ça vague ?

J'ai balbutié quelque chose en regardant son *paletuvia aquae* d'un œil torve, elle avait un côté mal rasé et flasque qui me donnait mal au cœur.

Il m'a accompagné jusque sur le palier et nous nous sommes serré la main.

— Je vais essayer de vous arranger le coup avec ma tante, ai-je dit, je ne vous promets pas de réussir. Il suffit qu'elle apparaisse au bout de la rue pour que je me retrouve en culotte courte.

Il a fourragé dans ses cheveux fins qui semblaient toujours sur le point de s'envoler.

— Ce serait gentil d'essayer de garder de temps en temps vos pantalons longs.

Je l'ai invité chez moi, par politesse, mais il a hoché la tête.

— Non, je ne sors plus, c'est à vous de revenir. Venez mercredi. Je vous ferai un navarin, Cécilia m'aura livré la veille, elle a un boucher formidable.

La porte s'est refermée et j'ai regardé ma montre : il était plus de trois heures du matin. Cela devait bien faire dix ans que je ne m'étais pas couché aussi tard. J'avais fait la java avec un centenaire.

Je suis rentré à pied. Le parc était sinistre sous la lune et les taxis ressemblaient aux voitures dans les films policiers de l'après-guerre, toujours prêtes à cracher des rafales sur les passants. Quand je me suis couché et que j'ai fermé les yeux, je me suis aperçu que j'avais gardé dedans la fossette de Cécilia.

19 septembre

TOUT compte fait, ma vie sentimentale, si tant est que je puisse l'appeler ainsi, peut se résumer d'une façon simple : je n'ai jamais eu les femmes que j'aurais voulu avoir, ce qui aurait été un moindre mal si, par la même occasion, je n'avais pas eu celles que je ne voulais pas.

Curieux phénomène !

J'ai toujours éprouvé devant ce que l'on appelle communément « une nouvelle conquête » l'impression de m'être trompé de bataille. Je suis le Christophe Colomb de l'amour, parti pour les Indes il se retrouve au Venezuela. Parti pour Françoise je me retrouve avec Yvette et, croyez-moi, ce n'est pas du tout la même chose car, frustration aidant, j'ai paré Françoise, l'inaccessible, de toutes les vertus et Yvette, la coutumière, de tous les défauts. Je fus donc, une grande partie de ma jeunesse, un amoureux de l'impossible et un dégoûté du réel.

Circonstance atténuante, comme la plupart des dames étaient au courant de ma fortune, elles ont été très vite étonnées de ne pas avoir quinze carats à chaque doigt et de ne pas s'envoler pour les Bahamas deux fois par semaine.

Lorsque dans un petit restaurant, aujourd'hui hélas disparu, situé dans un renfoncement de la rue Championnet, je leur faisais découvrir les joies du lapin chasseur et du flan caramel, je sentais bien qu'elles tentaient désespérément de trouver l'aventure délicieusement originale. En général elles craquaient au bout du troisième rendez-vous. Je fus même quelquefois accusé d'avarice. J'atteste, en toute bonne foi, que c'était là une erreur fondamentale. Je peux affirmer que je ne suis pas avare, simplement rien de ce qui s'obtient avec beaucoup d'argent ne m'intéresse assez pour que je sorte mon chéquier. Voilà tout. J'excepte le Courbet.

Je me baladais et, dans une vitrine de la rue de Varenne, j'ai vu le tableau, un sous-bois, et j'ai eu envie de rentrer dans la toile, j'ai senti craquer les feuilles mortes sous l'humidité de la mousse. Il y avait une éclaboussure de soleil au pied d'un chêne et j'ai pensé que c'était l'endroit parfait pour attendre la mort.

A mon avis, ce que l'on appelle un grand peintre, ce n'est pas autre chose : un type qui, s'il peint un paysage, vous invente le lieu idéal pour lâcher en toute quiétude votre dernière bouffée d'air.

Je suis rentré et j'ai acheté le tableau.

Je ne me rappelle même plus combien je l'ai payé. Très cher sans doute. D'autant que j'ai appris que ce n'était pas un Courbet.

Enfin, c'était signé Courbet mais ce n'était pas lui qui l'avait peint parce qu'il avait tellement de commandes qu'il avait toute une flopée d'étudiants qui peignaient à sa place. C'était un faux vrai mais pas vraiment un faux. Ça m'est complètement égal.

C'est tellement tranquille que je me demande bien ce que l'on pourrait y faire d'autre que d'y mourir.

Je ne sais pas comment, parti de ma vie sentimentale, j'arrive à mon faux Courbet. Oui, c'était pour expliquer que je n'étais pas avare.

Audureau Sabine est donc passée hier soir.

Chaque fois qu'elle pousse la porte, je me demande si j'ai bien fini tous mes devoirs.

Elle doit évoquer pour moi une institutrice que j'ai dû avoir dans une vie antérieure.

Nous avons vu le Ciné-Club.

Disons plus exactement qu'elle l'a vu. Je me suis installé devant l'écran et je me suis laissé dériver. Je pense que ce n'est même pas une mezzo-soprano mais une contralto. Les voix graves sont rares chez les femmes. Dans la plupart des cas c'est associé à la tragédie. Electre, Phèdre, Antigone, le malheur : la voix profonde, mais ce qui est frappant dans son cas c'est l'association de la gravité du timbre avec la gaieté de l'œil. Les cordes vocales ne concordent pas avec les pupilles. Elle a l'œil Labiche et la voix Sophocle. Incroyable ce que j'ai pu peu la voir.

Pourquoi n'a-t-elle pas voulu entrer lorsqu'elle a eu récupéré les patates ? Aucune envie de me revoir évidemment, ça ne lui coûtait rien de sonner. Mauvais pour moi ça. Très mauvais.

Les femmes s'emballent moins vite que les hommes. Disons plus simplement qu'elles s'emballent moins vite que moi.

Après le Ciné-Club, nous avons gagné le lit, c'est une vieille et peu enthousiasmante habitude.

Tout se déroule dans la quasi-obscurité, de façon à respecter une convention tacite qui veut que son vrai visage soit celui qu'elle offre lorsqu'elle m'explique les difficultés pédagogiques quasi insurmontables que l'on rencontre à faire respecter les règles des participes passés avant l'âge de douze ans et demi, alors que celui qui est le sien lorsqu'elle subit mes assauts furieux est un visage accidentel et momentanément troublé qui ne saurait être pris pour un reflet exact de sa personnalité et dont le dévoilement ne s'impose donc pas.

Je dois ici préciser que l'expression « assaut furieux »

est en fait un délicat euphémisme, voire une licence poétique — je me laisse en fait aller à quelques va-et-vient languissants, accompagnés de quelques soupirs de courtoisie dont le but est d'exprimer la passion. J'ai bien découvert un avantage nouveau à ces ébats ténébreux, au moment de ce qu'il faut bien appeler l'orgasme : Cécilia a surgi, je ne m'attendais pas à la voir apparaître dans une situation aussi délicate. Elle avait gardé ses lunettes sur son front et j'avais sa fossette contre mon œil. La lumière était intense, elle souriait, et je me suis aperçu que nous faisions l'amour sous le chêne du faux Courbet, dans les cuivres des feuilles tombées. Ce qui m'a troublé profondément c'est que j'ai entendu sa voix à cet instant, une note de fond de gorge, sombre et douce, meurtrie comme un velours. Sabine Audureau a semblé surprise de la tempête qui m'a secoué. J'ai eu l'impression qu'elle trouvait cela relativement incongru, à mettre sur le compte de la part incontrôlée que tout individu recèle hélas en lui-même, et qu'il ne sait pas toujours faire taire.

J'ai été long à m'endormir. Je peux l'avouer : pour retrouver Cécilia j'ai été tenté de remettre ça avec Sabine Audureau mais je n'ai pas concrétisé, d'abord parce que cette demande de doublé exceptionnel aurait été jugée particulièrement licencieuse et n'aurait peut-être pas été prise en considération, et ensuite parce que j'étais encore dans l'or pâle du couchant avec cette fille entraperçue qui ne savait même pas tenir correctement un sac à patates.

Il reste trois jours.

20 septembre

IL a fait beau.

J'ai mangé dans un bar-tabac de la rue Fontaine. Il était fort calme il y a encore quelques mois, mais des agences se sont ouvertes dans le quartier depuis et la salle est envahie dès douze heures par des hordes de secrétaires oxygénées et braillantes, les hommes sont taillés sur le même modèle, ils sont tous légèrement bronzés, rentrent le ventre sous leurs gilets et essaient par tous les moyens de montrer qu'ils sont en pleine forme. Du coup, les maquereaux-vin blanc que je trouvais excellents m'ont paru avoir faibli. Je n'y retournerai plus.

Peut-être n'irai-je plus nulle part ailleurs car la densité de population s'accroît sans cesse. Peut-être y aura-t-il un moment où il y aura toujours du monde partout. Je ne sortirai plus. Comme Dufayeux. Lui a dû comprendre que la limite était franchie, moi je supporte encore.

Mes voisins de table m'ont tellement cassé les oreilles que je suis rentré directement chez moi.

Rien à la télé. Je ne vais quand même pas me mettre aux dessins animés de l'après-midi. Pas encore. En fin de compte je me suis endormi.

Je me suis toujours senti mieux seul.

Je ne sais pas d'où ça me vient, et ça n'a pas besoin de m'être venu de quelque part. C'est comme ça.

Pas de mère, ce qui explique tout, comme le pensent les

crétins de la psychanalyse. Il n'a pas connu sa maman ? Ah ! bien voilà ! c'est pour ça ! Inutile d'aller chercher plus loin ! Tout s'explique ! Il lui manque le sein maternel, il a trop sucé son pouce... Elle avait tellement de pognon, ma génitrice, qu'elle n'a pas arrêté de tourner autour du globe, sans quitter le soleil de vue car elle aimait la chaleur. Elle portait une écharpe longue, des pantalons-pyjamas et un sourire pour réclame dentifrice. Elle sautait d'une croisière à l'autre, à la recherche de l'été permanent. Honolulu-Singapour, Singapour-La Barbade, La Barbade-San Cristobal. Un moment j'ai gardé ses cartes postales, puis je me suis lassé. Elle s'est lassée encore plus vite d'en envoyer. La mode se faisant à Paris, de temps en temps elle me montrait son nez entre deux portes, il fallait bien renouveler son stock de falzars soyeux. Un jour elle a dû se faire livrer. Elle n'est plus revenue.

Elle est morte en transatlantique, un paquebot très chic de la Compagnie Paquet. Elle avait chopé un virus tropical, on n'a jamais su exactement. Je ne me souviens pas qu'elle m'ait adressé la parole.

Il me semble bien qu'elle m'ait dit « guili-guili », une fois, dans la villa du Cap-Ferrat. J'avais six ans. Elle avouait elle-même n'avoir aucune connaissance des problèmes de l'évolution enfantine.

Je ne me plains pas. J'ai même eu très jeune le sentiment aigu qu'il valait mieux s'ennuyer un peu dans une grande chambre donnant sur un parc et peuplée de jouets coûteux que de prendre des torgnoles dans une arrière-cuisine avec trente frères et sœurs morveux grouillant autour de la marmite de soupe aux choux tandis que le père finit d'écluser son quinzième litron de 12 degrés à la tireuse.

Est-ce si grave que rien ne me soit jamais survenu ? Peut-être m'envierait-on mes bilans si plats. Dieu que j'ai pu dépenser peu d'adrénaline ! Mais parfois une colère me vient, comme tout à l'heure, c'est l'instant où le calme tourne morne et où la sérénité se fait emmerdement, je rue dans mes vieux brancards, mes sardines sont tristes et tout pois chiche amer. J'ai quarante-trois ans, ce n'est pas la vieillesse et je mangerai ce soir devant le feuilleton de 20 h 30 tandis que les lumières s'éclaireront dans la ville et la vie se passera ailleurs.

21 septembre

ELLE n'est pas venue. J'ai guetté trois quarts d'heure devant l'immeuble Dufayeux.

Notre dernière rencontre se situait aux environs de 19 h 30. J'ai pensé que c'était une heure de visite, le jour des commissions pour le vieux tonton.

Rien.

Les gens n'ont pas des vies aussi régulières qu'on le croit, j'ai appris par la suite qu'elle était venue le matin. Je n'ai pas osé demander si elle avait fait tomber quelque chose.

J'avais fait l'emplette d'une cravate, un truc assez juteux avec un dégradé.

La vendeuse suédoise — je tombe toujours sur des vendeuses suédoises — m'a affirmé que c'était le dernier cri. Elle n'a pas précisé quand, ni où. Peut-être en 1950 à Oslo. En tout cas j'avais la cravate neuve et l'after-shave surpuissant car la marchande de journaux a reculé dans son kiosque comme un poilu de 14-18 dans sa tranchée sous une vague de gaz toxiques. Tout cela pour rien.

Dufayeux m'a accueilli avec plaisir, je crois qu'il voit en moi un allié, mais aussi quelqu'un à qui se confier. Comme il n'en a ni le besoin ni l'envie, nos conversations restent tout de même superficielles, bien que ce soir... Mais racontons dans l'ordre. J'ai fait pour la salade la sauce que je réserve à mes pois chiches, j'ai confectionné ça à la cuisine, sur un coin de table. Il a adoré. A un moment, nous en étions au café, il a dit :

— Votre cravate est hideuse.

Il s'est penché vers elle, par-dessus la table, et j'ai eu peur qu'il tombe asphyxié, mais il a simplement murmuré : « Les dessins reproduisent exactement la forme des leucocytes lorsqu'ils sont attaqués par un agent pathogène. »

Cela ne m'a pas remonté le moral, mais m'a permis de placer la conversation sur le terrain de son travail en espérant animer un peu la soirée.

Quand je lui ai demandé s'il avait écrit des ouvrages, il s'est esclaffé :

— Environ trente volumes.

— Et ils ont eu du succès ?

Il a ri encore plus fort.

— Vous n'avez pas compris : depuis mon entrée à l'Académie des sciences, j'ai publié des résultats de mes recherches et des essais théoriques dans une bonne dizaine de revues scientifiques, françaises jusqu'en 1948, et, devant l'absolu crétinisme de mes concitoyens, étrangères par la suite, américaines surtout. Cela jusqu'en 78. Si je me donnais le mal de regrouper tous ces textes, je pense que j'atteindrais en effet les trente volumes, mais ce serait faire un travail bien inutile, dans la mesure où ces écrits n'ont aucun intérêt.

Il y allait quand même fort. Cela m'étonnait que l'on puisse d'un mot anéantir une vie de travail.

— Vous n'exagérez pas un peu ?

— Non. J'ai dû avoir durant un demi-siècle quelques éclairs, des sortes d'intuitions, mais je n'avais pas encore découvert l'instrument mathématique qu'il me fallait. Disons que, durant tout ce temps, je me suis trouvé dans la situation d'un monsieur qui veut construire un chalet, mais qui n'a pas les planches.

— Et vous avez trouvé les planches ?

— Oui.

— Quand ?

— En 78.

Bizarre ! Le vieux monsieur s'est tu au moment où il aurait dû parler.

— Pourquoi ?

Il a poursuivi :

— Elles m'ont été fournies par un ex-débile mental, perdu au fin fond du Dakota. Ron Mekar. A vingt-cinq ans, il ne savait pas prononcer quinze mots d'affilée, à quarante, les plus grandes universités américaines lui ont fait des ponts d'or pour qu'il leur fasse une heure de cours par semaine. Le Pentagone a voulu l'employer à temps complet et lui a proposé un contrat à vie avec un salaire indexé, net d'impôt. Il était tellement imbibé de bourbon qu'il a toujours prétendu qu'il n'avait pas pu arriver à compter le nombre de zéros, s'étant endormi avant d'arriver à la fin du chèque.

— Que lui est-il arrivé ?

— Une voiture l'a écrasé. Un soir dans un faubourg de Cleveland. On n'a jamais retrouvé le chauffard. On peut penser qu'il est très dangereux de refuser de travailler pour l'armée américaine lorsqu'elle vous le demande.

— Un meurtre ?

Il a haussé les épaules. C'était étrange. C'était le même vieux petit M. Dufayeux, le même capharnaüm poussiéreux autour de nous, et Paris, invisible dans la nuit, avec juste cette lueur de fraise écrasée que la ville arbore au-dessus de ses toits et soudain une histoire surgissait, un mathématicien ivrogne, assassiné là-bas, à l'autre bout du monde...

Je n'arrivais pas à assembler tous les éléments. Dufayeux s'est mis à tousser mais il a continué :

— Mekar était un fou, un poète perdu au milieu des

68

mathématiques. Contrairement à ce que l'école vous a enseigné, les maths ne sont pas vraies.

— Je m'en suis douté dès la préparatoire.

Il a ri un peu.

— Elles sont logiques. Vous partez d'un postulat quelconque et vous bâtissez le système qui en découle. C'est un truc de joueur, comme des règles nouvelles.

— Que pouvaient bien avoir de commun les mathématiques de Mekar avec la biologie que vous étudiez ?

— Si vous entriez dans le laboratoire d'un chimiste, vous vous apercevriez qu'il y a plus de formules sur le tableau que d'éprouvettes en train de mijoter. La construction de Mekar m'a permis de concevoir tout ce que j'avais étudié jusqu'à ce jour sous un angle totalement nouveau.

Il a toussé encore et soudain j'ai eu l'impression qu'il ne voulait plus parler.

— Et vous avez trouvé quelque chose d'important ?

J'ai eu son regard dans l'œil à cet instant. Je ne l'oublierai pas.

— Je crois.

Je ne sais pas pourquoi, une sorte de frisson m'est venu dans le dos. Ce type avait découvert quelque chose qu'il ne divulguerait pas.

Pourquoi l'aurait-il fait ? C'était la troisième fois que l'on se voyait... Je n'étais rien pour lui, un vague allié qui ne servait sans doute pas à grand-chose.

Je n'ai pas osé le questionner davantage et, pour la première fois depuis que nous nous connaissions, la conversation a traîné un peu, malgré le rhum qui devenait une vieille connivence.

Il est vrai qu'en échange de ses confidences, je n'avais pas grand-chose à raconter, qu'avais-je dit ? J'aurais pu lui apprendre que les bancs de square dans le XVe sont plus confortables mais moins ombragés que ceux du XIIe qui, eux-mêmes, etc. Et puis j'avais gardé au fond de moi la déception de ne pas avoir vu Cécilia.

Je l'avais aperçue trois minutes sur un palier et je n'allais quand même pas en faire la lagune en gondole... Mais je n'avais plus très envie de parler dans la mesure où il ne demandait qu'à se taire. A ce train-là, on allait vite plonger dans le silence. Il m'a raccompagné à la porte et il m'a tendu une brochure. Les piliers de livres emboîtés jetaient de l'ombre dans l'entrée, mais j'ai pu déchiffrer le titre : *Etude sur le Principe vital. Hypothèses et prolégomènes à une théorie unitaire.*

— J'ai écrit ça en 1967, a-t-il dit, c'est paru à l'université des sciences de Chicago l'année précédente. Je pense que si vous vous appliquez, vous pouvez comprendre. Revoyons-nous la semaine prochaine.

Je me suis couché et j'ai feuilleté le texte, il y a soixante-dix pages dactylographiées. Je n'ai pas dépassé les quatre premières lignes. La référence à Parménide et à la métaphysique préplatonicienne m'a cueilli à froid... C'est trop pour un seul homme. Je dors.

Il est une heure du matin de la même nuit.

Quelque chose vient d'arriver.

J'avais posé le stylo et sombré dans l'oreiller lorsque le téléphone a retenti.

J'appartiens à cette catégorie de gens qui ne peuvent pas décrocher sans avoir le sentiment que la personne qui les appelle est en train d'agoniser au bout du fil. J'ai pensé à ma tante, à Dufayeux et c'était Cécilia.

La voix m'a fait chaud dans l'oreille, un liquide tiède et huilé a coulé, comme des gouttes pour l'otite quand on est enfant.

Elle avait appelé plusieurs fois déjà, mais je n'étais pas rentré.

— J'étais chez votre oncle, ai-je dit idiotement.

— Je le savais, il m'a dit ce matin que vous dîneriez ensemble, et c'est parce que vous l'avez vu que je vous appelle.

Elle avait ce ton patient, celui que l'on prend lorsque l'on s'adresse à un retardé mental. J'ai pris mon courage à une seule main, c'était plus que suffisant pour le soulever.

— Je pensais vous voir, dis-je. J'avais acheté pour cette occasion une cravate spéciale, avec des leucocytes.

Il y a eu un moment de silence, le temps qu'elle digère l'information, et elle a repris :

— Comment l'avez-vous trouvé ?

— Votre oncle ?

Soupir. Je sens qu'elle commence à considérer mon cas comme totalement désespéré.

— Oui, mon oncle. Vous l'avez trouvé comment ?

— Bien...

J'ai réfléchi et ajouté :

— Il tousse un peu...

— Merde !...

Ça fait deux fois. C'est une fille qui dit merde à chaque fois qu'on la rencontre. Trait distinctif. Mais elle le dit très bien, rien de vulgaire, l'étoffe de la voix est trop riche. Elle pourrait chanter *Carmen*.

— Je suis inquiète, j'ai trouvé aussi qu'il toussait ce matin...

J'ai eu l'impression qu'elle était dépassée, désarmée, je ne voyais pas pourquoi.

— Ecoutez, il n'y a pas de quoi s'alarmer, cela lui arrive souvent ?

— Il a fait une bronchite l'année dernière, à peu près à la même époque.

— Appelez le docteur, vous serez plus rassurée et...

Un rire. Lorsqu'elle rit, les notes montent plus. Un bruit de piano sur les touches claires.

— Le jour où vous verrez mon oncle appeler le docteur

71

il fera vraiment très chaud. Il se soigne seul, mal. Il a tendance à se fabriquer lui-même des médicaments fantaisistes, en général à base de vieux rhum.

— Je vois. Qu'est-ce que je peux faire pour vous ?

— Je ne sais pas. En fait, nous sommes les deux seules personnes qu'il connaisse...

— Passez le voir demain, ai-je dit, vous m'appelez chez moi et...

— Je ne peux pas le voir.

Je n'ai pas compris sur le moment. C'est vrai que je dois être assez lent dans certains cas. J'ai pensé à un travail qui l'occupait beaucoup, peut-être habitait-elle loin...

— Vous ne pouvez pas vous libérer une heure dans la journée pour...

— Je peux me rendre chez mon oncle à toutes les heures du jour et de la nuit, mais je ne le verrai pas pour autant.

L'image du palier est venue. Elle avait déposé les commissions sur le seuil. Et il lui avait parlé à travers la porte... Et lorsqu'elle était revenue, elle n'était pas entrée. Qu'est-ce que c'était que cette histoire-là ?

— Ecoutez, ai-je dit, il est tard, j'ai l'impression que les choses sont compliquées et que nous ne les résoudrons pas au téléphone. Voulez-vous que nous nous rencontrions demain matin ?

Elle n'a pas eu une seconde d'hésitation.

— Neuf heures, il y a un grand bistrot sur la place Clichy, une sorte de mausolée, les garçons essaient de vous empêcher d'entrer mais en s'y prenant bien on y parvient. J'oublie toujours son nom mais vous trouverez.

Je ne peux pas dormir. L'essentiel est que je la voie mais, indubitablement, il existe là-dessous quelque chose de troublant.

Pourquoi Dufayeux lui interdit-il d'entrer ?

Ce ne peut être de la défiance. Pourquoi en aurait-il plus envers sa nièce qu'envers moi ?

Je me demande si je vais remettre la cravate à pseudopodes.

Sa voix traîne dans mon oreille. Je ne vais pas fermer l'œil.

22 septembre

ELLE était en kaki sur la banquette noire. Jupe et blouson.

La fossette était là, et les lunettes aussi, attachées autour du cou par une chaînette. Peut-être lui arrive-t-il parfois de les avoir sur le nez. J'avais opté pour une tenue décontractée que j'avais improvisée trois bons quarts d'heure devant l'armoire à glace. Je cherchais à être habillé de la façon dont se serait habillé un homme qui se moquerait éperdument de la façon dont il s'habille. Un compromis entre le laboureur aveyronnais et le président d'un club de golf avec une pointe de négligé artiste, un travail d'équilibre. Exténuant.

Les glaces murales se renvoyaient un jour gris. Il faisait presque froid, le ciel de pierre avait la couleur de la statue qui est au centre de la place.

Elle avait déjà appelé Dufayeux. A peu près aphone, il prétendait ne pas avoir de fièvre mais, comme il ne prendrait pas sa température, il fallait se contenter d'impressions subjectives. Je la sentais inquiète.

Chaque année les choses s'aggravaient. On était passé du stade des rhumes à celui des grippes qui avaient tourné en bronchites, chaque fois de plus en plus difficilement guéries. Et toujours cet entêtement à ne consulter personne.

— Quel âge a-t-il?

Elle m'a avoué ne pas très bien savoir. Le Tonton n'aimait pas en parler, elle pensait que de toute façon il avait franchi le cap des quatre-vingt-dix ans.

Nous avons repris un café. Elle avait des pattes d'oie très fines au coin des paupières, elles subsistaient un peu même après l'effacement du sourire.

Je lui ai dit que je passerais chez Dufayeux et que, s'il le fallait, je reviendrais avec un toubib.

Elle n'a pas d'alliance. Cela ne prouve rien, bien sûr. L'envie m'est revenue, celle de la dernière fois, mais plus forte encore : avec elle je pourrais aller très loin, jusqu'à aller visiter le mont Saint-Michel... Peut-être même jusqu'à Etretat.

Elle m'a regardé d'un œil un peu soupçonneux.

— Mon oncle m'a dit que vous ne faisiez rien. C'est vrai ?

— Très exact. Je suis riche et la nuit j'entends mon argent pousser dans le fond des coffres.

Elle exerce un étrange métier qui consiste à fabriquer des moules dans lesquels sont coulés des masques en latex. Elle achève en ce moment un nouveau Mitterrand et entame un Michael Jackson. Enorme demande.

Elle a appris le travail à Los Angeles en fabriquant des pieds géants et difformes en polystyrène, la prothèse de cauchemar avec griffes, gangrènes, purulences, hématomes, verrues velues et asticots jaillissant des cratères de furoncles. Les enfants adorent. En comparaison, il est évident que Mitterrand est très reposant.

J'apprends également avec joie qu'elle confectionne des sortes de poussins mous et des canards rigolos pour les émissions enfantines, sans doute regardées par les mêmes bambins qui portent les orteils d'épouvante décrits plus haut. Cette nouvelle me la rend tout de suite plus humaine.

Nous avons quitté le café. Elle a cueilli la contravention

sous l'essuie-glace de sa vieille Fiat avec une grâce de bouquetière, et a dit « merde ». J'étais heureux qu'elle ne soit pas inférieure à sa légende.

Comme je n'avais rien à faire, je l'ai accompagnée jusqu'à son travail, dans le XIVᵉ. Nous avons continué à parler dans la voiture. Je crois qu'elle a de jolies jambes mais je n'ai pas osé regarder beaucoup. Je lui ai tout de même parlé de sa voix et elle m'a appris qu'à douze ans elle avait chanté *Faust* à la fête patronale. Comme je lui demandais ce qu'elle avait trouvé de particulièrement excitant dans le personnage de Marguerite elle a précisé qu'elle n'interprétait pas Marguerite mais Méphisto.

Elle conduisait vite en coupant par des petites rues, ce que j'ai admiré.

Et c'est presque à l'instant où nous étions arrivés que je lui ai demandé pourquoi elle ne pouvait pas voir son oncle. Elle a ralenti avant de répondre et m'a jeté un coup d'œil. C'est là que j'ai vu qu'elle avait une pointe d'automne dans l'œil, la note des frondaisons lorsque les premières feuilles s'embrasent.

— Cela fait longtemps. Plus de cinq ans : il ne veut plus que je rentre chez lui.

Une lubie de vieillard fêlé. Ce n'est pourtant pas le style du bonhomme.

— Il vous a expliqué pourquoi ?

— Non. Nous nous parlons à travers la porte.

Je n'arrivais pas à comprendre comment elle pouvait accepter une telle situation lorsqu'elle m'a donné la solution.

— Ma mère a été malade, il y a quelques années, il s'est occupé d'elle et de moi. Il n'était pas forcé de le faire. Il a continué : je lui dois mon voyage en Amérique et, si je n'ai pas eu de problèmes financiers, c'est parce qu'il les a résolus. Quand il m'a interdit sa porte, j'ai été stupéfaite. Il m'a dit qu'il m'expliquerait. Il ne l'a toujours pas fait.

C'est d'autant plus étonnant que d'autres personnes entrent. De plus en plus rares, évidemment. Il avait un ami il y a encore six mois, vous à présent...

— Vous êtes kleptomane ?

Elle a secoué la tête. Elle continuait comme si elle n'en avait pas fini avec sa confession.

— C'est une interdiction qui m'a blessée. Il m'arrive même aujourd'hui de lui en vouloir encore. J'ai pensé à la crainte d'une contagion, il y a des gens pour qui l'hygiène prend une telle importance que ça en devient névrotique. Je n'ai pas eu encore la solution.

C'est à ce moment-là que je lui ai proposé de dîner avec moi ce soir. On établirait un plan de bataille.

Elle a dit oui sans la moindre hésitation et a pointé l'index sous mon menton.

— C'est la cravate dont vous m'avez parlé ?

J'ai dit non. Celle-là était verte. C'était un cadeau de Tantine lorsque j'avais réussi mon baccalauréat. Les choses très vieilles prennent un air parfois curieusement moderne et ce matin elle m'avait semblé dans le droit-fil de la mode. A voir l'expression de Cécilia, je n'en ai plus été très sûr.

Je me suis retrouvé seul avec une journée plus que chargée : il fallait que je retourne chez Dufayeux prendre de ses nouvelles et m'acheter un costume pour la soirée. Le soleil a déchiré tout le bitume grisailleux qui colmatait les rues en soudant les toits l'un à l'autre et tout a été gai subitement.

Un peu avant midi j'ai sonné chez le vieux monsieur.

J'étais content d'entendre le frôlement du feutre des pantoufles sur le parquet, il n'était pas couché, c'était bon signe.

Il a lorgné à travers le judas, comme à son habitude, et a ouvert. Il m'a paru avoir les pommettes un peu plus rouges que d'ordinaire mais je n'en suis même pas sûr.

Question d'éclairage. Je lui ai dit que Cécilia inquiète m'avait appelé et chargé de prendre de ses nouvelles.

Il s'est mouché en produisant une sonnerie de charge de cavalerie et s'est mis à rire.

— Au premier éternuement, elle fait une angoisse. Rentrez !

J'ai donc retrouvé le vieil univers de papier. Je pense que la nuit on remarque moins l'odeur. Les parfums doivent changer avec la lumière. L'odeur de reliure est plus forte le jour, la vieille colle cristallisée, translucide entre les pages... A sa table de travail il y a une petite colline de kleenex fripés.

Je lui ai proposé d'aller acheter des médicaments, de l'Antigrippine, des trucs comme ça, il m'a révélé qu'il en avait une pleine armoire normande. Cécilia lui en fournit chaque année un demi-wagon à l'époque des premières froidures. A partir de cet instant je me suis efforcé de laisser la conversation sur elle.

Il s'en était occupé longtemps. Il devait avoir eu un complexe de grand-père et était tombé amoureux de cette gamine haute comme trois pommes, qui avait une voix sépulcrale, le contraste était étonnant... La fillette était intelligente, à sa surprise l'adolescente l'était restée. Des études de socio-littérature anglo-saxonne. Il lui avait offert un an sur la côte ouest des Etats-Unis où elle devait rédiger un mémoire sur les origines familiales d'une cinquantaine d'écrivains répertoriés entre les frontières nord et sud de la Californie. Elle avait tout laissé tomber un beau matin pour dessiner des masques de monstres en caoutchouc dans un atelier de Sausalito.

— J'ai cru qu'elle avait rencontré un homme, ou la cocaïne, ou les deux. Pas du tout, simplement elle ne voulait plus être à ma charge... Elle avait vingt-cinq ans à cette époque et voulait gagner sa vie, ce travail lui plaisait, elle a laissé tomber les études et a commencé à vendre ses créations, des bestioles horribles, des choses à vous faire dresser les cheveux sur la tête, les dollars ont commencé à affluer... Elle est rentrée en France il y a trois ans et a monté cet atelier... Elle travaille avec des télévisions, elle a une dizaine d'employés.

J'ai décidé d'attaquer de front.

— Puis-je me permettre de vous demander pourquoi vous lui interdisez votre porte?

Il était juste en face de moi, le jour qui coulait de la haute fenêtre rendue plus étroite par les piles de livres lui tombait droit dessus. Je n'ai jamais vu un visage rester aussi immobile après une question. Il n'a pas eu un battement de cils.

Qu'est-ce qui s'est passé? Pourquoi ne m'a-t-il pas répondu?

J'ai eu peur un instant qu'il n'ouvre plus la bouche, qu'il se lève pour me raccompagner et qu'à mon tour je ne franchisse plus le seuil de l'appartement.

Je suis bien ici, je n'y ai passé que quelques heures de ma vie, mais je m'y suis attaché, la lumière qui filtre, paisible, et le silence, celui de toutes ces pièces vides qui nous entourent, au-dessus, au-dessous...

— Vous avez lu le texte que je vous ai donné hier soir?

— Je n'ai pas terminé encore. Parménide me donne du mal.

— Insistez.

J'ai pris congé rapidement, avec le sentiment de l'avoir échappé belle.

Nous nous sommes serré la main et, comme je m'engageais déjà dans l'escalier, il m'a rappelé. Je le voyais en contre-plongée. Le verre cathédrale nous badigeonnait d'une eau verdâtre. Deux poissons perdus dans un aquarium vertical.

— Nous avons beaucoup parlé de Cécilia. Ce phénomène est-il dû au hasard ou avez-vous habilement manœuvré pour parvenir à ce résultat ?

Un petit bonhomme malicieux et gai, des cheveux moussaient autour des tempes.

— Je pars à la recherche d'un costume adéquat, nous dînons ce soir ensemble.

Il a regardé ma veste, ses yeux sont descendus jusqu'au pantalon et il m'a semblé réprimer un frisson.

— J'ai perdu la mode de vue depuis pas mal de temps mais quelque chose me dit que vous êtes dépassé.

— J'en ai le sentiment. Je vous téléphonerai demain. Soignez-vous.

Du coup il a éternué. Ça n'avait tout de même pas l'air bien grave.

A commencé alors un long après-midi. Quelque chose entre la quête du Graal et la retraite de Russie. Un phénomène étonnant, contraire à toutes les lois de la logique, s'est produit régulièrement pendant toute la durée de ma recherche : les vêtements ne sont pas les mêmes suivant qu'ils sont sur un cintre ou sur mon dos. Ainsi, une veste claire, légère, quasi aérienne, élégante, racée et de bon goût m'apparaît en vitrine. J'entre, je l'essaie et, instantanément, cette merveille se transforme en informe serpillière. Je suis l'homme par qui les couleurs se fanent, les épaules se voûtent, les tailles s'épaississent et, malgré les dires de la vendeuse, j'assiste impuissant au désastre, fixant dans la glace de la cabine d'essayage ma silhouette navrante. Plus je me regarde et plus la catastrophe s'accentue.

Finalement j'ai acheté le pire.

C'était fatal.

Une fois de plus je n'ai pas résisté à un chef de rayon muni d'une implacable personnalité. Alors qu'enfoui dans une sorte de houppelande hautement calorifère je tentais de retrouver ma respiration, il m'a affirmé que je tenais avec ce tweed spécial la merveille du monde.

Je ne pouvais plus reculer. Le seul avantage, c'est que l'on ne me voit pas au milieu de tant de carreaux. Je ressemble à une grille de mots croisés. Le modèle géant. En fait, la régularité des dessins m'apparente plus à un carrelage de salle de bains. Si je me couche par terre, on me marchera dessus sans complexe.

Impossible de sortir dans une chose pareille. Je mettrai mon ancien costume, au moins on ne cherchera pas la définition du 2 vertical en m'apercevant.

Il me reste trois bonnes heures avant d'aller chercher Cécilia et j'ai repris l'article de Dufayeux à l'endroit où je l'avais laissé.

« *Il en est de la biologie comme de la métaphysique, elle a — au fil des siècles — perdu de vue son véritable objet. Si l'on trouve aujourd'hui un manuel de philosophie, on y parle de l'intelligence du chimpanzé, de la mentalité des Dogons. L'éparpillement est total et confine au ridicule.*

« *Il en est de même pour la biologie, son but est la Vie, la Vie en tant que phénomène unique et général. Or une incroyable déviance a eu lieu, la formidable pression que la médecine a exercée sur la science, l'a orientée depuis plus de deux siècles dans une optique pragmatique. Le biologiste étudie les virus, les bacilles, son aide est réclamée pour combattre les grands fléaux qui s'abattent sur la race humaine et pour permettre de réussir les grands spectacles médiatiques que sont devenues les greffes d'organes, et autres prouesses téléviso-hospitalières. Tout cela est bel et bien mais nous a fait oublier l'objet unique et essentiel de notre recherche et nous oblige à avouer qu'en plein XXᵉ siècle si la question " Qu'est-ce que la Vie ? " nous était posée, nous ne pourrions absolument pas y répondre. Nous pouvons l'orienter, la modifier mais elle est pour nous, aujourd'hui, un mystère aussi impénétrable que lors des premiers âges du monde.* »

J'ai recopié ce passage de loin le plus clair et qui me semble capital car, dans ce que j'ai pu comprendre de la suite, Dufayeux tente de revenir au seul problème qui compte pour lui : cerner la réalité du phénomène vital. Si je comprends bien, le moyen pour y parvenir est l'utilisation des découvertes chimiques les plus récentes, éclairées par un appareillage mathématique à définir. Le texte étant de 1967, je pense que Dufayeux n'avait pas encore découvert les élucubrations de son ivrogne de Mekar.

Douche, rasage, j'ai même tenté pour la première fois depuis un quart de siècle quelques flexions sur les genoux — quatre exactement. J'ai terminé hors d'haleine. J'ai eu le tort de vouloir enchaîner ensuite une ou deux tractions, histoire de voir si je suis encore capable de me soulever. Je le sais à présent, je suis soudé au sol et je le reste.

Je me suis enfilé un fond de Martini après cette débauche de gymnastique, ce qui m'a obligé à me relaver les dents car ça ne se fait pas d'arriver en sentant l'alcool.

Il reste une heure et quart mais je vais y aller tout de même. Il vaut mieux être en retard qu'en avance. On appréciera tout le sel de cette ultime remarque, bel exemple de fine psychologie et de délicate perspicacité. — « *I am nervous* », comme disent les femmes de shérifs dans les westerns.

Impression de perdre davantage mes cheveux à la limite du frontal et du pariétal gauche. Je me demande si cela me donne un air plus intelligent. Ce qui est sûr, c'est que ça me donne un air plus chauve.

Je sors.

23 septembre

— Qui est mort?
C'est la première chose qu'elle m'ait dite.
Pourtant j'avais eu l'impression que c'était mon complet le plus gai.

Je lui ai raconté que j'en avais acheté un dans l'après-midi mais que je n'avais pas eu le courage de me confronter à son modernisme intempestif.

J'ai eu l'impression de voir alors s'allumer au fond de chaque iris un lampion de tendresse, en même temps que la fossette se foutait de moi.

Je ne sais pas par où commencer. Le mieux est donc d'en finir tout de suite.

Nous avons couché.

Couché. Même à présent que je l'ai écrite, la chose me paraît irréelle. Six lettres ne suffisent pas à traduire la lumière d'une nuit. Lorsque les faits se déroulent rapidement, leur réalité me paraît douteuse, or je ne devrais pas en douter du tout puisqu'en moins de temps qu'il ne faut pour le dire, en gros trois heures après l'avoir rencontrée, je me suis trouvé dans mon lit, ce qui aurait été bien habituel si elle ne s'y était pas fourrée avec moi.

J'appartiens à une génération où l'on faisait la cour. Où chaque chose était à sa place, où les vaches étaient bien

83

gardées, qui va piano va sano et qui veut voyager loin ménage sa monture.

Pas du tout ce qui s'est produit.

Elle n'a pas l'air de vouloir ménager quoi que ce soit, et surtout pas moi. Lorsque j'ai bafouillé une remarque du genre : « Vous prendrez bien encore une petite larme de Cointreau » et qu'elle a dit « non » en défaisant un à un tous — je dis bien tous — les boutons de ma chemise, j'ai senti le vent du siècle me submerger.

Je l'avais évité jusqu'à présent, j'avais trouvé bien des refuges mais une femme venait et ouvrait grandes les portes, faisant tomber toutes les barricades, c'était comme si, d'un coup, elle avait repeint toutes les boiseries en peinture fluo et qu'elle ait poussé à fond la sono d'une musique folle.

Je sais à présent quelle est sa voix d'amour. Je sais aussi que je ne pourrai plus désormais cesser de l'entendre.

Il faut en effet reconnaître que, dans la succession des actes désordonnés qui s'en sont suivis, je me suis emberlificoté dans mes chaussettes, entravé dans mon propre slip et que, pour employer une expression voisine de la crudité, je me suis retrouvé lamentablement mollasson devant une dame qui manifestement ne le souhaitait pas.

Noué au physique, et au moral.

C'est sans outrecuidance ni excessive fatuité que je puis révéler au lecteur que les choses ne durèrent pas, et qu'après une défaillance je redevins opérationnel et nous nous lançâmes, Cécilia et moi-même, dans une de ces chevauchées qui vous font traverser les plus beaux paysages de la terre et sans doute d'ailleurs, sans dépasser la surface d'un matelas.

Allons, cela ne m'était jamais arrivé.

Je ne suis pas poète, je ne saurai donc écrire cette nuit.

Elle fut douce et forte et heureuse et je ne sais trop si dans ce matin dont le rose buvard s'écrase derrière mes carreaux il me faut accumuler les galipettes ou brûler des cierges au Très-Haut. Les deux sans doute.

J'en passe l'aspirateur.

Dieu sait s'il faut que mon exaltation soit grande et mon comportement troublé pour en arriver à de telles extrémités.

Je ne devais vraiment plus être moi-même car à l'heure du petit déjeuner je lui ai proposé de laisser tomber ses Frankenstein et ses furoncles plantaires pour s'embarquer avec moi dans un voyage longue durée dont elle choisirait la destination. Un départ en folie en direction de Rome, Biarritz, Londres ou Amsterdam.

— Porto Rico, a-t-elle dit.

Elle a aussi parlé de la Nouvelle-Zélande qui n'est après tout qu'à une vingtaine d'heures d'avion. J'ai dû virer au vert, mais elle a ajouté :

— Et le Tonton, qu'est-ce que nous en faisons ?

Je l'avais oublié dans la bagarre. Ce n'est pas tous les jours que l'on tombe amoureux. Et puis il y a ses contrats à remplir, ses employés, on n'arrête pas tout comme ça, d'un coup...

Elle est partie après m'avoir roulé une biscotte infernale. A mon avis cette fille est totalement libérée.

Libérée et libre. Car vers les quatre heures du matin, entre deux cavalcades Porny Express, je lui ai demandé si aucun mari, amant, fiancé, et autre prétendant de grand format, ne s'apprêtait pas à décrocher la carabine gros calibre. Rien. Il y a eu mais il n'y a plus. Que souhaite le peuple ?

Je la revois ce soir. A mon avis je ne vais plus tenir ce

journal avec autant d'assiduité que lorsque, quidam solitaire, je déambulais d'avenues en boulevards.

Entrée dans le maelström Cécilia. La vie réserve des tours. Elle m'avait gardé une femme.

Peut-être était-il temps.

24 septembre

« *N*ous *avons beaucoup de mal dans notre civilisation à expliquer un phénomène sans le rattacher à celui qui le précède et à considérer chaque fait comme étant le terme d'une évolution. Il en est ainsi de la mort.*

« *Elle apparaît comme le degré final de l'usure, soit de l'ensemble de l'organisme, soit de l'un de ses composants, alors qu'elle doit être considérée comme le surgissement d'un état nouveau que rien ne peut laisser présager véritablement.* »

Voilà ce qu'il vient de me dire. Je crois avoir retrouvé les termes exacts qu'il a employés. J'en suis encore comme deux ronds de flan.

Je ne sais pas comment la conversation a démarré mais... Si, je sais, c'est parce qu'il a reçu un faire-part. Un directeur de laboratoire de zoologie à Princeton, un dénommé Marcus Tewalcy-Grey, quatre-vingt-dix-huit ans. Ils avaient échangé une correspondance dans les années 60. C'est à ce moment-là que j'ai employé l'expression « mourir de vieillesse ». Il m'a dit que cela n'avait aucun sens, qu'on ne mourait pas de vieillesse. Il a ajouté textuellement : « Ni de rien d'autre d'ailleurs. »

J'ai tiqué. Je pense que toute autre personne aurait fait comme moi. J'ai dit : « On ne meurt pas du cancer ? D'une crise cardiaque ? Du Sida ? »

Il m'a regardé et a dit : « Non. » C'est alors qu'il a

prononcé la phrase que j'ai restituée au début de la reprise de ce journal.

Il va bien. Il s'est moins mouché que la dernière fois et n'a pratiquement pas toussé.

Il avait fait du feu dans sa cheminée minuscule. C'est vrai que les soirées sont devenues plus fraîches. Les flammes se reflétaient dans ses lunettes et j'étais parfaitement heureux. Heureux parce que Cécilia. En fait je n'avais pas envie de parler ni a fortiori de polémiquer, mais ce bon M. Dufayeux a une façon de laisser tomber des remarques à l'emporte-pièce qu'on ne peut pas s'empêcher de ramasser. J'ai dit :

— Je suis heureux d'apprendre que je ne mourrai ni de vieillesse, ni du cancer, ni d'un infarctus ou d'une pneumonie, mais je me demande bien alors de quoi je vais cesser de vivre ?

Il a tapé sur les bûches pour les rapprocher. Ce qui est bizarre avec lui, c'est qu'il donne dans ses gestes l'impression d'une infinie maladresse mais en fin de compte il parvient au résultat souhaité avec une extrême précision.

— Vous pouvez passer sous un camion ou ramasser quelques balles de haut calibre dans les centres vitaux, il n'y aura alors aucune discussion sur les origines de votre décès.

Il a empoigné la bouteille de canon-ségur 1977 que nous finissons de boire et s'est penché pour verser les dernières gouttes dans mon verre.

— Vous avez tendance à tout confondre, je ne vous en veux pas, les plus grandes autorités de la recherche chimio-biologique internationale en sont au même point que vous, ils pensent qu'un homme qui a roulé sous un un train et un autre qui cesse de respirer dans son lit sont les victimes d'un même phénomène, ils disent de l'un comme de l'autre qu'il est mort, or seul le terme convient au deuxième, le premier a été détruit, on a cassé les éléments de la machine et par là même la machine disparaît. Reste à savoir ce qui est arrivé à l'autre.

— Une maladie?

J'ai eu l'impression d'avoir mis dans le mille parce qu'il a posé son verre vide sur la table avec l'enthousiasme qu'il a à le soulever plein.

— Exactement, une maladie! Reste à savoir laquelle.

— Il y en a des tas, on doit pouvoir casser sa pipe pour des milliers d'entre elles...

Il a pris son temps pour ouvrir le tiroir de son bureau. Il a pêché entre deux doigts une liasse de quelques feuillets dactylographiés et les a posés entre une portion de bleu d'Auvergne et la casserole où refroidissait un restant d'osso-buco.

De l'endroit où je me trouvais, je pouvais voir son expression. Je n'ai jamais vu quelqu'un de si parfaitement serein. Une résignation parfaitement surmontée. Il est rare que l'on ait envie d'appliquer le mot « frimousse » à un autre visage que celui d'un enfant. C'est pourtant le terme qui me venait à le voir ainsi, tout discret, tout savant, perdu derrière son bout de table où l'assiette refroidissait, cernée d'in-folio...

— Je n'ai pas fait d'erreur, dit-il, tout est là, dans ces pages. A présent, je ne peux plus aller plus loin. Rares sont ceux qui ont pu prononcer un tel jugement sur leur travail...

Les flammes jouaient sur le papier qu'il tenait à la main. Je pouvais apercevoir l'enchaînement des formules. Elles dansaient. Il y avait des lettres et des chiffres cernés dans des figures géométriques. Elles s'imbriquaient entre elles et cela formait comme les compartiments d'une ruche. Certaines cavités semblaient vides. Du pouce il fit bouger les feuillets et des graphiques défilèrent.

— Je suppose que cela serait du chinois pour moi?

— Pire.

J'ai tout de même tendu la main et pris l'objet. Les feuilles étaient reliées entre elles mais se décollaient à plusieurs endroits. J'ai compté deux graphiques, un avait trait au métabolisme de base et l'autre aux pertes hydro-électriques. Des formules. Trois lettres revenaient sans cesse : M.S.N. Il y avait des tables. Un entrecroisement de chiffres et de lettres grecques. Au passage j'ai déchiffré Test de Coombs, Cellules NK, Quinazoline, Erythrocites... M.S.N. encore... Tout le reste était un magma totalement impénétrable.

— Il y a une erreur à la page 8, chapitre 2, ligne 3.

Dufayeux a souri et récupéré son bien.

— Traduisez-moi, dis-je. Qu'est-ce qu'il y a dans ces feuilles ?

De la pointe de la fourchette, il pêcha un dernier morceau de pomme de terre. La sauce avait figé dans son assiette.

— L'avenir du monde. En tout cas sa vérité car il n'est pas sûr que sa vérité soit son avenir.

J'ai ouvert la bouche pour l'inciter à poursuivre mais il m'a interrompu.

— Si nous devenons sérieux, il est à craindre que nous terminions la soirée lugubrement ; terminons là-dessus et parlez-moi plutôt de ma nièce. Comment vont vos affaires ?

La malice. Ce vieillard est parfois la malice incarnée.

— Elles marchent assez bien.

Il a opiné.

— Elle est passée ce matin. Je lui ai posé la même question à votre sujet et elle est restée assez évasive. J'ai remarqué toutefois qu'elle avait oublié, pour la première fois en plus de trois ans, de m'apporter du liquide vaisselle. J'en conclus que son esprit est troublé et que vous risquez d'être la cause de ce trouble. Mon raisonnement vous paraît-il se conformer à la réalité ?

— On peut aller jusque-là.

— Sans tomber dans la complicité vaguement grave-leuse, donc détestable, qui unit deux hommes lorsqu'ils parlent d'une femme, je vais laisser parler ma curiosité plus fort que ma discrétion, tout en me flagellant morale-ment pour ce péché somme toute assez véniel, mais je me laisse aller à vous poser la question en vous offrant la possibilité de ne pas y répondre : copulez-vous ?

Je me demande comment il peut prononcer des phrases aussi longues sans reprendre haleine, il s'étouf-fera un jour.

Je lui avoue que sa nièce et moi copulons. Je n'aurais jamais eu l'idée d'appeler ça comme ça, mais le fait est là.

Cette nouvelle semble le ragaillardir. Il se lève et va chercher le vieux rhum en marmonnant que c'est encore le moyen de communication le plus intense qui ait été inventé pour s'apporter réciproquement une bonne nou-velle. Il précise qu'il a eu peur un instant que Cécilia s'enlise dans des aventures sans lendemain ou, ce qui est pire, dans pas d'aventures du tout et que mon arrivée a été bénéfique.

Je le regarde se verser une large rasade. Le voici un peu mon tonton, du coup. Il lève son verre, ses lèvres sourient au travers.

— Je ne sais pas ce que le sort vous mijote à tous deux, comme vous êtes — si j'excepte l'employé du gaz et le facteur — les seules personnes humaines qui semblez vous soucier de mon existence, je vous souhaite de chanter votre duo le plus haut, le plus fort et le plus longtemps possible.

Il m'a raccompagné, signe que la santé est totalement revenue.

Il m'arrive assez souvent, ce doit être une tare de la volonté, d'ouvrir la bouche pour poser une question et de

91

m'entendre en articuler une autre. Aussi, à cet instant précis, j'ai eu envie de lui demander si, pour la prochaine visite, je pourrais amener Cécilia et j'ai dit simplement :

— Qu'est-ce que signifie M.S.N. ?

Il a eu un léger haut-le-corps comme si durant quelques fractions de seconde il se demandait où je pouvais bien avoir entendu parler d'une chose pareille, et j'ai ajouté :

— C'est dans les pages que vous avez écrites, vous parlez sans cesse de M.S.N...

Il a farfouillé dans ses cheveux comme s'il cherchait à les aplatir sur les tempes, un geste qu'il fait souvent. Il s'est raclé la gorge et a dit :

— Le M.S.N., c'est la Mort Subite des Nourrissons.

Je me suis retrouvé devant le battant refermé de la porte.

Il faisait froid dehors. Si je n'avais pas peur d'être littérairement lourdingue, je dirais que nous allons vers l'hiver.

J'en ai entendu parler. Des bébés meurent. Ils sont en pleine forme, tètent éperdument, dorment à poings fermés, rient aux anges, grossissent, grandissent et, un matin, ils sont raides. Si je me souviens bien, on ne sait toujours pas pourquoi. Dufayeux a étudié le phénomène. Pour quelles raisons ?

Cécilia dort. Je trace ces lignes alors qu'elle se trouve dans la chambre. Je n'ai pas osé la réveiller... J'ai préféré écrire. Je vais la rejoindre, il y aura cette douceur d'un bras autour de moi. Je ne savais plus ce que c'était...

Nous partons demain. Je ne sais pas où. Elle a dit : « A l'aventure »...

Aventure = sueurs froides.

29 septembre

C'ÉTAIT pas à l'aventure du tout. Elle avait tout combiné, prévu, réglé. 17 h 35, je me suis retrouvé à la gare Montparnasse et, quelques heures plus tard, je cavalais frigorifié sur une plage bretonne, comme dans les publicités Damart.

Pas un chat. Il faut comprendre qu'avec le vent qui soufflait, même les pétroliers avaient dû rentrer chez eux.

Telbraoun. Pas plus breton que Telbraoun. A voir la tête des quatre passants croisés, on se demande s'ils se sont tapé autre chose que du cidre et des crêpes au cours de leur vie.

L'hôtel — dix-sept chambres — est sans doute bondé en saison, mais certainement vide en dehors.

Pour que l'on comprenne bien que l'on est à proximité de la mer, le papier mural est semé de mouettes peintes. C'est tellement réaliste qu'on les entend pépier de façon assourdissante.

J'ai voulu ouvrir la fenêtre et je me suis retrouvé congelé et plaqué au mur. Cécilia m'a expliqué que c'était le noroît. D'après ce que j'ai compris, le suroît n'est pas mal non plus.

J'étais sonné comme un boxeur. Quarante-trois ans à respirer de l'oxyde de carbone et, brusquement, de l'oxygène en rafale. Il y a de quoi s'asphyxier.

Je n'ai pas vu la mer le premier soir car la nuit tombe

vite sous ces latitudes. En revanche, je l'ai entendue. Je l'ai eue dans la tête une bonne partie de la nuit, il n'y manquait ni une goutte ni un poisson.

Soleil au matin.

Je ne conseille à personne le beurre salé dans le café au lait.

Des bateaux rentraient et on est allés patauger dans les flaques pour admirer l'arrivée des langoustiers. Il y avait du soleil mais il devait faire moins trente. Toujours le noroît. Cécilia s'étant aperçue que j'étais tétanisé m'a traîné chez un marchand costaud, barbu, et j'en suis sorti avec un pull-over.

Je pense qu'avec on peut se rouler sur une banquise et folâtrer avec les pingouins. Elle a précisé qu'elle allait doucement s'occuper de ma garde-robe. Inquiétude.

J'ai refusé d'être surmonté d'une casquette goudronneuse qui me donnait l'air d'un cap-hornier, pourquoi pas un brûle-gueule et une petite baleine à roulettes au bout d'une ficelle ?

Superbe paysage. Bruyères violettes, falaises rouges, sable blanc et vert océan, on a marché là-dedans avec enthousiasme et délectation. Elle se révèle être une redoutable sportive.

Impression d'être à l'intérieur d'un film. Pour une fois je joue, le rôle principal en plus. Je ne suis plus le spectateur du premier rang. Malgré l'épaisseur caoutchouteuse du nouveau pull-over, je sens sa main sur mon bras, je fais le fou, elle rit... Je regrette de ne plus savoir faire de galipettes...

L'air m'est entré tout ce long jour au fin fond des poumons, déplissant jusqu'à l'ultime alvéole, balayant le dernier miasme, je me suis retrouvé au soir lavé comme un sou neuf, récuré jusqu'au bout des bronches.

Il y avait une nappe à carreaux sur la table, la dernière près de la fenêtre. Nous étions seuls dans la salle et les vitres vibraient. Je ne me souviens plus du nombre de douzaines d'huîtres que tu as ingurgitées... Tu étais venue ici autrefois, l'éternelle Bretonne des vacances d'enfance, ballon rouge à étoiles bleues, la villa louée l'été, une baraque à frites, une voiture à glaces, un bisou de garçon, des problèmes de maillot, le varech froid autour des chevilles et la vie à l'horizon, la vie qui n'en finissait pas de ne pas commencer...

Les deux dernières années c'était le Tonton qui avait loué la villa... Déjà le visage de la mère se coulait dans un plomb mortel... A un retour de septembre, elle était entrée dans un hôpital et n'en était plus ressortie.

Le vent s'est calmé la dernière nuit. Le silence m'a réveillé. Cécilia ne dormait pas. J'ai pensé lui dire que nous pouvions très facilement nous marier, mais je n'ai pas osé encore. Il me faudra pour y parvenir plusieurs escapades de ce genre.

Nous avons pris le train de 18 h 52 le dimanche soir. Nous nous sommes séparés à la station de taxis, elle devait repasser chez elle pour une histoire de message téléphonique, une confirmation de 2 500 Gorbatchev en figurines de quinze centimètres de haut à destination du Noël prochain des enfants des syndiqués de deux usines métallurgiques tchécoslovaques. J'ai compris aussi qu'elle avait besoin de faire le point. Moi aussi. L'histoire dans laquelle nous nous engagions devenait sérieuse. Ce que je viens d'écrire n'est sans doute pas vrai : pour moi elle l'a toujours été, dès la première seconde.

Je suis rentré et j'ai dormi comme un môme. Le téléphone m'a réveillé ce matin : réapparition d'Anselme Rombilloux. Il a une nouvelle compagne. Je lui ai dit : « Moi aussi. »

— Ne déconne pas, a-t-il proféré en essayant de passer tout de suite à autre chose.

J'ai trouvé cette remarque vulgaire et déplacée et, de plus, injustifiée.

— Je ne déconne pas.

J'ai senti qu'il trouvait ça anormal, la conquête d'une nouvelle créature du sexe opposé lui étant réservée jusqu'à présent. Nous sommes deux dorénavant.

Il tient évidemment à me montrer Julienne. Je ne tiens pas du tout à lui présenter Cécilia. Mais enfin s'il s'agit d'une de ces habituelles sangsues mâtinée de pieuvre à ventouses, nous serons deux cette fois à tenir le choc.

A dix heures, re-sonnerie. Je sais que lorsque le téléphone sonne à dix heures, la Tantine est au bout du fil. J'appréhendais un peu. Je n'avais pas tort.

— J'ai tenté de te joindre à plusieurs reprises durant le week-end, tu n'étais pas là.

Mes pantalons sont remontés à toute vitesse et je me suis retrouvé coiffé du chapeau Jean Bart dévolu aux enfants d'autrefois. Lorsque j'ai eu bafouillé que j'étais parti en Bretagne, je me suis trouvé avec un seau et une pelle pour jouer dans le sable. J'ai beau me dire que j'ai la liberté de circulation, ma culpabilité est évidente. On ne fugue plus ainsi à mon âge.

— Il y a du nouveau au sujet de Dufayeux, c'est pour cela que je t'appelle. Mon avoué a trouvé une clause dans l'établissement du premier bail qui n'est pas en conformité avec la règle. Où en es-tu avec lui de ton côté ?

Elle avait sa voix de vinaigre. Elle a toujours une voix de vinaigre mais parfois elle y trempe des asperges dedans. Ça adoucit. Pas d'asperges ce matin.

A ce moment-là, il m'est arrivé une chose pas ordinaire. J'ai déjà raconté que, parfois, par un contrôle désespéré d'ultime seconde provoqué par la pétoche, ce que je voulais dire se transformait en tout autre chose.

Ainsi « Vous êtes un con et je vais vous balancer mon poing dans la gueule » devient subitement : « Excusez-moi, ma responsabilité est totale dans cette pénible affaire, laissez-moi lécher la semelle de vos bottines. » Cela a eu lieu une nouvelle fois, mais de façon inverse.

J'allais lui dire que le vieux, pris dans mes rets, allait choir comme une prune mûre sur le tapis herbeux de la bonne volonté compréhensive lorsque je me suis entendu proférer cette stupéfiante remarque : « Le bonhomme est quasi centenaire et ce serait sympathique qu'il terminât ses jours chez lui. » J'ai en effet employé l'imparfait du subjonctif dans ma lancée. L'habituel système de défense n'avait pas fonctionné, la bastille s'était levée. Elle a accentué le vinaigre et chaque syllabe a été découpée avec précision, avec un scalpel de chirurgien virtuose.

— Ce serait en effet infiniment sympathique si le manque à gagner qui découle de sa présence ne s'élevait pas — j'ai fait faire le calcul récemment — à la bagatelle, impôts déduits, de 640 000 francs par an. C'est payer un peu cher la nostalgie...

Ça y était, elle creusait avec ses chiffres un gouffre de vertige et je commençais à glisser dedans, dans quelques secondes je serais écrasé par l'énormité de l'enjeu. J'ai fait marche arrière, et à grande vitesse.

— Je pense que d'ici quelque temps je serai à même de lui faire admettre qu'un appartement équivalent dans un quartier proche...

Elle m'a interrompu. Ce n'était plus du vinaigre mais de l'acide sulfurique, le téléphone a commencé à fumer entre mes doigts.

— Vous continuez à vous voir et, si je comprends bien, il a trouvé en toi un allié bien placé : le neveu de la propriétaire, ce n'est pas à négliger... Ce Dufayeux est plus retors que je ne le pensais.

Je me suis lancé dans des protestations véhémentes. Si un jour elle apprend qu'en plus je couche avec sa petite-nièce, je risque d'être privé de dessert.

Soleil encore sur la ville, en attendant d'aller chercher Cécilia à son bureau, je suis allé lire mon journal au square Carpeaux. Je l'affectionne particulièrement, je le préfère de beaucoup au square Buisson qui pourtant lui ressemble mais est moins accueillant de par sa disposition en L, et que je mettrais sur le même plan que le square Germain-Dubezout, à cause de sa fausse mare moussue où, il y a encore quelques années, nageotait un triste canard.

Je n'aurai plus le temps désormais d'écrire une étude comparée des jardins publics. C'est terminé, on ne peut pas passer ses week-ends à deux mille à l'heure et lambiner sur les bancs, au milieu des poussettes d'enfants et des retraités. Quelque chose me dit que Cécilia serait assez imperméable à la poésie élégiaque qui se dégage des statues, des fontaines Richard-Wallace et des pelouses interdites.

La suite de la soirée a dépassé mes espérances.

Je pensais à une promenade le long des quais et à l'un de ces restaurants feutrés comme on en voit dans les films, des maîtres d'hôtel doucereux auraient été les complices de notre intimité...

Dès qu'elle m'a aperçu, elle a brandi deux rectangles de papier bleuté qui se sont révélés être les billets permettant d'assister à une partie de football.

C'est un jeu qui se joue avec un ballon en le frappant avec les pieds.

Nous nous y rendîmes.

Lorsque nous pénétrâmes dans les lieux, le béton vibrait. « Parc des Princes », pas de parc et plus de princes, mais c'est ainsi, environ trente milliers de personnes hurlantes, surtout un rougeaud derrière qui, dès le départ, a affirmé avec une force incroyable que l'arbitre n'avait pas de couilles. Etant donné la distance à laquelle ils se trouvaient l'un de l'autre, cette affirmation ne pouvait relever que de la plus haute fantaisie. Il l'a pourtant proclamée une bonne centaine de fois durant la partie avec un entêtement admirable.

L'équipe en bleu était locale et j'ai pensé un instant qu'ils étaient plus nombreux sur le terrain, mais Cécilia m'a expliqué que la chose était interdite. Simplement ils devaient courir plus vite. C'étaient « les Saint-Germain », ils m'ont paru courir vite en effet, mais pour peu de chose, tous ces jeunes gens semblaient guillerets mais un peu chiens fous alors que les rouges devant eux répugnaient manifestement à bouger.

Cécilia les soutenait car elle m'apprit qu'ils étaient bretons. Ils pratiquaient la tactique du menhir. Pendant l'entracte, qui s'appelle mi-temps, nous avons acheté des sandwiches avec du saucisson et des bouts de salade verte fripée qui sortaient du pain. Les maîtres d'hôtel obséquieux étaient de sortie.

Ça a recommencé. Tout de suite le béton qui vibrait a tremblé et je me suis retrouvé seul assis. J'ai vu les fesses du type devant qui tressautaient de joie. 1 à 0 pour les bleus. J'ai dit à Cécilia que les rouges n'allaient pas se laisser faire et je pense qu'elle m'a été reconnaissante de cette preuve d'intérêt. Je ne me suis d'ailleurs pas trompé car, quelques minutes après, un Breton qui n'avait l'air de rien, a sauté en l'air et paf! Un but.

Silence total dans le stade. Cécilia jubilait. Je me suis penché vers elle et je lui ai chuchoté :

— Il leur faut un ailier de débordement pour effectuer des centres en retrait.

J'ai vu ses yeux s'arrondir, elle s'est reculée sur son siège pour m'examiner plus facilement dans ma totalité, et elle a proféré :

— Mais j'étais persuadée que tu n'y connaissais rien.

J'ai baissé le regard, modestement.

— J'ai joué un peu, autrefois...

J'avais retenu cette phrase de haute tactique proférée quelques minutes auparavant par le monsieur qui émettait sur l'intégrité physique de l'arbitre des réserves sérieuses. Il est extrêmement agréable de se sentir être stupéfiant pour quelqu'un.

Finalement les deux équipes en sont restées au 1 à 1. En quittant nos places nous avons échangé quelques remarques bien frappées sur le peu d'envergure du match, j'ai précisé qu'il eût été préférable que l'arbitre possédât des couilles. Elle a été sur ce point tout à fait d'accord avec moi. Une grande soirée.

Dans le taxi, je lui ai fait jurer que ce serait la dernière. Je déteste toutes les formes de sport, aucune n'échappe à ma vindicte et, dans cette haine générale, le football occupe une place de choix. Nous avons fait l'amour énormément. Nous avons tendance à commencer dans l'ascenseur. Cela pose des problèmes pour l'ouverture de la porte de l'appartement.

2 *octobre*

Il pleut et sans doute pleuvra-t-il de plus en plus dans les mois à venir. C'est l'instant où la saison bascule, nous nous enfonçons dans cette humidité violette qui traîne d'immenses et vieux chiffons sur le zinc des gouttières... Il est trois heures de l'après-midi et une idée m'a collé au fauteuil tout à l'heure. Je regarde les gouttes ruisseler sur les vitres et les deux châtaigniers de la cour de l'immeuble, alors qu'elle doit vérifier le séchage et la mise en couleur des 2 500 Gorbatchev sous la verrière de l'atelier.

J'ai décroché le téléphone et j'ai eu tout de suite Dufayeux. J'avais décidé d'être le plus discret possible, sachant que j'ai tendance à m'empêtrer dans les circonlocutions qui s'emberlificotent elles-mêmes en digressions parasitaires, tout cela aboutissant à une confusion exemplaire.

— Puis-je vous demander une faveur, monsieur Dufayeux ?

— Bien volontiers, je vous écoute...

Rien de plus simple finalement lorsque l'on est entre personnes de bonne volonté.

— Puis-je venir ce soir avec Cécilia ? Cela lui ferait très...

— Non.

Net et sans bavures.

101

Il n'a pas haussé le ton d'un centième de bémol, mais c'est comme s'il avait refermé tous les cadenas d'une porte massive.

Je n'ai pas trouvé la moindre repartie. Je l'ai entendu soupirer et c'est lui qui a repris la parole le premier :

— Ma réponse vous paraît brutale mais elle est nécessaire... Je ne peux pas encore vous donner mes raisons, croyez qu'elles sont bonnes.

J'ai vaguement protesté que je le croyais volontiers mais qu'étant donné les rapports qui existaient à présent entre Cécilia et moi, le fait qu'elle fût sa petite-nièce et que... bref ! cela m'avait paru possible de faire un dîner à trois mais je comprenais tout à fait que s'il préférait qu'il en soit autrement...

Il a eu une sorte de petit rire et m'a interrompu.

— Vous ne comprenez rien du tout et je vais tâcher, ce soir, de vous faire comprendre. Je vous attends à la même heure.

Et voilà ! C'est loupé.

Mais je vais savoir.

Cécilia n'est guère bavarde sur ce sujet. Elle a mis cela depuis longtemps sur le compte d'une lubie de vieux savant... L'autre soir elle a fourni une autre explication... En retrouvant, il y a quelques années, de vieilles photos de famille, elle a constaté qu'elle était le portrait vivant de sa grand-mère. Une ressemblance étonnante, à telle enseigne qu'elle s'est coiffée comme elle durant quelques mois : un chignon bas sur la nuque... Peut-être le vieil homme supporte-t-il mal de voir ressusciter l'image de sa sœur, morte à trente-cinq ans, et qu'il a beaucoup aimée...

Rien de sûr évidemment ! L'hypothèse se heurte au fait qu'il n'a jamais manifesté un sentimentalisme outrancier, que son travail a envahi la totalité de sa vie, mais tout cela sera éclairci ce soir... Sans doute la solution est-elle beaucoup plus simple que je ne le crois.

3 octobre

J E n'ai jamais su pourquoi je tenais ce journal.

Personne ne le lira. On n'écrit pas pour soi... Il doit être l'équivalent d'une gymnastique... Certains font des abdominaux, moi je trace des lignes...

Je sens un besoin de raconter... C'est une opération qui, longtemps, a comblé un vide, pourtant à présent Cécilia est là pour le remplir, je continue... Je confie mes secrets à ces pages, donc à personne, mais en les confiant ils existent, fixés, tant que l'encre durera... Combien de temps faut-il à l'encre pour s'effacer ? Peut-être le papier se désagrège-t-il avant... Je n'oublierai pas cette soirée. Jamais.

Si je savais qu'un jour quelqu'un prendrait connaissance de ce qui va suivre, je brûlerais tout.

Je ne sais pas pourquoi, il n'y a là nul danger, mais tout de même...

Tout cela est trop fou et j'en ai encore comme une trace de fièvre amère, imprécise et désagréable. Je ne veux pas trop tarder pour reproduire ce qui a été dit car j'ai peur que le souvenir des paroles disparaisse et, en même temps, il me semble que dans dix ans je serai capable de tout rapporter à la syllabe près.

« Je vais partir de loin. » C'est la première chose qu'il ait dite. Le feu brûlait dans la cheminée et il portait un pull-cotte de mailles que je lui avais vu la première fois...

Il m'a montré des documents, des photographies où on le voit jeune, au milieu d'élèves et d'assistants... Il y a des cornues, des becs Bunsen, posés sur des tables carrelées. On devine des animaux dans des cages, des lapins surtout, il y a quelques oiseaux aussi, derrière des grillages. Il a été proposé au Nobel 1954 : « Le professeur Bernard Dufayeux, directeur de recherches d'études théoriques sur la dégénérescence du noyau de la cellule vivante... » Je ne comprenais pas pourquoi il m'immergeait peu à peu au milieu de tout ce fatras, je n'ai saisi la raison que par la suite, c'était pour me prouver qu'il n'était ni un farfelu ni un malade mental.

Lorsque j'ai eu fini de regarder tout cela, il a écarté les bras en un geste d'impuissance.

— J'ai fait une découverte. Et je crois que ce fut pour moi une terrible malédiction...

C'est ainsi qu'il a commencé.

Il ne m'a jamais paru si vieux qu'en cet instant.

— Il est dangereux de découvrir... Galilée, Copernic, Freud... La liste est longue, dégager la vérité est une entreprise qui coûte cher, du supplice à l'exil... Je n'ai pas eu le courage de crier, les quelques murmures auxquels je me suis laissé aller ont été d'ailleurs vite étouffés... Je n'ai pas insisté.

Je le laissais aller, nous nous sommes vus très peu et je sais que ce que je vais entendre ce soir, il ne l'a jamais révélé à quiconque...

— Il est possible que vous partiez ce soir en ne m'ayant pas cru. Dans ce cas, je vous demande un service : continuez à m'aider à rester en ces lieux. Si vous êtes persuadé que je suis un fou ou un menteur, je le comprendrai, mais que cela ne vous entraîne pas à me laisser me battre seul contre ceux qui tentent de me faire fuir car, si je m'accroche à ces murs, ce n'est pas par attachement au passé, mais pour une raison bien plus

104

grave... Je ne veux pas vous faire attendre plus longtemps et il faut que je me décide : j'ai percé un secret.

Il s'est tu et je suis allé chercher la vieille bouteille... Pour la première fois j'ai senti qu'il fallait que je l'aide, il n'y arriverait pas seul.

J'ai rempli les deux verres et j'y suis allé de mon couplet :

— Je suis un type solitaire, je n'ai pratiquement pas d'amis, ni de famille. Par suite de je ne sais quel avatar, inné ou acquis, je n'éprouve aucune satisfaction à la fréquentation de mes semblables, or il se trouve que je viens chez vous avec une joie réelle, et que je vis avec votre nièce ce qu'il est convenu d'appeler une histoire d'amour, le fait que vous soyez cinglé n'a rien à voir avec tout cela. Je reste à vos côtés.

Il a paru soulagé et j'ai vu dans ses yeux une passion désespérée, quelque chose a brisé la vie de cet homme. Quoi ?

Il a bu d'un trait et sa nuque est restée appuyée longtemps sur le dossier du fauteuil, et sa voix a retenti.

— « Et Dieu créa l'homme à son image... » Cela fait presque deux mille ans que des foules de crétins ont lu ou entendu cette phrase sans jamais s'y arrêter, sans en comprendre le sens véritable, allant chercher tout un réseau d'explications toutes plus invraisemblables les unes que les autres, alors que tout cela est parfaitement clair : si l'homme est à l'image de Dieu, c'est que l'homme est immortel.

Les bûches se sont effondrées. Il regardait toujours le plafond.

Je n'ai pas reconnu le son de ma voix, j'ai cherché à plaisanter :

— Si la chose était prouvée, elle ferait du bruit.

Il a remis sa tête droite et a reposé son verre sur la table.

— Je l'ai prouvée. Mathématiquement. Je n'ai pas

105

commis d'erreur. Ceci m'engage à penser que je n'ai pas tout à fait tort.

J'ai pris le petit carnet qu'il me tendait. Il était recouvert d'un papier bleu d'écolier dont les bords s'étaient coupés sous les ciseaux de l'usure. Je l'ai ouvert, c'était un livret de famille. Le sien.

Je n'ai pas été plus loin que la première ligne.

Bernard Dufayeux était né à Paris dans le VIIIe arrondissement, le 17 juin 1856.

L'homme que j'avais devant moi avait 134 ans.

4 octobre

JE n'ai pas continué hier soir. Trop énervé.
     J'ai pris un calmant qui m'a fait sombrer dans la seconde.

Matinée vaseuse, en me levant je me suis enfoncé dans la moquette jusqu'aux genoux, je suis parvenu à me dégager mais le parquet du couloir s'est mis à ressembler à un bayou de Louisiane. Je me suis demandé s'il n'y avait pas des crocodiles sous la fange.

Je suis parvenu à me recoucher et, tout en mâchant trois cents kilos de coton tiède, je suis reparti dans les limbes. Le téléphone m'a réveillé.

Cécilia en jouant sur les graves m'a demandé si j'avais pensé au poivre en grains. Voilà une chose que je ne souhaite à personne. Avoir la tête au fond d'un édredon et s'entendre poser une pareille question a de quoi vous déboussoler jusqu'au jour du Jugement dernier. Je n'avais pas pensé au poivre en grains.

Elle a rétorqué que j'aurais dû. J'ai renchéri en lui demandant pourquoi j'aurais dû penser à du poivre en grains, elle a avancé que le poivre en grains était nécessaire à la confection de la daube provençale. J'ai contre-attaqué en lui demandant ce qu'une daube provençale pour laquelle le poivre en grains était nécessaire venait faire dans la conversation, elle a conclu en annonçant qu'elle avançait le terme de la daube provençale qui ne peut exister sans poivre en grains pour la raison simple qu'elle devait ce soir déposer sur la table de la salle à manger une daube provençale, puisque nous recevions un couple d'invités composé d'Anselme Rombilloux et de sa concubine inconnue.

L'édredon a commencé à se dissiper et je n'ai pas tardé à me souvenir que, non seulement je n'avais pas acheté de poivre en grains, mais que je ne m'étais pas davantage rendu acquéreur du kilo et demi de viande de bœuf, de préférence du gîte ou de la culotte, ni des navets, ni des carottes, ni du lard fumé, ni du concentré de tomate, que je n'avais pris ni vin, ni dessert, ni saloperies salées pour l'apéritif, qu'il était 16 h 30 et que tous ces ingrédients auraient dû mijoter dans leur marmite depuis deux bonnes heures.

L'après-midi fut donc plein d'emplettes... J'ai eu du mal à m'en sortir avec les casseroles, épluchures, réglage du thermostat, temps de cuisson, mais lorsqu'elle est arrivée, ça bouillait. Parfait ! Elle portait une robe que je ne lui connaissais pas. Une chose moulante, moirée, moussante et mourante. Le genre de vêtement qui doit traîner sur les descentes de lit dans les fantasmes d'adolescents le long de grandes masturbations avec, en plus, un côté rigolo comme ces publicités de décembre où l'on voit des greluchonnes idiotes et ravissantes secouer leurs couettes autour d'un arbre de Noël en tortillant des fesses parfaites, retouchées par le photographe.

Alors qu'elle allait succomber à ma charge impétueuse de hussard contre le placard de la cuisine, elle s'est souvenue malgré la force de mon étreinte d'une absence :

— Et le poivre en grains ?

J'ai dû convenir que je l'avais encore oublié. Je suis allé le chercher. En remontant j'ai trouvé Anselme Rombilloux sur le palier, en compagnie de la nouvelle élue. Il a toujours eu tendance, sous le prétexte qu'ainsi « on aura plus de temps pour parler », d'arriver trois quarts d'heure avant le moment fixé. Nous sommes entrés et j'ai fait les présentations.

Quatre personnes dans mon appartement, il y avait de quoi être submergé. J'ai servi l'apéritif.

Julienne la concubine a frappé très fort, dès le début, dévoilant d'un coup ses capacités déductrices. Elle a jeté un œil sur les murs du salon et a articulé :

— Eh bien dites donc! Ils doivent pas manquer de place.

Circonstance aggravante et autre trait marquant de sa personnalité, elle ne boit pas d'alcool, c'est ce qu'elle a annoncé d'entrée et, comme tous les gens qui ne boivent pas d'alcool, elle en a accepté un verre, ajoutant avec distinction « juste pour trinquer, sinon ça fait pas poli ». En conséquence de quoi, après deux gorgées, elle a commencé à ressembler au Radeau de la Méduse, en plus verdâtre.

Rombilloux nous a entretenus de façon élégante de sa nouvelle profession, assez originale il est vrai, de démonstrateur de sacs-poubelles. La marque dont il a la charge actuellement est du type dit à fermeture électrostatique. Finis les nœuds glissants, les papiers qui crèvent, les plastiques déchirés, et autres catastrophes domestiques, avec son système, clac, clac, une simple pression des bords l'un contre l'autre et voici notre sac hermétique, clos, net, propre, de quoi vous transformer la vie.

Julienne opinait en disparaissant un peu plus dans les coussins à chaque seconde. J'ai craint qu'on ne soit obligé de la porter jusqu'à la table, mais elle s'est soudain réveillée et a commencé à nous en raconter une « bien bonne ». Anselme s'est interposé avec beaucoup d'à-propos pour éviter la chose.

La daube aurait mérité une petite demi-heure de cuisson supplémentaire, mais personne ne s'en est aperçu, la bonne humeur régnait. Julienne, lorsqu'elle parlait de l'un d'entre nous, s'adressait aux trois autres, ce qui fait que l'on ne savait jamais très bien de qui il s'agissait, ainsi tout en me fixant, elle lançait à l'intention de son amant tout neuf :

— Et ton copain, qu'est-ce qu'il fait dans la vie ?

Cela conférait alternativement à chacun d'entre nous un sentiment d'absence qui s'est dissipé par la suite, d'autant qu'après avoir éclusé une demi-bouteille de romanée-conti, la jeune femme s'est endormie, la tête droite, en laissant voir le blanc de ses yeux.

Nous l'avons contemplée un bon moment en silence.

Anselme a constaté avec un grand sentiment de déception qu'elle lui semblait finalement être assez laide.

Il a demandé son avis à Cécilia qui, après examen, a déclaré que c'était le bas du visage qui clochait, surtout le menton.

J'ai personnellement pensé que c'était à partir des narines que l'ensemble se dégradait.

Rombilloux a insisté sur la longueur surprenante des lobes d'oreille.

Cécilia a alors commencé à rire et ne s'est plus arrêtée. Ce fut une soirée très gaie contrairement à ce que je craignais.

Pendant qu'il buvait le café, Cécilia s'est serrée contre moi et j'ai passé mon bras au-dessus du dossier de sa chaise. Je me suis alors souvenu des spectacles de reptations d'autrefois et j'ai pensé qu'il n'aurait dépendu que de moi d'inverser les rôles.

Il a fallu réveiller Julienne pour le départ. Elle a ouvert les yeux et constaté :

— Elle a eu un coup de barre.

Ils sont partis très tôt et j'ai pensé que le restant de la soirée allait se passer entre rires et stupre, mais tandis que nous desservions la table, Cécilia m'a posé une question sur la soirée d'hier.

Je n'avais pas eu le temps d'y songer une seule seconde durant la journée et tout m'est revenu d'un coup.

Je ne lui ai pas tout raconté, j'aurais eu l'impression de trahir le vieil homme, je lui ai simplement dit qu'il avait fait, au cours des années 70, une découverte importante, tellement importante qu'il n'en avait parlé à personne.

— Quelle découverte?

— Quelque chose concernant la vie.

J'ai réfléchi et je me suis repris :

— Ou la mort...

Je n'aurais pas dû me reprendre car, en fait, c'était la même chose.

— Et qu'est-ce que tout cela a à voir avec le fait qu'il ne me laisse pas entrer chez lui?

— J'étais tellement surpris par ce qu'il m'a dit que je t'avoue avoir oublié de le lui demander.

J'ai fait glisser la pile d'assiettes dans l'évier et j'ai dit :

— Tu sais quel âge a ton grand-oncle?

— Exactement non... Je ne sais même pas s'il était l'aîné ou le cadet de ma grand-mère.

— Combien aurait ta grand-mère aujourd'hui?

— Je ne sais pas non plus. Je ne l'ai jamais connue. Dans les quatre-vingt-dix ans, je suppose, je peux rechercher ses dates si tu veux, je dois avoir des papiers de famille...

— Essaie de les retrouver, je voudrais vérifier quelque chose...

Elle essaiera.

Je l'ai prise contre moi.

— Il a envie de faire l'amour, et elle?

— Autant que lui.

Le matin est venu. Quelque chose ne colle pas. Le frère et la sœur ne pourraient pas avoir plus de quarante ans d'écart.

Il est dix heures, immense vaisselle à faire. Je reprendrai demain.

7 octobre

J'AI trouvé la lettre sur le paillasson. Elle était trop épaisse pour passer sous la porte et le facteur l'a simplement déposée. Je l'inclus dans ce journal. Une belle écriture, un peu tremblée sur la fin... Tout commence à s'éclaircir mais cette histoire est encore plus folle que je ne l'avais cru.

Paris, le 6 octobre.

Mon cher ami,
Je vous dois d'être sorti de chez moi pour la première fois depuis plus de vingt-cinq ans. Je le devais pour vous porter cette missive. J'ai effectué ce trajet la nuit, il était quatre heures et tout était désert. Je craignais que la boîte aux lettres dont j'avais le souvenir au coin de la rue Monceau et de la rue de Courcelles ne s'y trouvât plus. Elle y était toujours : les villes changent moins qu'on ne le croit. Malgré ce qu'une telle expédition représentait pour moi j'y ai pris plaisir. J'ai fait la maison buissonnière, ne le répétez pas.
J'ai jugé utile de vous écrire pour gagner du temps. Le théâtre classique, depuis ses origines les plus lointaines, nous a appris que tous les personnages d'une histoire, qu'elle soit tragique ou comique, ont besoin d'un confident. Soyez le mien, ce sont de beaux rôles et, le plus souvent, le lien qui relie celui qui parle à celui qui écoute est d'une chaleur humaine riche et généreuse car on n'écoute pas n'importe quoi et on ne parle pas à n'importe qui.

113

Je ne vous ferai pas l'injure de prendre la précaution oratoire qui consisterait à dire que tout ce qui va suivre est le fruit d'un cerveau encore à peu près en bon état, j'ose espérer que vous m'octroyez la faveur de le croire.

Exposons les faits.

J'ai orienté mes recherches dans deux sens, les deux voies qui m'ont semblé les plus susceptibles de pouvoir répondre à l'interrogation majeure : qu'est-ce que la vie ?

La première, vous l'avez déjà entrevue, est la fameuse mort subite du nourrisson. Son étude m'a paru capitale car il n'y a pas ici de masque. Je veux dire que la mort ne se cache pas pour frapper derrière l'habituel rempart des maladies. Le passage de la vie à la mort est direct, inexpliqué.

La thèse la plus communément admise est que l'enfant « oublie de respirer ». Dans la série des âneries monumentales proférées au cours des siècles, celle-ci tient une place de choix.

La deuxième est une technique encore peu approfondie qu'il me serait difficile de vous expliquer. Connaissez-vous la thermophotographie ? Vous avez dû voir cela dans des magazines, les médias ont vulgarisé la chose il y a quelques années. La méthode consistait, en utilisant des appareils ultra-sensibles à la chaleur qui se dégage d'un corps, à photographier ou filmer les ondes de chaleur qui apparaissent à la surface de notre peau. On voit des couches successives de chaleur s'élever inégalement de chaque partie de notre corps. Disons pour simplifier que j'ai réalisé la même chose mais, au lieu de capter les radiations, j'ai pu mettre au jour une activité rayonnante de faible amplitude et constater qu'elle se produit immanquablement au cours du décès d'un individu avant que la décomposition des cellules ne fasse son œuvre.

Je suis parvenu à ce résultat en utilisant les méthodes mathématiques dont je vous ai parlé. Mais je sais que je recule l'instant où je dois vous livrer l'essentiel. Le voici en une phrase : je suis parvenu à isoler la mort.

je sais ce qu'elle est et comment elle opère. Je sais d'où elle vient et, découlant de tout cela, je sais m'en préserver. En confidence, je me sens parfois comme ces personnages de contes maléfiques qui viennent proposer à leur jeune protégé l'immortalité, mais dans notre cas, mon cher Docteur Faust, je ne suis pas le diable et je ne vous demanderai rien en échange, et vous ne serez pas obligé de signer de votre sang un parchemin fatidique...

Je vous ai envoyé ce mot pour éclairer un tant soit peu votre lanterne, bien que je sois le premier à reconnaître que bien des points doivent vous demeurer obscurs, et surtout pour que vous soyez à même d'opérer un choix tranché : ou bien laisser à jamais le vieux fou radoter dans son fatras et ses chimères, ou bien continuer nos Mercredis, comme l'on devait dire du temps de Mlle de Scudéry. Je vous avoue que je souhaite vivement retrouver la chaleur de nos soirées, vous n'êtes pas mon petit-fils et nous nous connaissons peu, mais suffisamment déjà pour que votre absence — si elle devait avoir lieu — me pèse terriblement...

Dans l'attente,

Votre B. Dufayeux.

Nous en avons parlé avec Cécilia jusqu'à plus de trois heures du matin.

J'ai peut-être eu tort de lui montrer cette lettre.

Je pensais d'ailleurs qu'elle serait plus négative et réticente que moi à sa lecture. Elle me paraît au contraire très troublée.

Etant enfant, elle a toujours entendu parler de son grand-oncle comme d'un génie et je crois qu'elle prend tout cela très au sérieux. Je ne peux personnellement me défaire d'une incrédulité qui papillonne au fond de moi...

Nous sommes restés les yeux ouverts dans le noir... Je sentais l'odeur de sa cigarette.

— S'il avait trouvé, a-t-elle marmonné, tu te rends compte s'il avait trouvé !

Les conséquences s'enchaînaient vertigineusement... Un autre monde, une autre humanité... Qui peut imaginer

115

ce que deviendrait un monde où la mort serait abolie ? Serait-il même possible ? Je ne m'y retrouvais pas, je ne m'y retrouve pas encore, je crois que personne ne le peut...

Peut-être est-ce que, sans jeu de mots, si l'homme est immortel sa vie est invivable... Surpopulation...

A quoi peut ressembler un être humain âgé de deux cents ans ? de trois cents ?

J'ai toujours détesté les romans de science-fiction, je n'arrive pas à dépasser les cinq premières pages, les astronefs m'ennuient, les mondes futurs me font bâiller, il y a une série à la télévision depuis plus de dix ans avec des types dans des vaisseaux spatiaux, ils sont habillés en pyjamas collants et appuient sur des boutons pour sauter les galaxies, c'est exaspérant, et voilà que tout d'un coup...

Je me suis réveillé en plein milieu de la nuit avec la conviction que tout cela était une gigantesque fumisterie.

Il y a un contraste trop grand. Voilà le problème. Un contraste trop grand entre ce petit bonhomme perdu à son troisième étage et une planète surchargée d'êtres immortels tentant d'inventer un nouveau mode d'existence, un être nouveau ayant à créer une nouvelle morale, une nouvelle pensée, une nouvelle façon de vivre.

Un vieux professeur Tournesol avec ses charentaises et sa tignasse blanche comme dans les bandes dessinées et voilà qu'il perce le grand secret de la nature et de l'univers humain ! Tout s'écroule et tout renaît, les croque-morts sont au chômage et nous voguons tous jusqu'à la fin des temps, en supposant que les temps finissent...

Non, je suis malade, totalement cintré, frappé d'avoir cru une seconde à cette esbroufe délirante... Y ai-je cru d'ailleurs ?...

Cécilia est partie troublée...

Un voyage se profile à l'horizon, elle doit signer un contrat à Milan... Je l'accompagnerai peut-être, deux jours en Italie, comme dans les romans à quatre sous...

Cela me fait cependant rêver... Un avion, des ruelles bordées de vieux palais, trattoria, chianti et spaghettis carbonara, chambre donnant sur la Scala, dans l'escalier un serveur sifflote *La Tosca* ou *Rigoletto*, mandolines nocturnes... Je vais téléphoner à Dufayeux pour lui parler de sa lettre et lui dire que je reviendrai le voir. Ce n'est pas parce qu'il a un grain que je dois le condamner à boire son vieux rhum tout seul.

J'appellerai demain.

J'ai besoin de prendre du recul avec cette histoire, il faut que je l'oublie un peu.

Cécilia ne viendra pas ce soir... Un dîner d'affaires avec des Hollandais. Je serai seul. Une télé-jambon me semble s'imposer.

8 *octobre*

J'Y suis retourné.

Plus fort que moi mais, vers cinq heures de l'après-midi, j'ai empoigné le téléphone. Il m'a proposé de passer et une heure plus tard je sonnais à sa porte.

... Il est plus de deux heures du matin et tout cela tourne dans ma tête. Je crois que l'explication a été décisive.

Je suis le détenteur du secret.

Nous sommes deux sur la planète.

En fait, un assez grand nombre de chercheurs ont eu l'intuition de la solution. Certains sont allés loin sur cette voie mais tous se sont arrêtés avant le dénouement. Dufayeux a insisté là-dessus, il n'y a pas eu de sa part un quelconque coup de génie mais une persévérance, une volonté de ne pas se laisser troubler par les conséquences éventuelles.

Avant de le retrouver, j'avais griffonné deux questions sur le dos d'une enveloppe, il est bavard et il m'entraîne, j'ai tendance à oublier ce qui me préoccupe.

Tout d'abord, en arrivant, je me suis aperçu d'une chose, c'est qu'il continue à travailler.

Je me demande à quoi, puisqu'il a trouvé, mais il continue : il y avait une vieille ardoise d'écolier sur une pile de papiers et il a passé un coup d'éponge dessus lorsque je me suis installé dans mon habituel fauteuil, une petite éponge rosâtre attachée à l'ardoise par une ficelle.

118

Il y avait dans tout cela quelque chose d'attendrissant.

Il m'a paru fatigué. Fatigué mais heureux. J'ai compris que ma présence dans ses murs lui faisait plaisir.

Je n'arrive pas à me calmer.

Je suis chez moi, tout dort, je suis seul, je trace ces lignes sur ce cahier et mon cœur bat presque dans mes oreilles.

Rien ne peut m'arriver pourtant, je peux refuser de croire à toute cette histoire, mais quelque chose qui m'échappe me fait résonner les ventricules. Je crois savoir ce que c'est : cela s'est décidé indépendamment de moi, mais mon esprit a pris la décision de penser que Dufayeux a raison.

Le petit cours de génétique qu'il m'a balancé durant le premier quart d'heure était trop brillant, trop aveuglant de limpidité et d'intelligence pour qu'il ait pu naître d'un cerveau malade.

Je n'étais pas un cancre. Je n'avais pas assez de personnalité pour cela, mais je n'ai pas eu, à l'école comme au lycée, l'esprit particulièrement ouvert. Sans tomber dans une sorte d'auto-négativisme ou de complexe d'infériorité, je crois pouvoir dire que les choses ont continué ainsi par la suite. Je n'ai jamais mesuré mon Q.I., je craindrais de piètres résultats, cependant je suis totalement persuadé qu'avec un professeur comme lui... Je ne sais plus ce que je dis.

Je bénis le ciel de n'être pas romancier, si j'avais à rendre cette histoire crédible je me demande bien comment je pourrais m'y prendre... Je n'accrocherais pas un lecteur ; qui pourrait croire à ces contes à dormir debout ?

Il était près de dix heures du soir lorsque j'ai sorti l'enveloppe de ma poche.

— Qu'est-ce que vos découvertes ont à voir avec Cécilia ? Pourquoi depuis plus de cinq ans avez-vous évité de la voir ?

La réponse n'a pas tardé.

— J'ai évité et j'évite encore de voir Cécilia parce qu'elle est une femme.

J'ai dû montrer par une expression particulièrement hébétée que je ne comprenais pas. Il a pris la position qu'il affectionne lorsqu'il va donner une explication assez longue : il penche le buste et emprisonne sur la table son avant-bras gauche avec sa main droite.

— Il faut toujours revenir à la Bible. C'est un livre curieusement mésestimé sur le plan scientifique. Des religieux s'en sont emparés et c'est bien dommage mais l'Ancien Testament en particulier est un bouquin écrit par des juristes, des sociologues et, sans doute, des biologistes. Quelque part il est dit, je vous retrouverai la citation exacte, que celui qui donne la vie la reprend. Eh bien, mon garçon, tout est là.

Je sentais ma mâchoire s'ouvrir. Je sais bien que je vais avoir l'air idiot.

— Qui donne la vie ?

Il a haussé un sourcil, une broussaille blanche au-dessus d'une paupière fripée.

— A votre avis ?

J'ai avalé ma salive.

— La Femme.

Il a reculé dans son fauteuil. Je ne sais pas pourquoi, malgré qu'il ne fasse plus très chaud, il avait laissé la croisée entrouverte et j'ai entendu, venant de la maison d'en face, l'annonce sonore d'une émission nouvelle. J'avais déjà entendu cette musique.

— Vous avez mis dans le mille, mon jeune ami. En plein dans le mille.

— Allez-y, dis-je, mettez-moi les points sur les i. Vous adorez ça.

Je crois que c'est la seule fois que je l'ai vu avoir une lueur de colère dans le regard.

— Nous sommes des crétins absolus. Nous ne savons pas lire : lorsque l'on nous dit « homme », nous traduisons « humain »... Rappelez-vous : « J'ai créé l'homme à mon image ». A-t-il été précisé quelque part qu'il en fut de même pour la femme ?

J'ai failli en renverser ma tranche de jambon. En fait j'avais pressenti une chose un peu semblable, peut-être depuis le début, et en même temps cela dépassait tout.

Je voyais sa main triturer la laine qui recouvrait son avant-bras.

— La présence de gènes communs a contribué depuis plus d'un siècle à masquer la différence fondamentale des principes féminin et masculin... On l'a dit et répété et cela est parfaitement exact : l'appartenance à un sexe plutôt qu'à un autre n'est qu'une dominante, pour simplifier disons que l'homme possède en lui des caractères féminins plus ou moins amoindris. Et l'on a déduit de cela une similarité exemplaire, une égalité parfaite, puisque l'un contient l'autre, les différences se tempèrent. Ces deux êtres ne possèdent qu'une dissemblance relative, elle n'est pas de nature mais de degré.

Il s'est arrêté un instant... De l'autre côté de la rue l'émission a commencé. Dès le début, j'ai entendu les rires enregistrés... La vie réelle était là-bas, par-delà cette pièce, il suffisait de descendre cet escalier et tout aurait disparu... Le réel c'est l'habituel, j'ai failli me boucher les oreilles lorsqu'il a poursuivi :

— Cela a dû arranger les théoriciens de l'égalitarisme. Les philosophes qui ne connaissaient rien à la science et qui, la méprisant, adorent s'appuyer dessus. Le but de la biologie dans cette branche de recherche est devenu idéologique : il s'agissait de gommer les écarts, mais c'était oublier qu'il existe entre les deux sexes une différence bien plus profonde, bien plus dramatique, quelque chose qui peut tout balayer de notre civilisation.

121

Ecoutez bien, mon ami, car il est temps que vous l'entendiez, je vois à votre visage que vous savez ce qui va vous être dit, mais il en est ainsi : la mort vient à l'homme par la femme.

Les rires se sont amplifiés au même moment. Une foule s'esclaffait et il m'a semblé qu'elle se moquait du vieux savant. Il avait l'air soulagé, la lumière sur son visage semblait s'être adoucie.

— Nous leur devons l'existence... Elles nous donnent la vie et nous la reprennent... Ceux d'entre nous qui ont profondément aimé une femme ont peut-être, à certaines secondes, pris conscience de ce danger... Elles sont notre mort. Peut-être est-ce la raison profonde et la seule explication de la violence, du sentiment qui lie deux êtres parfois et que l'on appelle « l'amour ».

Je n'étais pas surpris, je pensais encore, je pense toujours qu'il a pu se tromper. J'ai murmuré quelque chose comme « la mante religieuse »... et il a enchaîné aussitôt...

— Il y a eu des presciences du phénomène... On trouve ça dès le cœur du Moyen Age : la créature démoniaque, celle qui prend l'âme de l'innocent. La masculine pureté opposée à la féminité démoniaque... Tout un fatras de sexualisme refoulé, condamné, mais qui peut dire si, parmi ces moines qui, du fond des IXe, X^e et XIe siècles, jettent l'anathème sur la Tentatrice, certains n'ont pas eu la révélation de son essence : la pourvoyeuse de cimetières, les Parques, la Camarde... Mythologiquement la mort est Femme.

Je pliais et repliais l'enveloppe que je tenais à la main.

— Comment s'y prennent-elles ?

Il a remué des feuilles perforées qui se trouvaient devant lui.

— Un rayonnement. Rappelez-vous lorsque je vous ai parlé de thermo-chimie... Elles émettent en quasi-permanence une onde d'amplitude infra-positionnelle et...

Il a balayé l'air devant lui, comprenant qu'il ne pouvait point se lancer dans une explication technique qui m'aurait nécessairement échappé.

— Imaginez un halo invisible, non particulaire, une sorte d'énergie négative et...

— Et vous, je veux dire l'homme, il n'émet pas ce... ce rayonnement?

— Non.

Il a hoché la tête, montrant l'entassement des classeurs et des feuilles.

— Soixante ans de travail, sans en dévier d'un pouce. Je pense donc, sans outrecuidance, pouvoir être affirmatif. Il y a, du point de vue de ce que j'ai appelé « T », « T » comme Thanatos, la même différence entre l'homme et la femme que celle qui existe entre un bloc d'uranium et un pavé de granit.

Je me suis efforcé de réfléchir lentement.

— Et si l'on parvenait à se protéger de ce bombardement, et si...

Il a levé la main pour m'interrompre, mais j'étais lancé :

— Si un homme arrivait à se tenir complètement à l'écart de toute présence féminine, il vivrait éternellement?

Il avait conservé sa main levée.

— Exactement. C'est ce que je fais depuis un grand nombre d'années.

J'ai mastiqué une bribe de jambon jusqu'à ce que les mâchoires me fassent mal.

— Et voilà pourquoi Cécilia ne rentre pas chez vous...

— Cécilia et toute autre personne du sexe féminin. La portée de « T » ne dépasse pas trois mètres.

J'ai posé ma fourchette et j'ai dit :

— Vous me prenez vraiment pour un con!

123

Il a arrêté de triturer sa laine et ses mains se sont jointes.

— Si vous en êtes vraiment persuadé, nous pouvons encore trinquer ensemble pour finir nos verres et en rester là.

Il était vieux, très vieux, et fragile.

Le ton de sa lettre prouvait qu'il tenait à ce qu'il fallait bien appeler notre amitié, mais il avait à cet instant une force en lui, une solidité que je lui avais rarement vue...

Il m'avait initié, il m'avait tendu le Graal, le vase du savoir ; s'il était trop lourd pour moi, si je n'avais ni l'envie ni le pouvoir de le prendre, libre à moi de retourner chez moi continuer la vie quiète et regarder à 20 h 30, le dimanche soir, le film de la première chaîne.

— Mettez ma remarque sur le compte du désarroi.

Tout tourbillonnait dans ma tête. Tout tourbillonne encore...

Je pense en cet instant à ces réveils qu'il m'arrive d'avoir parfois en pleine nuit, inexplicablement depuis que Cécilia est près de moi... Mais cela avait eu lieu autrefois avec d'autres... Ils ne se produisent jamais lorsque je dors seul, je les ai toujours mis sur le compte d'un craquement de parquet, d'un mouvement... Mais je sais que c'est faux, la femme dort toujours, son visage est enfoui dans l'oreiller, elle n'a pas bougé, immergée dans le sommeil... Quel instinct écarte mes paupières dans l'obscurité ?... Il y a une menace dans l'ombre... En aurais-je, ce soir, percé la raison ?

Je vais prendre un somnifère pour faire taire cette hantise qui me vient : à quoi ressemble un homme de trois cents ans ? de trois mille ? Notre visage d'humain finit-il par être celui d'un monstre ?... La chair vieillissante se stabilise-t-elle ?

Je ne sais pas si je vais relater tout cela à Cécilia...

Elle est de celles qui savent se taire, certes, mais qu'allons-nous faire de ce poids entre nous ?

Dufayeux ne s'est jamais marié, il n'a eu à s'éloigner que de femmes inconnues, mais nous, elle et moi, sommes le premier couple à savoir... Si je choisis l'éternité, je dois la quitter, m'éloigner pour toujours... Si j'opte pour l'amour, la mort viendra... Il me faut du temps, beaucoup de temps, et puis je puis être écrasé sur une autoroute, tiens, ce serait épatant ça, plus de questions à se poser, mais pas demain bien sûr, plus tard, beaucoup plus tard. Oh, et puis merde !

12 octobre

LORSQU'ELLE est venue me chercher vers dix-neuf heures, il y a quatre jours de cela, en me disant de me dépêcher car le taxi attendait, j'ai pensé tout de suite à un nouveau match de football. Dans le journal acheté le matin, on disait grand bien d'une rencontre qui devait avoir lieu le soir entre Parisiens et Bordelais. « Choc de Titans », écrivait le journaliste. Une sorte de Troisième Guerre mondiale en quelque sorte. Ces gens-là ne reculent devant rien.

J'ai voulu prendre ma veste mais elle avait, profitant de soldes avantageuses m'a-t-elle précisé, acheté un blouson.

Une avalanche de poches, je n'en avais jamais vu autant rassemblées en si peu d'espace. Elles se montent les unes sur les autres. Moi qui ne retrouve jamais mes tickets de métro dans mon veston, je ne suis pas prêt de mettre la main dans un pareil dédale. Je l'ai enfilé, elle a penché la tête et a fini par conclure que j'avais dix ans de moins.

J'en fus fort satisfait.

Et c'est vrai que, ma veste abandonnée sur une chaise, m'a paru être soudain une chose funèbre et molle, serpilliéresque, d'un aspect désolant, voire propre à inspirer de la répugnance.

Je brillais de mille feux dans mon cuir tout neuf... Il y avait là quelque chose de la chrysalide et du papillon. J'ai remarqué de plus que la coupe sport raffermissait ma carrure, j'avais pris en quelques secondes un aspect quasi athlétique grâce au subterfuge d'épaulettes soigneusement placées. Je me suis senti du coup d'humeur ferme et enjouée... Avoir durant quatre décennies vécu dans la peau d'un gringalet et se retrouver subitement dans celle d'un costaud cousu de poches vous donne une image très différente de l'existence.

J'ai pris devant le miroir quelques poses avantageuses mais, le taxi attendant toujours, nous sommes descendus.

Je me suis aperçu assez vite que nous n'allions pas en direction du stade, j'ai suffisamment musardé dans Paris pour m'en rendre compte. Nous avons quitté les périphériques à la porte d'Orléans — et pris la A 7. J'ai pensé à une auberge vers Fontainebleau, une hostellerie en bordure de Chilly-Mazarin et je m'enthousiasmais de la présence chez Cécilia d'un tel esprit d'aventure lorsque le taxi a clignoté : direction Orly.

Une sueur m'a pris aux reins.

J'ai affermi ma voix pour demander si nous allions prendre l'avion.

Rouler en direction d'un aéroport et poser une telle question peut sembler traduire une certaine limite dans le jugement. D'ailleurs, Cécilia m'a confié que les diligences ne passaient plus par là depuis quelque temps. J'ai finalement demandé quelle était notre destination et la réponse a sonné comme trois coups de cymbales :

— Istanbul.

Comme j'avais du mal à empêcher ma mâchoire de tomber sur mes genoux, elle a précisé :

— Autrefois Constantinople.

Elle a considéré que le vide de mon regard était dû à une méconnaissance des réalités géographiques car elle a rajouté encore...

— C'est en Turquie.

— Je m'en doutais, mais je n'ai pas de bagages.

127

— Ils ne sont pas utiles.

— Pas de brosse à dents, pas de vêtements de rechange, pas de...

— Nous en achèterons.

J'ai vu une issue clignoter.

— Je n'ai pas d'argent turc, pas de travellers...

— Tu es mon invité, tu n'as besoin de rien. J'ai signé ce contrat avec l'Italie, on va fêter ça.

L'issue s'est refermée, une autre s'est ouverte.

— Je n'ai pas mon passeport !

Je l'ai vu surgir dans sa main. Un tour de passe-passe.

— Je l'ai pris dans ton tiroir. Tu ne peux pas t'échapper. Tu es turc pour deux jours.

J'ai respiré un grand coup. Cette fois ça y était, en plein dans l'aventure.

Quand on a durant quarante ans cultivé l'idée que moins ça bouge, mieux ça vaut, et que l'on va passer un week-end à l'autre bout de la planète, on a tendance à considérer ce genre de situation comme périlleuse, même si on a l'impression de tourner un film intitulé *Envol sur la Corne d'Or* ou *Soir d'automne sur le Bosphore*.

Soixante minutes plus tard, j'étais dans le ciel. Cécilia d'une humeur parfaite m'a demandé si je m'attendais à celle-là.

Les éclairages sont étranges dans la carlingue d'un avion, un faisceau sortait du plafond et, quand elle a tourné la tête, la pupille de son œil était si claire que j'ai vu tout au fond battre une mer lente et douce, joyeuse en même temps, un matin d'été, en bord d'océan quand tout est tendre dans le soleil jaune... J'ai failli lui demander de m'épouser.

Peut-être est-ce le souvenir de Dufayeux qui m'a retenu.

Peut-on se marier avec sa propre mort ?

J'ai pensé alors que si je ne passais pas le restant de ma vie avec une femme qui m'expédiait en Turquie, je finirais solitaire et puis l'hôtesse est passée avec le dîner. Le voyage n'a pas été long et un quadrillage de lumière a surgi derrière le hublot : c'était Istanbul.

Le chauffeur de taxi n'avait pas de moustaches, cela m'a quelque peu déçu... Beaucoup de petites lampes disséminées au-dessus des toits, il devait avoir plu car le macadam luisait encore, il y avait une odeur d'eau et de mazout qui surnageait, il y a eu un reflet de lune sur des dômes blafards, des tortues géantes écrasant les toits de la ville, nous avons été dans la chambre tout de suite et tout a disjoncté.

Je ne sais pas décrire les heures d'amour, ni leur folie, ni leur douceur, ni leur violence, je ne sais pas traduire l'instant où les fêtes pailletées et sautillantes tournent en orages internes... Je sais que je n'oublierai pas la nuit d'Istanbul, et si tu es la mort, Cécilia, que vogue la barque funéraire jusqu'au fin fond des enfers. Il y avait un balcon et un ciel chargé, une odeur d'anis et de goudron... Les quais devaient être proches, j'ai vu des mâts bouger dans l'air immobile... La peau des femmes est bleue dans la pénombre... J'ai encore pensé à cette histoire de rayonnement et je me suis noyé en elle... Il y a deux façons de fuir, s'écarter ou pénétrer, se fondre, « n'être plus qu'un », comme disent les spécialistes du sirop de passion.

Au cœur d'elle je n'ai plus eu peur. Pourquoi te craindre, Cécilia, puisque tu es moi, puisque ce sont mes reins qui te font vivre, puisque tu m'appelles et me veux en cet instant, pourquoi me tuerais-tu ? Il y a tant de vie dans tout cela, où irait se nicher le malheur, il ne peut y avoir au sein des plénitudes la moindre trahison.

Vers quatre heures, on a cogné à la cloison, nous n'aurions pas dû être si éloquents...

Istanbul va s'éclairer, on dirait que les réverbères pâlissent... Il nous faut dormir un peu... Comme ma vie fut plate ! Je ne lui ai rien dit cette nuit-là concernant la découverte de son oncle.

« T » comme Thanatos...

Demain, ce serait suffisant, ou au retour... Plus tard.

Istanbul, où nous avons vécu quarante-huit heures... Une ville tour de force... Aux heures parfaites du matin ou du soir, aux heures des ombres longues, le ciel est d'un bleu idéal qu'inonde un soleil d'or, tout rutile, sauf la ville, inaltérablement grise.

Les chantiers éventrés s'alignent derrière la discordance des trottoirs... Des rues de garages qui tartinent les quartiers de leur cambouis...

Gris des eaux moirées de la gare maritime. Nous avons pris le bateau un matin et c'était la gare Saint-Lazare sur l'eau... Je n'étais pas dépaysé. Une pluie fine sur les travailleurs, les queues aux guichets, les tickets, les rives boueuses... Des garçons vendent du thé sur des plateaux de cuivre, Cécilia s'est goinfrée de loukoums, postillonnant une farine sucrée... Les murs des anciens palais ont pris un coup de vert-de-gris... Les enfants à cartable ont le crâne rasé, les militaires nombreux m'ont paru avoir l'air encore plus abrutis qu'ailleurs... Jeunes péquenots tirés des montagnes et engoncés dans leurs capotes, oreilles décollées et godasses à clous traînant dans les jardins de Sainte-Sophie ou de Soliman le Magnifique... Et le gris toujours, la couleur turque, une ville d'où les couleurs ont fui...

Nous montons sur les hauts de la ville, le café de Pierre Loti, on ne le distingue pas car il est cerné par les parkings de cars. Entre deux hordes de Hollandais octogénaires, nous y avons bu un faux raki en contemplant en contrebas des voies ferrées, des cargos rafistolés, les usines semblaient plantées dans les vases du port... Loti a dû connaître les ruelles ottomanes aux maisons de bois, les femmes voilées des sérails... Mer de Marmara, Corne d'Or, Bosphore et Aziyadé... Je me demande si notre monde d'aujourd'hui sera pittoresque pour nos enfants... Cécilia est heureuse, elle discute le prix d'un vase au Grand Bazar et le conquiert de haute lutte. Le vendeur semble au bord du suicide... La pluie a recommencé... Les autobus surchargés cahotent, un étudiant court sous les gouttes, sautant entre les gravats et les flaques, en direction de l'Université. Dans des cafés carrelés comme des W.-C., des hommes aux joues bleues jouent sombrement aux cartes en tirant sur leur cigarette, les narghilés ont disparu, ils sont tous en faux cuivre dans les échoppes à touristes... Rien ne sent plus les pieds qu'une mosquée, l'odeur est dans la laine des tapis, sous les dômes géants règne une paix grise...

Nous avons mangé sur le port des soupes épaisses qui sentaient les îles et les épices. Un Parisien, à deux tables, se plaint que plus rien n'est authentique. Pourquoi faudrait-il que ce le soit?

Avion de retour.

J'espérais ressentir une satisfaction à la pensée de rentrer chez moi, cela ne s'est pas produit.

Il va falloir parler à présent.

Comment va-t-elle réagir?

Il faisait froid à Orly. J'ai eu l'impression que le temps avait profité de mon absence pour basculer dans l'hiver. Le vent balayait la station des taxis.

Il restait peu de temps pour dormir à Cécilia, nous nous sommes séparés en bas de chez elle, j'ai gardé la voiture et suis rentré.

Pourquoi ai-je eu peur de lui parler?

18 octobre

C'EST fait.
        J'ai évidemment choisi l'endroit le moins adéquat.

Ça m'a pris dans un café, rue des Beaux-Arts. Elle m'avait traîné dans une galerie où un sculpteur utilisait une texture spéciale pour imiter la peau. Des personnages grandeur nature recouverts d'un épiderme factice, avec poils, pores, taches de rousseur, même des verrues... horrible... Elle pensait utiliser le même procédé pour les masques... Le souci de réalisme des acheteurs devenait de plus en plus grand...

Nous nous sommes écartés en fin de parcours entre le zinc et le flipper et, dans le vacarme des voix et de la mécanique, je lui ai tout sorti, comme si je n'avais pas pu attendre une seconde de plus. Peut-être ne le pouvais-je d'ailleurs pas...

Nous sommes rentrés à pied malgré le vent. Il prenait les ponts en enfilade et des mouettes rasaient les eaux, elles filaient vers Notre-Dame et Saint-Louis... On dit que c'est signe de tempête en mer...

Je l'ai serrée contre moi durant tout le trajet, j'en avais le bras ankylosé, mais il y avait tant de détresse en elle... Quelque chose s'est peut-être cassé comme si d'un coup elle avait eu horreur d'être ce qu'elle était... mortelle... Le double sens du coup m'apparaît : mortel comme celui qui meurt et comme celui qui donne la mort... Une autre vision du monde se formait lentement : les femmes dans les rues cessaient d'être semblables, elles se détachaient davantage comme si le halo dont parlait Dufayeux pouvait soudain devenir visible... elles se pressaient vers les autobus nimbées d'une lueur falote de lumière noire. La nuit était presque tombée lorsque nous sommes arrivés.

A la lueur du plafonnier de l'ascenseur, j'ai vu les larmes dans les yeux de Cécilia, deux lacs bombés où nageaient les herbes du chagrin... Nous sommes restés longtemps dans le noir, ses cheveux contre mes lèvres, jamais il n'y avait eu un tel silence, je crois qu'elle a dormi quelques minutes.

C'est elle qui a éclairé la première.

Il fallait parler. Qu'est-ce que la découverte du vieil homme changeait ? En supposant qu'elle soit exacte ?

Depuis les origines de l'humanité, les hommes et les femmes mouraient... C'était ce qui avait été appelé « la condition humaine » : nous étions mortels. Cela n'avait pas empêché le monde d'exister, les pyramides et les cathédrales et Shakespeare et les pois chiches en boîte, et le cinématographe et l'aviation et les dividendes de capitaux de société à succursales multiples.

De Mme Neandertal au dernier bébé-éprouvette il y avait eu bien des drames mais certains étaient arrivés à caser dans le grand fleuve roulant vers le futur quelques îlots de bonheur... Nous étions bien ensemble, on avait déjà fait la Bretagne et Istanbul en moins d'un mois, on pouvait faire mieux, plus loin, je me secouerais, j'apprendrais à voyager, à être détendu, sportif, j'avais déjà un blouson plein de poches, j'étais riche et vieux, elle était jeune et belle, tout était parfait... On pouvait habiter ici, c'était grand, on pouvait tout refaire en moderne, avec des sculptures pendouillantes, des peintures fluos, un bar inox, les pantoufles à la poubelle, et un jour, face au couchant, dans le grand parc d'un manoir quadri-centenaire, je laisserais peinardement s'envoler mon âme en direction des cieux. Où était le problème dans tout cela ? Nous avions l'éternité à notre mesure : trente, quarante ans de bonne vie, de quoi se plaignait le peuple ? En quoi étions-nous différents d'autres couples ?

J'ai cru avoir gagné, j'ai pensé un court instant que je l'avais entraînée dans mon bel édifice construit d'évidences, de bon sens et de réalismes... J'ai cru vraiment que tout serait réglé. Je l'ai vue se rasséréner et elle a versé avec enthousiasme la sauce bolognaise sur les spaghettis qu'elle venait de faire cuire, j'ai alors décollé mes fesses de la chaise pour aller déboucher un vieux morgon 64 qui devait traîner sous l'évier, nous allions fêter ça, nous avions reconquis notre état naturel, nous étions à nouveau parfaitement identiques aux autres : périssables.

J'ai compris mon erreur au dessert lorsqu'elle s'est installée à mes pieds, sur le tapis.

Je ne peux pas rapporter tous les arguments qu'elle a pu trouver, sa voix a trop de charme pour qu'elle ne produise pas une sorte d'envoûtement, et puis son discours n'a pas la rigueur de celui de Dufayeux, elle n'est pas aussi pédagogue mais j'ai retenu deux choses de ce qui a été dit : tout d'abord son grand-oncle est un savant authentique, sa mère, des gens qu'elle a connus lorsqu'elle était enfant ou jeune fille le lui ont dit et répété. Elle a le souvenir du vieillard dirigeant des symposiums, des rencontres, à New York, un peu partout... Elle exclut la folie ou l'erreur... L'homme a trouvé quelque chose et ne s'est pas trompé... Le deuxième point est qu'un tel secret va empoisonner le reste de notre vie... Là, je peux, à cet endroit dans la conversation, reproduire les mots tels qu'elle les a prononcés, je m'en souviens car malgré mes protestations je suis fondamentalement d'accord sur ce point.

— Dorénavant, nous ne pourrons plus vivre innocemment.

C'est trop énorme.. Trop important... Nous ne pouvons pas faire semblant... Si je deviens un vieil homme, si je suis malade, accepterai-je seulement sa présence à mes côtés ? Serais-je le premier homme pour qui le surgissement d'une femme serait l'équivalent d'une chaise électrique ou d'un peloton d'exécution ? Elle a balayé tous mes enfantillages, toutes mes fuites... Aucun cinq-étoiles aux Bahamas ne changera quelque chose à l'affaire, la vie passée est finie : nous savons à présent et savoir est une malédiction.

Nous sommes trois dans l'Univers, trois perdus dans cette nuit qui était venue depuis longtemps, trois à savoir... Comment allons-nous nous en sortir ? Il n'est pire piège que la connaissance...

Nous avons fait l'amour... A un moment j'ai senti ses larmes sur mes doigts et je savais ce qu'elle allait dire, il ne pouvait pas en être autrement et cela allait nous briser.

— Un jour, tu auras horreur de moi car je ne cesse de te détruire...

Jamais je ne m'étais enfoncé dans une nuit si noire...

Plus tard, j'ai échafaudé des nouveaux mondes... Que deviendrait une planète où tous les humains sauraient ce que nous savons ? Irait-on jusqu'à une élimination systématique des femmes ? Une chasse géante d'un bout à l'autre de la Terre, elles seraient abattues ou mises dans des camps...

Une humanité uniquement mâle... La seule espèce à ne posséder qu'un seul sexe... La reproduction ne pourrait avoir lieu qu'*in vitro* avec des ovules artificiels... Cela sera sans doute possible, peut-être cela l'est-il déjà...

J'étais soulagé de la sentir dormir, même si son sommeil était troublé... Quels cauchemars se déroulaient sous son front ?... J'ai senti sa chaleur et le pire est advenu.

Cela s'est fait malgré moi, je le jure, mais je me suis écarté, je sentais vraiment que quelque chose d'elle s'installait en moi, une incrustation lente, pénétrante, entêtée, ma peau réagissait avant mon esprit : je l'aimais et elle était en train de me tuer.

J'ai compris qu'elle avait raison : nous ne tiendrions pas longtemps ainsi. Dufayeux avait trouvé la solution : l'isolement absolu : c'était le plus simple, mais il était un vieil homme et il n'était pas amoureux.

Que pouvions-nous faire ? Si elle m'aimait elle partirait, elle me l'avait déjà fait comprendre ; elle n'accepterait pas d'enfoncer dans mon cœur ce lent couteau, il ne me resterait alors que deux solutions : la retrouver et mourir, ou attendre seul, sans elle, que l'éternité se passe.

Folie !

Cette nuit a été la plus difficile de ma vie. D'autres viendront et je n'en supporterai pas beaucoup de semblables...

Cécilia est partie travailler et il y a eu un rayon de soleil vers trois heures. Je suis allé faire un tour au parc Monceau. J'y ai mon banc. Tous les habitués des squares vous diront qu'ils y possèdent une place favorite. La mienne se situe dans une allée, devant une petite pyramide pas très loin de la statue de Maupassant. Il y a au pied de son socle une très jeune et jolie personne fort affriolante dans sa longue robe de calcaire, elle a malgré la sagesse du corsage quelque chose d'espiègle dans le maintien qui l'apparente à une coquette... Je me suis souvent demandé si ce n'est pas elle qui lui avait collé la syphilis. Elles nous refileront donc toujours quelque chose...

J'ai acheté un pain au chocolat dans la boulangerie de

la rue de Lisbonne et je l'ai grignoté en remontant chez moi.

J'ai entendu le téléphone de l'escalier, j'ai couru et j'ai eu Cécilia à l'instant même où elle allait raccrocher.

Elle m'a annoncé la nouvelle et je me suis assis avec lenteur.

Elle n'a pas passé, elle, son temps à traînasser, elle ne s'est pas baguenaudée dans un square. Elle a appelé Dufayeux et, je ne sais pas comment elle s'y est prise, mais nous y allons ce soir. Ensemble.

Elle se tiendra loin de lui, mais ils se verront et pourront se parler. Le vieil oncle est troublé mais consentant. Quelque chose me dit que les heures somnolentes de l'après-midi ont formé une halte qui n'est pas près de se reproduire. Enfin je ne sais pas... Inquiétude.

19 octobre

IL faut d'abord que je note en vrac, pour ne pas oublier.
1. Il y a une relation entre la production de rayonnement et les menstrues. Une sorte de phénomène d'implosion qui explique le phénomène des règles féminines qui n'a jamais été réellement élucidé, ni par des thèses chimiques, ni a fortiori par les explications purement mécaniques. Ceci est un premier point.

2. Il n'y a pas de centre de rayonnement. La formation des particules Thanatos (le mot « particule » ne convient pas) ne vient pas d'une « usine » formatrice qui serait située spécialement à l'intérieur du corps. Les émanations sont réparties sur toute la surface de l'épiderme sans que celui-ci soit en quelque façon concerné par sa fabrication.

3. Ce que nous appelons le vieillissement, et qui a été mis jusqu'à présent sur le compte du temps (ce qui n'a aucun sens), est la lente défaite d'un organisme attaqué sans trêve par le rayonnement. Si celui-ci cesse, le phénomène « usine » disparaît. Cela répond à la question que je me suis posée autrefois : à quoi peut bien ressembler un homme de trois cents ans ? La réponse est simple : il ressemble à un être humain d'une vingtaine d'années, âge où le processus de développement a atteint son niveau maximum auquel l'individu reste éternellement fixé. En d'autres termes, l'homme a été non seulement créé immortel, mais éternellement jeune.

Bien évidemment, les termes « jeune », « vieux », etc. perdent totalement leur sens à l'intérieur de ce nouveau système qui est le vrai système. Si demain je me protège et ne subis plus aucune attaque Thanatos, je demeurerai pour toujours dans l'état qui est le mien actuellement.

Il est quatre heures du matin et nous venons d'arriver, Cécilia s'est écroulée épuisée, le front dans l'oreiller, j'écris cela très vite car j'ai peur que ma mémoire ne me joue des tours. Je reprendrai demain pour raconter ce qui a suivi. Je note simplement pour me le rappeler : histoire de l'éphémère.

A raconter demain.

20 *octobre*

Il est quatre heures de l'après-midi.
Traîné une heure dans la salle de bains pour liquider les fatigues. Je me suis levé vers midi. Je n'ai pas mangé par flemme. Je reprends la suite : histoire de l'éphémère.

Cela s'est passé dans un laboratoire de la faculté de biologie expérimentale. Dufayeux a lui-même été récupérer un œuf d'éphémère mâle dans la vase qui recouvre les rives de l'Eure, près de laquelle il avait une maison, vendue en 1946. L'œuf a pu éclore.

Ce n'est qu'au bout d'un grand nombre d'essais qu'il a pu arriver à obtenir l'insecte qui a été isolé. Comme leur nom l'indique, ce genre d'hexapode vit très peu de temps, tous les observateurs et spécialistes en la matière s'accordent à dire que deux heures est une durée tout à fait maximale, voire exceptionnelle.

Dufayeux a gardé le sien vivant durant dix-sept semaines.

Que s'est-il passé au bout de ce temps ? Il l'ignore. La présence d'une femelle n'est pas à exclure ; ces êtres étant extrêmement répandus, la présence de bassins autour des bâtiments peut expliquer cette présence à l'intérieur des locaux. Dufayeux a de plus insisté sur le fait que la Vie n'opère pas par lois générales, que ce qui est valable pour une espèce ne l'est pas nécessairement pour une autre et

140

qu'il serait folie de déduire d'une expérience intéressant un invertébré, même structurellement organisé, une règle valant pour un mammifère supérieur comme l'humain.

Bizarrement, cette expérience en partie manquée m'a plus frappé que toutes les formules et les explications qu'il nous a assénées durant la soirée.

Etrange soirée.

Il avait tout préparé et déplacé quelques piles de bouquins pour faire de la place. Cécilia occupait le fond de la pièce alors que nous étions à l'autre extrémité, la distance entre eux étant de 6,35 m.

Il avait placé sur le vieux tapis des bandes de scotch indiquant les limites à ne pas franchir. Lorsqu'elle est entrée et qu'ils se sont retrouvés face à face, chacun à une extrémité du bureau, quelque chose m'a bouleversé, j'ai vu l'émotion dans leurs yeux, et les larmes ont brillé dans les pupilles de Cécilia. Il y avait quelques mètres entre eux : la distance qui sépare la Vie de la Mort.

Dufayeux a parlé le premier en bafouillant, pour s'excuser de ne pas lui avoir dit plus tôt la vérité, une vérité tellement invraisemblable, incroyable qu'il avait reculé devant les difficultés à lui expliquer tout cela...

C'est moi qui ai fait la jeune fille de la maison, prendre le chemin de la cuisine aurait obligé Cécilia à franchir la ligne fatidique. Je les ai servis à tour de rôle en allant chercher le veau froid à la cuisine et en mettant la boîte de petits pois au bain-marie.

Nous avons mangé sur nos genoux, cela m'a rappelé l'avion quelques jours auparavant, mais nous naviguions dans un ciel encore bien plus tourmenté.

Cécilia a mis une sorte d'acharnement à insister sur l'absurdité des allégations du vieil homme. Je savais qu'elle cherchait à se persuader elle-même de ce qu'elle disait, elle se faisait l'avocat du diable, mais Dufayeux ne s'est pas troublé un seul instant, il répondait clairement,

141

nettement à chaque question, point par point, et je sentais monter cet échafaudage minutieux, précis, huilé comme une horloge qui remettait en cause l'humaine nature.

Je lui ai apporté le café et c'est lorsque j'ai déposé la tasse entre les mains du savant que Cécilia a dit :

— Si les hommes meurent par les femmes, de quoi meurent les femmes ?

Je ne m'étais pas posé la question. Enfin, osons le dire, pas aussi nettement, ce qui signifie sans doute que le problème ne m'intéressait pas vraiment.

— De la même chose que les hommes, le rayonnement qu'elles produisent a un effet de réflexion. Disons pour simplifier qu'elles s'auto-détruisent.

J'ai voulu détendre l'atmosphère. Cela m'arrive souvent lorsque je suis gêné, je verse alors dans les calembours approximatifs et les plaisanteries catastrophiques, l'humour est la face grimaçante d'un malaise, j'ai sorti quelque chose du style : « Il ne manquerait plus qu'elles sortent toutes pimpantes du massacre... » Mais aucun des deux ne m'a entendu. Cécilia avait posé son menton entre ses mains et, poursuivant son idée :

— Donc si le rayonnement cesse, c'est l'éternité pour tous ?

Dufayeux a hoché la tête.

— Je crois qu'en effet il en serait ainsi.

Elle m'a regardé. La force qui naissait d'elle m'a surpris. C'est à cette seconde que j'ai pensé que, plus que pour sa voix, ses yeux, son corps, et ce subtil et aérien amalgame que l'on appelle le charme, je l'aimais pour cette charge vitale qui était en elle, ce voltage éclatant, ce dynamisme maîtrisé qui la projetait dans la vie avec une vibration joyeuse qui m'avait toujours manqué.

— On m'a expliqué à l'école que lorsqu'on connaît la cause d'un mal on arrive à vaincre ce mal... Lorsqu'on connaît le microbe, on peut trouver le vaccin.

142

— Il ne s'agit pas de microbes, a protesté Dufayeux, il s'agit d'une sécrétion diffractée, anti-énergétique, dont le mode de diffusion est totalement inconnu...

— Peut-on l'arrêter ?

Le vieux a soupiré.

— Le problème est qu'il n'existe pas d'organe spécifique... En schématisant, nous pouvons dire que chaque fonction est due à un moteur particulier : la respiration est fournie par les poumons, la circulation par le cœur, la digestion par l'appareil digestif et ainsi de suite... Or, la mort n'est fournie par rien...

Je me souviens du goût du café dans ma bouche, j'avais dû rajouter machinalement un morceau de sucre, c'était un sirop tiède, vaguement écœurant.

— Ecoutez, a dit Cécilia, vous avez voué votre vie à la recherche, vous avez fait la découverte la plus importante qui soit depuis toujours : vous savez ce qu'est la mort... Vous n'allez pas nous faire croire que, pas une seule fois, l'idée ne vous a effleuré qu'il y avait peut-être moyen d'en débarrasser l'espèce humaine !

Je n'y avais pas pensé, je le répète... Sans doute par manque d'esprit pratique... Je ne sais pas transformer le monde qui m'entoure. L'année dernière il y a eu une panne d'électricité dans ma chambre. Pendant trois mois, je me suis mis en pyjama avant d'aller lire dans le salon et retourner me coucher à tâtons, j'étais arrivé à me persuader moi-même que c'était plus pratique ainsi. C'est Rombilloux qui a repéré les plombs en moins de trois minutes. C'est d'ailleurs peut-être le seul moment où je l'ai admiré d'avoir une telle emprise sur le sort contraire.

J'avais rêvé à ce que deviendrait le monde si la chose se propageait : une chasse apocalyptique à la femme, le plus grand génocide auprès duquel tous les autres n'auraient été qu'espiègleries rigolotes... Là était mon domaine, le cauchemar cosmique, le poète dans un impossible pandémonium, mais Cécilia n'était pas de la même race.

Dufayeux s'est levé et est allé à la fenêtre. Je ne lui avais jamais vu faire cela, il m'avait toujours semblé vissé à son fauteuil durant nos soirées-entretiens. Il a regardé la nuit.

La pluie semblait ne tomber que dans le halo des lampadaires... Des cercles d'or mouillés filaient en lignes régulières jusqu'aux grilles brillantes du parc...

Il s'est retourné et il y avait comme un désespoir en lui, quelque chose de brisé.

— Je n'aime pas être un vieux type dans une maison vide, a-t-il dit, je sais que la solution que j'ai choisie n'en est pas une, l'isolement est une prison. Mais c'est le seul moyen que j'avais à ma disposition si je voulais poursuivre mes recherches... Aujourd'hui, tout cela ne sert plus à rien : ma tâche est finie.

Cécilia s'est levée et la pointe de ses escarpins a effleuré la bande de scotch posée sur le parquet, cela ressemblait à un tournage de film, lorsque les acteurs ne doivent pas dépasser les marques.

— Ne soyez pas stupide, mon oncle, vous ne pouvez pas vous contenter d'avoir découvert le mal, il faut le vaincre, il faut...

Il a balayé tout d'un geste :

— Ecoutez, Cécilia, nous ne sommes pas dans un feuilleton télé où la jeune nièce redonne du courage au vieux savant épuisé qui finit par trouver le sérum contre la peste bubonique... Il y a sans doute une parade, mais je ne l'ai pas trouvée et je pense en ce moment qu'il me suffirait de faire deux pas vers vous pour mourir.

J'ai eu peur. Un cas tout nouveau de suicide.

— Vous n'avez pas trouvé la parade, mais qui d'autre que vous pourrait y parvenir?

Il a toussoté et a eu un geste vague de la main.

— D'autres y arriveront... Je fais malgré tout confiance au génie humain... Je sais par recoupements que le département génétique du laboratoire de physico-chimie de Mourmansk a entrepris des recherches qui vont dans le bon sens, ils n'en sont pas encore bien loin, mais ils peuvent ouvrir une brèche dans la forteresse du grand silence scientifique.

J'ai croisé le regard de Cécilia.

— Pourquoi disiez-vous que votre tâche est finie ? Cela ne vous ressemble pas... Qu'est-ce qui vous empêche de trouver le remède ?

Je savais que le mot ne convenait pas, il a eu au moins l'avantage d'avoir l'air de l'amuser.

— Vous êtes des enfants, a-t-il dit.

Cécilia a pris le relais.

— Il a raison, qu'est-ce qui vous empêche de poursuivre ?

Je savais ce qu'elle voulait en cet instant. C'était démesurément simple : elle voulait la vie pour toujours, pour elle et pour moi, pour tous peut-être, elle se battait pour conquérir l'éternité.

Dufayeux a passé la main dans ses cheveux, ils ont moussé blancs entre ses phalanges.

— Nous aborderions un domaine où l'expérimentation est nécessaire. Cela signifie locaux, matériel, personnel, haute technicité de l'appareillage, informatisation, système de protection... Je vous passe les termes professionnels... Bref, tout ce que je n'obtiendrai jamais ni du ministère de la Santé, ni du haut commissariat à la Recherche, ni de l'Académie des sciences, ni directement de quelque gouvernement que ce soit...

Cécilia s'est rassise et a sorti de son sac un paquet de Stuyvesant fripé.

— Le privé, a-t-elle dit, je suis sûre qu'une fondation internationale ou un consortium industriel...

Il a hoché la tête.

— C'est un secteur que j'ai abandonné. La plupart de ces organismes sont noyautés par des partis politiques et des groupes de pression et d'intérêt. Je ne veux pas que mes recherches tombent entre les mains d'une puissance quelle qu'elle soit, fût-elle uniquement économique. Je ne serai pas Oppenheimer. Je n'inventerai pas l'énergie nucléaire pour protester quelque temps plus tard contre son emploi... Supposez qu'il suffise pour se protéger des ondes mortelles d'aller verser quelques millions dans une boîte de pilules, vous voyez ce que cela donnerait? L'éternité pour les riches... Encore une autre interprétation possible des textes saints : « Seuls les pauvres pénétreront au Royaume de Dieu », bien compréhensible : ils seront les seuls à mourir...

— Nous n'en sommes pas là, a dit Cécilia. Permettez-moi d'être brutale : aimeriez-vous, si cela vous était possible, continuer à travailler?

Il tirait toujours sur les bouts de laine qui dépassaient de sa vieille veste, un jour il la détricoterait sans s'en apercevoir. Il nous a regardés alternativement :

— Je pense que ma vie n'aurait eu aucun sens, et n'en aurait plus aucun si je ne répondais pas oui.

Les mains de Cécilia se sont jointes. Elle a ouvert la bouche pour parler mais c'est moi qui suis intervenu.

— Combien?

J'ai vu qu'il ne comprenait pas et j'ai précisé :

— Combien vous faudrait-il pour avoir les locaux, le matériel, l'équipe, enfin tout ce dont vous avez besoin?

Il a éclaté de rire. J'ai souvent pensé qu'il y a une bénédiction à posséder un dentier, aucune dentition n'est aussi parfaite que ces assemblages synthétiques.

— Je me suis amusé à faire l'estimation autrefois, mais les choses aujourd'hui sont différentes, il est évident qu'une batterie d'ordinateurs et l'utilisation de sondes vidéo-infra-cellulaires permettraient de gagner du temps mais rendraient l'investissement de départ plus qu'onéreux.

— Combien?

Il m'a regardé.

— Vous êtes têtu. Franchement, je ne sais pas.

— De l'ordre du milliard d'anciens francs?

Il a eu une hésitation.

— Vous me faites peut-être dire une bêtise, mais je pense que nous serions plus près de la réalité en fixant la somme à un milliard et demi.

Je n'avais pas pensé à Furbach depuis notre dernière entrevue. J'ai vu son long visage calme et ses mains sereines feuilletant des feuilles de papier transparent. Un milliard et demi. A quelques milliers près, c'est ce que je devais posséder en capital.

— C'est étrange, a murmuré Cécilia, nous sommes devant les portes de l'éternité et elles ne s'ouvriront pas parce qu'il nous manque le sou pour glisser dans la fente.

Il m'a paru évident que lorsqu'il manque un sou il faut casser la tirelire pour le trouver.

23 octobre

Combien coûte la vie ? Difficile à chiffrer.
Mettez-m'en donc pour trois semaines, monsieur le marchand, mais de la belle vie, hein ? Pas de la survie... quelque chose de bien tendre, sans souffrance, sans ennuis... La dernière fois c'était un peu difficile à avaler, beaucoup trop d'os et de nerfs, cette fois-ci je voudrais quelque chose de durable, qui fasse de l'usage et qui en même temps passe comme l'éclair... Et voilà, mam'zelle Cécilia, une belle tranche de vie, toute saignante, vous m'en direz des nouvelles, et avec ça qu'est-ce que ce sera ? Un peu d'amour pour aller avec ? Ça rajoute du goût au ragoût...

J'ai téléphoné à Furbach.

Surpris.

Surpris mais impassible. Même au téléphone, j'ai compris que pas un cil n'avait bougé. Il a eu une de ces remarques au scalpel comme il les affectionne : « C'est possible mais momentanément déraisonnable. »

Je ne lui ai parlé de rien de précis, simplement une question d'apparence anodine sur une sortie massive de capitaux en vue de la création d'un laboratoire de recherches : possible bien sûr, je puis demain acheter pour 1 milliard 800 millions de sucettes si tel est mon bon plaisir. Le « momentanément déraisonnable » s'explique par le fait que les sommes retirées de différentes opéra-

148

tions bancaires, économiques ou boursières, où elles étaient placées allaient créer une perturbation dans un bon nombre de secteurs et que cela se solderait par une perte, même en discutant au plus près chaque résiliation de contrat.

Samedi demain.

J'ai coché sur un bulletin immobilier trois adresses. Toutes sont proches de la capitale, il y a une photo minuscule pour chacune d'elles, elles doivent pouvoir convenir, l'une est proche de Pontoise, l'autre de Dourdan, la troisième dans la vallée de Chevreuse... Je ne pense pas qu'il soit bon que nous nous éloignions beaucoup de la capitale. Il faut un endroit relativement isolé.

Faire installer le courant force, des groupes électrogènes seront sans doute nécessaires, mais nous n'en sommes pas encore là. Je n'ai prévenu personne, même Dufayeux ignore que ma décision est prise.

Enfin, presque prise. Non, prise... Qui hésiterait? Une chance d'avoir Cécilia pour toujours, jusqu'au rebord de la fin du monde... S'il suffit d'ouvrir son portefeuille pour avoir des nuits d'amour jusqu'à la fin des temps, qui le garderait fermé?

Nous partirons en voiture. Je ne lui ai encore rien dit, ce week-end m'appartient... Je n'ai pas eu le temps d'acheter une voiture, j'en ai donc loué une. J'ai pris une Daimler pour l'épater un peu... Chacun son tour. Pontoise n'est pas Istanbul mais je fais ce que je peux, et de toute façon je progresse.

Je revois Dufayeux lundi soir. Il faudra que je fasse des photos de ces propriétés, qu'il puisse calculer celle qui convient le mieux pour l'espace...

Balade avant d'aller chercher Cécilia, j'ai suivi le quai Malaquais. Quai Malaquais ne profite jamais. La Seine a en cet endroit des odeurs de vieilles eaux, quelque chose de mort flotte. C'est un coin que j'ai bien aimé, j'y suis moins sensible aujourd'hui.

Je suis allé acheter *Le Monde*, à la marchande de journaux de la rue Saint-Jacques, je l'ai connue demoiselle alors que j'étais étudiant, je la trouvais jolie, un peu porcelaine, un peu Saxe, elle a changé. On ne peut pas automne et avoir été.

J'ai déplié mon journal dans l'autobus.

Cécilia me paraît heureuse, douloureusement heureuse, mais heureuse... Nous n'avons pratiquement pas parlé de notre soirée chez Dufayeux.

Je l'ai emmenée hier soir dans un restaurant à la mode. J'ai su qu'il était à la mode parce que je l'ai vu inscrit sur un prospectus trouvé dans ma boîte aux lettres. Une fausse gargote mais une vraie usine en bordure du canal de la Villette.

On y voit la moire des eaux et le fantôme du chaland qui passe. Un pays noir, blanc et rouillé, l'été doit faire le détour de ces quais pavés. Nous avions une table jaunâtre éclairée par un faux lampadaire, les garçons étaient déguisés en faux Apaches, ce qui ne les empêche pas d'être de vrais escrocs, truquant les additions à tire-larigot. La brume est venue, voilant les écluses et tout a ressemblé à un film muet quand rôdent les assassins, du temps où les flics en pèlerine roulaient en vélo.

Elle m'a parlé d'elle.

C'est vrai que je ne connaissais pas grand-chose de sa vie sentimentale, c'est en entamant la deuxième bouteille de beaujolais qu'elle s'est racontée un peu plus. Bien sûr, il y avait eu des hommes... Les femmes ont, de nos jours, beaucoup d'hommes : un chasseur qui l'oubliait tous les week-ends dans une auberge solognote pour aller massacrer la perdrix, un faux poète marxiste professeur de cerf-volant dans les centres aérés des Yvelines qui voulait s'installer en Albanie pour des raisons idéologiques, mais n'arrivait pas à passer le rideau de fer en sens inverse des autres...

Sans doute pour me faire plaisir a-t-elle oublié ceux à qui elle tenait le plus, cela ne m'a pas empêché d'avoir l'impression, traditionnelle en ces cas-là, qu'il était temps que j'arrive pour introduire dans sa vie une dimension de sérieux et d'authenticité... Tout était inintéressant jusqu'à moi. Evidemment !

Ce n'est que lorsque le serveur a apporté le décaféiné que nous avons vraiment parlé... Je me sentais calme parce que je la devinais détendue et j'ai supposé que l'inverse était vrai.

Elle m'a regardé avec tellement de force que j'ai cru en avoir des bleus à l'âme. Nous avions l'éternité à portée de la main... peut-être, et c'était à nous de jouer.

Je pense que c'est à ce moment-là que j'ai décidé de miser, c'était la plus grosse partie de poker qui soit, la somme était énorme, et j'étais le seul à pouvoir l'avancer. Le seul.

Si je ne l'avais pas fait, cela aurait eu l'air de dire que je préférais garder mon pognon sans me soucier du fait qu'elle mourrait un jour... Une sorte de meurtre, au fond, de non-assistance. J'ai pensé que nous pouvions contacter des banquiers, intéresser Furbach par exemple, on dit des « sponsors » aujourd'hui, des producteurs, mais seraient-ils assez fous pour nous suivre ? N'y avait-il pas là un risque ? Non, l'affaire avait démarré en circuit réduit, de façon presque familiale, c'est ainsi qu'elle devait continuer.

Lorsque je lui ai dit que je me chargeais des problèmes financiers, elle m'a demandé si je n'étais pas fou.

Je lui ai répliqué que, s'il existait une chance sur trois milliards pour qu'elle ne meure pas, je la tenterais, quel que soit le prix à payer.

J'ai vu les larmes poindre. Les larmes des femmes m'abîment le cœur.

Je lui ai expliqué que l'investissement étant pour moi aussi, nous partagerions notre vie éternelle, le premier couple sans drame — j'avais appris au lycée que le drame était le surgissement de la mort dans le courant stable des jours : cela nous serait épargné... Il suffisait d'une signature au bas d'un chèque...

Peccadille !

C'est en rentrant chez moi que nous avons décidé de visiter la propriété près de Dourdan dès le surlendemain. Il ferait beau, je l'ai senti, un soleil presque hivernal, sec et jaune comme un vieux tournesol planté dans le tissu pâle du ciel, la météo prévoyait un été indien de trois jours, après surgiraient les dépressions.

Nous avons fini au lit un restant de Chartreuse, nous avons ri, beaucoup, tiendrons-nous toujours aussi haut le degré de notre amour jusque sur les crêtes de l'immortalité ? Il se peut que nous devenions alors des dieux.

Trop bu pour écrire des choses pareilles... Les liqueurs ne pardonnent pas, il est vrai que j'ai pris la bouteille au goulot. Un sucre huileux le cerclait, je l'ai léché comme un gosse. Elle dort en cet instant.

Je reprendrai ce journal après Dourdan... Un voyage encore. Tourbillon, tourbillon, cela s'appelle « Le Clos Piéreux ». Cinquante kilomètres de Paris. Encore un bout du monde.

26 octobre

C E seront « Les Champs-Rouges ».
Une manière de manoir près de Grézy-les-Plâ-
tres. Il y avait un peu de brume sur les départementales
bordées de hauts murs, on devinait derrière de lourdes et
riches bâtisses, des vies enfermées, un peu comme la
mienne le fut, mais celles-ci sur le mode rural... Des
fermes, nous ne sommes pourtant pas loin de Paris...

Des dames assez fortes en fichus noirs et chaussettes de
laine écrue parlaient sur le pas des portes en produisant de
la buée.

Au Clos-Piéreux, le village était trop proche et les
communs trop étroits. A l'intérieur les murs étaient
moisis, du plancher au haut des portes. La propriétaire
tout en décollant machinalement le papier avec son ongle
nous a affirmé que l'humidité était faible... Nous avons
repris la route.

Dès la grille j'ai su que cela conviendrait.

C'est retiré, en bordure d'un bois qui masque les toits.
La bâtisse est indescriptiblement compliquée, née du
cerveau de l'un de ces architectes qui, entre Napoléon III
et la IVe République, n'ont pas cessé de construire des
chalets suisses sur les plages normandes et de parsemer les
monts d'Auvergne de villas balnéaires entre La Bourboule
et Châtelguyon : colombages, recoins, fausses échau-
guettes, lucarnes, escaliers, faux balcons, vrais balcons,

une sorte de compromis entre le château Renaissance et la cloche à fromages, repris par Walt Disney.

Le terrain monte jusqu'aux bâtiments annexes qui ont servi au début de ce siècle de boxes pour les chevaux. Des propriétaires précédents ont démoli les stalles et le tout forme un L majuscule ayant une surface d'environ huit cents mètres carrés.

C'est largement ce que Dufayeux désire.

L'eau est installée, de même que le gaz et le courant force qui sera nécessaire, une cuve à fuel est enterrée dans le parc, le chauffage ne posera pas de problème...

Un homme à pipe permanente nous a laissé les clefs pour que nous puissions visiter les lieux tout à notre aise.

Nous en avons profité pour faire l'amour debout contre un mur du grand salon. Je ne me serais jamais cru aussi osé. Les maisons vides respirant la respectabilité produisent sur moi un effet aphrodisiaque certain. L'air sentant la poussière et l'herbe sèche, nous nous sommes retrouvés instantanément recouverts de toiles d'araignées qui n'ont pas entravé la furia toute française dont nous étions saisis. Les plafonds à caissons et les cheminées faussement médiévales ont tremblé devant l'audace du spectacle que nous offrions.

Ce n'est tout de même pas un exercice que je recommande, sans doute parce que je n'en suis pas coutumier, les pans de chemise flottant au vent lui conférant un ridicule désuet qui m'a apparenté à un personnage de Feydeau sortant d'un placard en caleçon long... Cécilia était bien plus à l'aise que moi et m'a assuré que ma mine catastrophée a été pour elle l'une des choses les plus sexuellement excitantes que la vie lui ait fournies jusqu'à présent.

Je dois avouer que j'avais aussi la crainte de voir surgir l'homme à la pipe venant nous préciser une quelconque particularité oubliée de la maison et me surprenant le mollet nu et la fesse frémissante dans un lieu inadéquat.

Des bruyères ont envahi le terrain et, sous le soleil blanc, les feuilles ont pris la couleur des édredons des grands-mères... la pourpre profonde des vieux tissus, ceci explique peut-être l'appellation des « Champs-Rouges ».

Nous avons déjeuné dans un routier vide. Il faut dire que si l'on sert à ces braves gens que l'on devine pleins d'appétit et de santé le genre de portions qui nous fut attribué, il ne leur reste plus qu'à bouffer le volant. Quatre ronds de tomates, trois frites molles et un bifteck Dunlop. Cécilia a prétendu qu'ils s'étaient aperçus que nous n'avions pas de camion et qu'il n'était donc pas nécessaire de nous nourrir.

Je vais acheter la propriété.

Cela serait plus simple que de la louer et ne poserait pas de problèmes pour les travaux nécessaires à l'installation du laboratoire.

Nous avons téléphoné au vieux savant.

Lorsque je lui ai annoncé que nous avions trouvé, il a marqué un temps d'arrêt. Il venait de comprendre que le processus était enclenché véritablement et que, cette fois-ci, il n'était plus question de reculer.

Il s'est mis aussitôt à travailler sur l'établissement du devis général et s'est fait envoyer les catalogues du matériel nécessaire. Il est également en relation avec un correspondant anglais qui va lui expédier les dossiers de quelques chimistes et biologistes susceptibles d'être intégrés dans l'équipe de recherche.

Il a également commencé à travailler sur ce qu'il nomme « le masque », c'est-à-dire le projet d'études avoué, déclaré aux services administratifs du ministère de la Recherche. Ce sera quelque chose qui ressemblera « au calcul de dosage énergétique des molécules en période de répartition bipolaire ». Je ne garantis pas les termes. En tout cas il s'agit de quelque chose de suffisamment original pour qu'il soit admis que l'on se penche sur cette question et, en même temps, d'assez anodin quant aux résultats et à la lourdeur des moyens mis en action pour n'inquiéter personne.

La machine est en route.

Dans quelques jours tout va démarrer. Je sens chez Cécilia une tension réelle. J'étais seul cet après-midi et je n'ai pas eu envie de me baguenauder comme de coutume. J'irai voir Dufayeux ce soir, histoire de retrouver le vieux charme du temps sans projet et sans espérance.

29 octobre

Nous n'avons même pas eu le temps de dîner ensemble, il se débat au milieu de diagrammes, de chiffres, bien qu'il ait délégué la responsabilité du montage de l'ensemble à un spécialiste. J'ignorais que de tels métiers existaient. On leur indique le volume des locaux, les appareils et machines nécessaires et ils se chargent de l'installation. La difficulté ici est de ne pas trop en dire. Dufayeux m'a montré la liste qu'il a établie, c'est impressionnant ; j'ai contemplé et j'ai dit :

— Croyez-vous qu'avec tout cela vous arriverez à quelque chose ?

Il a réfléchi quelques secondes.

— Franchement je ne le crois pas.

Il s'est mis à rire et ce fut le seul moment un peu détendu de la soirée.

J'ai passé le reste du temps à lui décrire les anciennes écuries des Champs-Rouges. Il en possède déjà les plans mais ne cesse de vouloir se faire préciser les détails. De temps en temps, et sans interrompre la conversation, il notait quelque chose, ce qui indique bien qu'il suivait une pensée intérieure bien plus urgente que tout ce qu'il pouvait me dire.

Je l'ai quitté assez vite... Comme je lui tendais la main, il a pris sa décision :

— Il faut que je me rende sur place, c'est absolument

nécessaire pour que cela soit fait exactement comme je veux.

— Mais les machines ne sont pas encore arrivées...

— Justement, je connais leur volume au centimètre près, je tracerai l'emplacement exact sur le sol, vous m'aiderez... Les couplages avec les ordinateurs vont demander beaucoup de délicatesse et de précision. De même que l'installation des chronographes gazeux et des spectromètres de masse. Pouvez-vous m'emmener là-bas ?

— Oui.

— Vous savez que je ne suis pas un voyageur comme les autres.

Ça, je m'en doutais. Nous avons mis les détails au point : le voyage se fera de suite. En partant à trois heures du matin, nous n'avons guère de chance d'avoir du monde sur la route. J'ai reloué une voiture, une Honda cette fois.

— L'idéal, a-t-il dit, serait d'avoir un véhicule mesurant au minimum six mètres sur six. En me tenant exactement au centre, je ne risquerai strictement rien.

Je lui ai répondu qu'à cette heure-là nous ne croiserions probablement aucune créature féminine ni masculine, et que je me débrouillerais pour que tout se passe bien. Il m'a rappelé alors que je m'engageais dans l'escalier.

— Y a-t-il un péage sur l'autoroute ?

— Nous ne prenons pas l'autoroute.

Il a eu l'air rassuré et comme je lui demandais pourquoi :

— Parce que, lorsqu'il y en a un, il y a souvent une jeune femme dans la cabine, j'ai vu ça à plusieurs reprises à la télévision.

Il pense décidément à tout, mais il n'y aura rien à craindre.

Nous partirons demain, cela fera plus de trente ans qu'il n'est pas sorti de Paris.

Rentré avec la migraine, Cécilia m'attendait et m'a

gavé d'aspirine, d'amour aussi... Je n'aurais jamais pensé que les deux allaient si bien ensemble.

Sommes-nous fous ? Tous les deux ? Tous les trois ?

— Tu te compliques bien l'existence, a-t-elle dit soudain, vous trouvez une île déserte, vous y partez tous les deux, sans femmes, et en route jusqu'à la fin des temps !

Je voyais le bout de sa cigarette s'embraser.

— J'y ai pensé, mais je ne suis pas sûr que ce ne soit pas monotone.

Les plaisanteries de garçon de bain sont toujours le signe d'une somnolence avancée... Nous sombrerons bientôt dans les noirs océans...

31 octobre

J'AI la preuve à présent.

J'ai vu la chose se produire, je le jure.

J'en viens à espérer que ces lignes seront publiées un jour pour que le monde sache bien que j'ai touché du doigt la vérité. Mes mains tremblent encore.

Je ne sais pas comment j'ai pu conduire pour le ramener.

Peut-être est-il mort à présent. Un chien crevé que personne ne pourra aider jamais...

Mon Dieu, je l'ai vu, cela s'est fait sous mes yeux... à une telle vitesse...

J'ai cru que j'allais vomir mon cœur, la peur est la folie qui s'empare des organes...

Je sais à présent, il ne s'agit plus de croire, de déduire, d'induire, d'aller au terme d'un raisonnement. Je sais. Je devrais l'écrire jusqu'à la fin de la page. Mais est-il possible que les mots hurlent sur du papier?

Je vais tout reprendre exactement.

Je suis parti à 2 h 35 du matin et je me suis senti tout de suite bizarrement en forme, très éveillé.

Cécilia a remué, ses lèvres étaient mouillées car je les ai vues briller dans la pénombre.

Je me suis habillé rapidement et j'ai eu une impression de froid, et...

Tout cela est inutile, tous ces détails : les lèvres, le froid,

160

tout est stupide : je n'ai pas le courage d'aller droit à l'essentiel, je traînasse en route comme si j'avais peur de raconter.

La rue était vide. Je suis monté dans la Honda avec une Thermos de café et des sandwiches. Dufayeux en aurait besoin s'il lui fallait passer vingt-quatre heures aux Champs-Rouges. Nous repartirions le lendemain, à la nuit.

Je suis monté chez Dufayeux et j'ai fait la sentinelle, mais tout était désert : rues et trottoirs. Il a chancelé un peu avant de s'installer à l'arrière de la voiture.

J'ai coupé par de petites rues pour éviter les places des Ternes et de Clichy qui risquaient d'être plus fréquentées et, très vite, nous nous sommes trouvés dans les banlieues.

Les lumières étaient plus rares. J'avais étudié l'itinéraire sur la carte et je ne me suis pas trompé une seule fois.

Nous avons traversé la Seine à Asnières. Il y avait deux hommes sur le pont, côte à côte. Ils fumaient, ce n'avait pas l'air d'être des clochards. Je me suis demandé ce qu'ils faisaient là, immobiles à regarder les reflets des eaux en contrebas. Ils étaient les seuls vivants que nous avions rencontrés depuis notre départ.

Après il y a eu un long boulevard bordé d'anciens ateliers aux toitures en dents de scie, et puis des quais et des entrepôts, et les longs alignements des cités ouvrières, et tout de suite après, sans qu'il y ait eu transition, j'ai vu dans la lueur des phares un haut de vieux mur et ce fut la campagne, des champs grimpaient vers des crêtes boisées...

Des villages se sont succédé et, lorsque nous avons traversé l'Oise, une brume de nuit a mouillé le pare-brise.

Dufayeux n'avait presque pas parlé. Je le sentais tendu, surveillant les voitures qui nous croisaient. Il y en avait eu très peu mais il s'était rencogné dans le coin droit.

Depuis que nous avions abordé la région des villages, la

161

chaussée s'était rétrécie et je surveillais si aucune lueur à l'horizon n'annonçait l'arrivée d'un véhicule. Si une femme avait tenu le volant, les trois mètres fatidiques n'auraient peut-être pas été respectés... Il me fallait donc mordre sur le bas-côté et m'immobiliser dans un champ.

Cela se produisit après Breuil.

Je vis la camionnette venir de loin et j'ai braqué dans un chemin de traverse. J'ai stoppé le moteur et les phares au bout de dix mètres. Nous l'avons regardée passer et disparaître. J'ai entendu Dufayeux soupirer. Je lui ai dit que nous étions presque arrivés, il restait une dizaine de kilomètres à peine.

Malgré le crachin léger qui tombait il a baissé la vitre pour respirer l'air de la nuit. J'ai encore sa voix dans mon oreille :

— J'avais oublié le goût de l'air.

J'ai empli mes poumons également, il y avait de l'herbe, de la terre grasse et de l'eau en suspension avec l'amertume des racines et le poivre râpeux des feuilles mortes.

J'ai remis doucement la voiture en route et c'est à ce moment-là qu'il a murmuré :

— Merci.

J'étais trop surpris pour répondre mais il a dû comprendre à mon silence que j'étais troublé.

— Je vous remercie parce que sans vous il n'y aurait rien de tout cela, je n'aurais jamais pu poursuivre l'aventure.

J'ai bafouillé que ce n'était que de l'argent, c'est-à-dire rien.

Nous avons entamé les derniers kilomètres sur un pavé gras, j'ai mis l'antibuée pour dégager le pare-brise. J'ai eu l'impression que nous avancions dans un univers noyé.

— Vous seriez surpris du nombre de fois où j'ai failli sortir, a dit Dufayeux, je suis un rat de bibliothèque, je peux rester six mois sans lever le nez de mes paperasses, à compulser des livres et des notes, mais l'envie m'a pris souvent les soirs d'été de descendre sur les pelouses du parc. Je m'étais inventé la plus belle forme de suicide qui se puisse connaître : je me serais dirigé vers une femme, celle que j'aurais trouvée la plus distinguée et la plus jolie, je l'aurais saluée avec infiniment de respect et je l'aurais serrée contre moi... Connaissez-vous une plus belle façon de mourir sous les marronniers du parc Monceau ?

— Vous pourrez bientôt la serrer contre vous et continuer à vivre.

Il s'est mis à rire.

— Nous quittons le domaine des choses scientifiques...

Nous avons traversé une rue et j'ai deviné dans l'obscurité la masse de bois qui surplombe Les Champs-Rouges.

Il restait à parcourir une sorte d'allée, c'est la sortie du village, et j'ai vu l'ombre des ornières bouger dans la lumière des phares, j'ai braqué légèrement et la roue d'un vélo a surgi devant moi.

Mon talon est parti seul, écrasant la pédale, mais le corps de la cycliste a échoué sur le capot.

Le visage était caché par un capuchon d'ancien écolier, la jupe était épaisse et lourde.

J'ai fixé le rétroviseur et je n'ai plus vu Dufayeux à l'arrière : il s'était recroquevillé sur la banquette, j'ai seulement entendu :

— Ramenez-moi...

Ce n'était plus la même voix et tous les poils de mes avant-bras se sont dressés.

Mes mains étaient tétanisées sur le volant.

La femme s'est relevée, elle a maugréé quelque chose et s'est réinstallée sur la selle. J'ai vu son visage, un visage obtus et large. Une paysanne. J'ai vu briller le fer-blanc d'un pot à lait. J'ai enclenché la marche arrière et les roues ont fusé en crissant. Le vélo n'avait pas de lumière,

163

les ombres étaient énormes, j'ai braqué pour la manœuvre, contrebraqué et j'ai foncé en sens inverse sur la route.

Je ne pouvais rien distinguer à l'arrière, il faisait trop sombre...

Les arbres se ruaient sur moi, s'écartant au dernier moment, ils s'enfonçaient dans le noir... J'ai hurlé pour couvrir le bruit du moteur.

— Comment vous sentez-vous ?

Il n'a rien répondu et j'ai regardé la montre à quartz sur le tableau de bord, il était presque quatre heures. J'ai répété ma question en criant.

Une paysanne, une imbécile de paysanne roulant tous feux éteints sur une vieille bécane et l'humanité continuerait à être mortelle !...

Cela n'avait pas de sens, ce n'était pas possible que le destin soit aussi épouvantablement stupide et cruel.

J'ai freiné en plein champ, je voulais savoir, il fallait que je sache que tout n'était pas perdu, que le vieil homme n'était pas mort... J'ai tâtonné pour allumer le plafonnier et la lumière a envahi l'habitacle.

Il était toujours recroquevillé sur la banquette. J'étais tourné vers lui. Le moteur ronflait et il a écarté les doigts qui cachaient son visage.

C'est là que j'ai vu.

Ce n'était plus Dufayeux.

Je n'arrive pas à décrire.

C'était lui évidemment, mais il avait un visage que je n'ai jamais vu à aucun homme.

Il y avait des traînées blanches sur ses épaules et sur ses joues, une sorte de fourrure fine, j'ai mis trois secondes à comprendre qu'il s'agissait de ses cheveux.

Ils étaient tombés d'un coup.

Le crâne avait surgi, tavelé, transformant le reste du visage... Les yeux avaient disparu dans les orbites et un incroyable réseau de rides s'était formé sur le front et autour de la bouche. Il a dû se rendre compte de ma terreur car il s'est caché le visage avec la main et a répété :

— Ramenez-moi, vite...

Je n'ai pas le souvenir d'avoir conduit, il y a eu l'asphalte, jaune et brillant, des files de lampadaires, des camions doublés.

A l'entrée de Paris, sur les périphériques, j'ai vu son reflet dans le rétroviseur. Jamais un homme n'avait été si vieux, la tête bougeait insensiblement...

Voilà quel est donc l'effet de ces ondes...

Tout est perdu.

Il n'a plus prononcé une parole. Je l'ai aidé à monter les escaliers car ses jambes tremblaient trop. Il a eu un geste de noyé en entrant chez lui, je l'ai installé, il m'a fait signe de sortir et j'ai fui son regard.

Et le cerveau? Si le physique a été frappé aussi vite, qu'en est-il pour le cerveau? Peu de chances qu'il ait échappé à ce vieillissement instantané.

Tout est perdu.

Il fallait que j'écrive cela très vite, le jour se lève à peine et l'espoir a fui. Je ne peux le laisser ainsi, je dois envoyer un docteur. Je l'ai laissé effondré dans son fauteuil, j'ai posé une couverture sur ses genoux, il m'a semblé que sous la peau le squelette avait surgi, crevant l'épiderme. Un cadavre, son cadavre cherchait à sortir... Jamais plus je ne pourrai dormir.

1er novembre

Au matin

CÉCILIA, entrecoupée de cauchemars... Le téléphone a sonné plusieurs fois, ou peut-être une seule, je ne sais plus...

Je n'ai dû dormir réellement qu'en fin d'après-midi. Je lui a tout raconté.

Elle sait réagir : ne pas avoir de regrets, si tout cela est impossible il n'y faut plus penser, il nous reste du temps de bonne vie, le chemin est long encore et nous en profiterons en oubliant qu'il doit finir, il en est ainsi depuis toujours et nous ne serons pas les premiers à ne pas disparaître...

Sa voix a formé un voile autour de moi, je m'y suis enroulé, une étoffe dense et précieuse... un voile et une voile qui m'emportaient dans des mers infinies, cristal et brise dans l'aurore claire...

Il a appelé. Il était 21 h 30.

Sa voix était plus faible que d'ordinaire, mais quelque chose m'a rassuré.

— Il faut que vous veniez... Je pense que les dégâts sont physiques, uniquement... Depuis mon retour je m'efforce de me rendre compte si mes facultés mentales n'ont pas été amoindries... Tous les tests que j'ai pu faire semblent indiquer que non, mais il me faut quelqu'un pour m'aider...

166

Je me suis levé et me suis rendu chez Dufayeux.

Il a plus de mal à se déplacer et marche plus voûté... Le tremblement de la tête semble s'être estompé... Il a enfoncé un bonnet sur son crâne pour cacher la calvitie... Le tour des yeux est plus rouge, mais j'ai retrouvé son regard d'affection.

Quatre heures de travail. Une boîte de raviolis réchauffée vers une heure du matin avec le restant de rhum qu'il a bu, allongé d'eau en faisant la grimace... Il écrivait sur ses genoux à toute vitesse et, lorsqu'une page était achevée, il me la tendait et mon travail était de vérifier si ce qu'il avait inscrit était identique au modèle que je possédais dans un carnet à spirales et à couverture noire.

Il n'a pas commis une seule erreur.

J'ai conservé l'une de ces feuilles, j'en recopie les trois premières lignes sans, évidemment, en comprendre le sens.

$$\left(\frac{\varepsilon_0 - \varepsilon_0'}{\eta} \right) \gtrless \Gamma_q \infty$$

$$\Delta \times 9 \cdot xp \cdot 764 \, \delta N \, \frac{w}{3}\left(\eta - 3\frac{o}{=} \right)$$

$$\left(\frac{\frac{\varepsilon_0 - \varepsilon_0'}{\eta}}{\eta(R - K^2)} \right)\left(\eta - \frac{w_1}{w_2} \right) \longrightarrow A.D. \left[\left(\frac{\tau_4 \div T}{\eta^\varepsilon} \right)\left(\frac{\frac{3.27}{w+}}{\varepsilon_1 - T} \right) \right] E\kappa f.$$

Un homme capable de retrouver pendant des heures d'affilée des séries d'équations aussi compliquées ne peut avoir subi de dommages cérébraux importants.

Il s'est arrêté, a posé son stylo, s'est renversé contre le dossier de son fauteuil et a soupiré :

— Je crois que nous l'avons échappé belle.

Il paraissait heureux. Il a réfléchi quelques moments et a ajouté :

— Je ne prendrai plus de risques : je dirigerai les opérations d'ici. C'est possible... Je crois avoir trouvé un directeur de recherches qui peut amener le développement des travaux jusqu'à un stade avancé, très exactement à un moment où il me faudra intervenir personnellement sur l'orientation du processus. Seulement à ce moment-là, je me rendrai aux Champs-Rouges... Pouvez-vous demander à Cécilia de venir demain ? J'aurai besoin d'elle pour les courses habituelles...

Je suis rentré rassuré... Tout va reprendre. Il m'a paru manger moins qu'avant, mais finalement d'assez bon appétit.

L'aventure continue.

7 novembre

ELLE est entrée en agitant une enveloppe kraft, elle me l'a mise sous le nez en claironnant :
— La douloureuse !
A l'intérieur un petit mot de l'écriture de Dufayeux :

« *Voici venu l'instant d'être sucé jusqu'au sang... L'homme qui va centraliser tout ça me demande dix-neuf chèques. Vous avez le détail sous ce pli. Vous avez le choix entre tout remplir et signer ou signer simplement, faites comme bon vous semblera, cela n'a aucune importance. Les premières livraisons auront lieu samedi prochain. Pourriez-vous me donner l'adresse d'un hôtel dans la région, je la lui transmettrai. Ils seront trois dès les premiers jours, les autres arriveront après. Je vous serre la main.* »

J'ai vaguement regardé les factures... Des bons de commande étaient épinglés. Quatre microscopes électroniques, des machines de Wolf-Etringen, les thermo-scanners, les équipements d'enregistrement vidéo, les monitorings, les simulateurs de compression, tout cela dépendant de laboratoires différents, quatre enregistreurs automatiques et des caissons d'accélération de particules, la plupart des termes m'ont échappé, tout cela était fourni par dix-neuf entreprises différentes d'où les dix-neuf chèques. Cela allait d'Honeywell-Bull jusqu'aux établissements californiens Data, fournisseurs de la Nasa pour la protection spatiale.

Le chiffre prévu par Dufayeux était inexact, il l'avait évalué à un milliard et demi, le total n'était que de 1 milliard 237 millions 524 mille 853 francs. Pas de centimes.

J'avais demandé à Furbach de réaliser et de transférer tous les capitaux dans l'une de ces chères banques genevoises dont j'avais reçu le premier chéquier l'avant-veille, il allait me servir très vite : je l'ai pris dans le tiroir et j'en ai signé dix-neuf. Cécilia me regardait.

— Il y a pas mal de manteaux de fourrure et de cinq étoiles aux Baléares là-dedans !

Elle s'est mise à rire et ne m'a pas répondu.

Je suis monté rapidement chez Dufayeux dans l'après-midi, et lui ai donné les chèques. Il n'y a prêté aucune attention, trop préoccupé par sa discussion avec son maître d'œuvre. Ils étaient penchés sur des plans et semblaient au comble de l'exaltation.

Jamais sans doute un homme n'avait-il donné une somme aussi importante à un autre, il n'a pas du tout songé à m'en remercier. Cela m'a amusé, je suis descendu, extrêmement léger. Cécilia m'attendait, nous avons décidé d'aller au cinéma, je me suis endormi en plein milieu du film.

8 novembre

E H bien, le temps est venu, ma chère Cécilia, de m'adresser directement à toi.

J'ai pensé t'envoyer une lettre dans ta petite usine, ou chez toi, mais j'ai jugé que c'était inutile, étant sûr que tu lisais ces lignes puisque depuis près d'un mois tu ne manques jamais de jeter un coup d'œil sur ce pauvre journal que je laisse traîner, je l'avoue, un peu n'importe où sur mon bureau, sans songer jamais à l'enfermer dans un tiroir.

Donc voici venu le temps de t'écrire directement. Cela me fait tout drôle de savoir que ces pages, qui étaient faites au départ pour n'être pas lues, vont avoir une lectrice officielle cette fois.

La question que je voudrais te poser est simple : au cours de toutes ces semaines, m'as-tu pris vraiment pour un con ?

Le mot est brutal mais me paraît parfaitement adéquat.

Il faut dire que je me suis prêté au jeu... Je dois avoir une propension à me présenter comme un doux imbécile rêveur et inoffensif, c'est vrai que je suis un vieux garçon solitaire, aimant les squares de mon quartier, je suis mal habillé, je traîne, je ne fais rien, j'ai peu d'amis... Mais tout de même, Cécilia, tout de même... Je me demande aujourd'hui si ta naïveté à toi n'est pas plus grande que la mienne d'avoir pris tout ce que tu as pu lire pour argent

171

comptant et d'avoir cru que je ne faisais rien d'autre que ce que je disais faire.

Il faut donc que je te l'apprenne, je n'ai pas tout mentionné sur ces feuillets quadrillés... Ainsi, je n'ai jamais écrit un mot sur M. Bornelli. Or, je suis allé rendre visite trois fois à M. Bornelli.

Et M. Bornelli m'a appris des choses très intéressantes.

Et sais-tu sur qui il m'a appris des choses fort intéressantes ?

Il m'a appris des choses fort intéressantes sur M. Dufayeux, et cela pour une bonne raison : M. Bornelli est détective privé. Ceci n'est pas tout à fait exact d'ailleurs, je lui fais là un peu injure, il est en fait une sorte d'inspecteur dans les grandes banques d'affaires, spécialisé dans les fraudes et les escroqueries à l'assurance. Un fouille-merde de haute volée.

Il possède ce genre de visage du siècle dernier, qui semble réservé à ceux qui étaient chargés de vous annoncer les mauvaises nouvelles. « Vos impressions se révèlent exactes, mon cher monsieur, votre femme passe tous ses après-midi dans un hôtel particulier en bordure du bois avec Jean Testard de La Berdinière, chevalier de bonnes fortunes et de mœurs dissolues. »

Or donc, ce M. Bornelli m'a appris deux choses, la plus intéressante étant que Honoré Gratien Bernard Dufayeux est mort il y a vingt-sept ans.

Physicien, professeur à la faculté des sciences de Lille, il a — durant un demi-siècle — tenu la chaire de biochimie; si Honoré Gratien Bernard est mort, son petit-fils, Marc Dufayeux, est en revanche bien vivant, bien qu'il soit difficilement repérable étant donné la multiplicité de ses identités. Il s'est appelé successivement Arnaud Saint-Aubin, maître d'œuvre de la I.I.C. (Iranian International Construction), Sylvain Duart, architecte-décorateur, Maximilien Veilman, conseiller diplomatique pour les relations entre les pays du Golfe et ceux d'Amérique du Sud, etc., le tout pour une période bénigne de quarante-sept mois de prison dans différents établissements pénitentiaires, le dernier en date étant Fleury-Mérogis. Escroc d'assez belle envergure, il a, pour l'affaire qui nous occupe, magistralement mis en pratique la formule dont il est l'inventeur et qui atteste de son talent poétique : « Au royaume d'Arnaque, plus c'est gros, mieux ça marche. »

C'était très gros, mais ça n'a tout de même pas marché.

Le principe était excellent : inventer une histoire tellement incroyable que si des soupçons viennent à l'idée de la victime, moi en l'occurrence, elle se dise : si l'on voulait me rouler on aurait inventé quelque chose de plus plausible, c'est si énorme que cela ne peut qu'être vrai.

Il faut reconnaître que ce cher Marc Dufayeux possède un bon talent d'acteur et un sens aigu du détail.

Le malheureux a dû ingurgiter par cœur pas mal de formules mathématiques et il faut rendre hommage à sa documentation, à son sens de la fabrication des faux, je suppose que c'est lui qui a composé le décor de l'appartement. Je l'en féliciterai à l'occasion, bien que les archives du grand-père en aient formé l'essentiel.

Bien évidemment, une telle entreprise ne se réalise pas toute seule, il faut des appuis, une mise de fonds et des complices.

Je me suis, tu t'en doutes, renseigné là-dessus.

La plus épisodique fut Mauricette Duglemier, ancienne prostituée, dont le rôle fut limité mais dangereux : elle devait, roulant feux éteints sur une bicyclette ferraillante, sortir d'un bosquet et se faire renverser par ma voiture. Elle a fort bien rempli son contrat, j'espère qu'elle en a été justement rétribuée.

Elle participait de ce fait à la touche ultime qui devait emporter mon adhésion définitive : accroupi sur la banquette, ce bon Dufayeux revêtait pendant cet accident un faux crâne de caoutchouc synthétique et quelques éléments de maquillage composé d'un fin réseau de ridules et veinules, une sorte de film autocollant dont l'application ne demande que quelques secondes : rien n'a été oublié, surtout pas les faux cheveux, soi-disant tombés instantanément... L'éclairage, l'émotion faisaient le reste.

Cela nous amène à la deuxième complice : nécessité pour mener l'affaire à son terme d'avoir une spécialiste des effets spéciaux utilisés au cinéma comme au théâtre et à la télévision.

Cette deuxième complice c'est toi, bien entendu... Bravo pour la transformation de Marc Dufayeux, qui vient de fêter son 52ᵉ anniversaire, en quasi-centenaire.

J'espère également que tu as été bien payée, le même Bornelli m'assure que ta participation à cette opération s'explique en grande partie par le fait que l'entreprise que tu diriges n'est pas des plus florissantes et passe depuis deux bonnes années par une situation financièrement délicate.

Nous arrivons tranquillement au bout de la chaîne : qui a manigancé tout ça ? Qui, en échange de l'immortalité, a voulu me décharger de ma fortune, il est vrai bien inutile ?

J'avoue n'avoir pas eu besoin de Bornelli pour le comprendre, il me l'a tout de même confirmé : ma Tantine bien entendu, ma chère Tantine qui, contrairement à ce que je croyais, mais il est vrai que j'ai une immense naïveté, n'a jamais pu supporter de partager les capitaux parentaux avec son neveu improductif...

C'est vrai que Dufayeux a été son locataire, leur procès a duré longtemps, c'est en discutant avec le petit-fils que l'idée a dû germer dans leurs têtes charmantes... Une jolie paire s'est formée.

Il y a un autre acteur dans l'histoire, je ne suis pas très sûr en ce qui le concerne de sa participation, il appartient à cette catégorie d'individus dont la culpabilité ou l'innocence reste toujours invérifiable. Il s'agit de Furbach.

A-t-il versé dans le camp de ma tante? Est-il resté neutre? Il n'a pas opposé de refus et n'a émis aucun conseil de prudence lorsque je lui ai demandé de préparer les fonds... C'est moi, et moi seul qui ai fait opposition, avant même de les signer, sur les dix-neuf chèques qui ne seront donc jamais encaissés et que je garde en vue d'une plainte éventuelle que je n'ai pas du tout envie de déposer pour une foule de raisons, la première étant que je n'aime pas envoyer les gens en prison, la deuxième qu'une telle escroquerie ne pouvait avoir pour victime qu'un imbécile, et même si je ne l'ai pas été jusqu'au bout, il en reste toujours quelque chose.

Et puis, à quoi bon!

Mais venons-en à nous.

Comme tu auras pu le constater sur ces feuilles, j'ai dans l'enthousiasme d'élans lyriques parlé à maintes reprises de toi. De nous. Disons d'amour.

Bien évidemment, tu vas penser en lisant ces lignes avoir été trompée sur l'authenticité des sentiments que j'ai exprimés ici même à ton égard, puisque le fait de me prétendre amoureux peut, aujourd'hui, paraître faire partie du jeu que je jouais. Je t'ai fait croire que j'étais complètement entre tes mains alors que c'était toi qui étais entre les miennes.

Les choses sont plus compliquées que cela. Les mensonges que j'ai pu proférer m'ont été bien trop aisés pour qu'ils n'aient pas révélé une part de sincérité. En d'autres termes, j'ai pris trop de plaisir à me prétendre amoureux pour ne l'avoir pas été réellement.

L'autre jour, sur les bancs du square Firmin-Didot, un couple de vieux me faisait face, j'ai pu constater que le visage du vieillard ressemblait à celui de la femme... Inversement, les années durcissaient la face de la vieille dame et la masculinisaient.

En vieillissant les sexes s'échangent... J'ai envie encore que nous nous fusionnions un jour car les vieux comme les chauves se ressemblent. J'ai envie de te dire ressemblons-nous, puisque telle est notre forme réduite d'éternité.

Je ne sais pas de quoi les jours qui vont venir seront faits...

Dufayeux va disparaître et Tantine va mettre du temps avant de m'offrir des macarons et du thé à la bergamote, le temps nécessaire à toute digestion d'échecs. Tu es au fond la seule inconnue. Je ne sais pas quelle va être ta décision. Choisis-la bien et ne la regrette pas, le regret est le châtiment que se donnent à eux-mêmes ceux qui ont été bêtes un jour.

Je ne sais pas encore, même si tu y étais présente, si je changerais quelque chose à ma vie... Je ne serai jamais un grand voyageur, un grand entrepreneur, je suis un badaud, un promeneur, c'est ainsi, les jeux sont faits... Je sais cependant que toi seule as pu faire un peu bouger les choses, amener dans mes jours une accélération, un souffle tournoyant... Je ne suis pas certain que cela te soit suffisant, je manque indiscutablement d'envergure, je ne triche pas et la balle est dans ton camp.

Choisis bien, Cécilia, il ne va pas s'écouler une heure entre l'instant où j'ai écrit ces lignes et celui où tu les liras.

Fume une cigarette, réfléchis et décide-toi. Bien que tu aies tenté de me faire avaler ce gros morceau qu'est l'immortalité, je pense que je t'attends en ce moment avec beaucoup d'espoir.

Choisis, Cécilia, je suis dans la pièce à côté.

M.

I.

C'EST une connerie. Je l'ai évidemment faite en sachant que c'en était une. Est-ce une réelle satisfaction ? J'ai plutôt l'impression que ça aggrave mon cas.

De toute manière c'est signé : j'ai acheté Mlle Adrienne.

Très cher en plus ; Françoise m'a annoncé que j'aurais pu négocier, faire baisser... mais Françoise négocie toujours et moi jamais. Je ne sais pas. J'ai parfois un sursaut, je rouspète vaguement, sans conviction, pour le contrat de *Mes buts, ma vie,* par exemple, j'ai protesté... trois cents pages sur un joueur de football à qui il n'était pas arrivé la moindre varicelle, la moindre maîtresse et qui ne voulait pas que l'on parle de sa manie de collectionner les lapins en peluche, c'était déjà la galère, mais ramer pour un salaire de forçat, pas question... Surtout que je ne suis pas un mordu du foot... J'ai fini par le faire ce bouquin... C'est devenu *Les filets tremblent...* ou *Reprise de volée,* je ne sais plus... quinze jours de boulot à douze heures par jour, j'avais eu une augmentation en fin de compte. Faible, mais tout de même... C'était à mes débuts, quinze ans au moins...

Donc, ça y est, j'ai acheté Adrienne. Et meublée encore !

Françoise a toujours prétendu que les choses comme les êtres ont un sexe et un nom propre.

Cela m'avait surpris dans les premiers jours de nos

179

relations, en particulier lors de notre premier petit déjeuner chez elle, lorsqu'elle m'avait demandé de lui passer Armand.

J'avais eu un effort à faire pour réaliser qu'il s'agissait de la cafetière. Comme je lui avais fait remarquer que « cafetière » est du genre féminin, elle m'avait toisé d'une façon assez dédaigneuse et avait simplement prononcé ces mots :

— C'est une erreur.

Elle avait ajouté :

— Il n'y a qu'à regarder pour s'en apercevoir.

J'étais tombé d'accord avec elle sur ce point et avais eu l'impudence — je ne la connaissais pas encore bien — de l'interroger sur le prénom lui-même : pourquoi Armand ? Pourquoi pas Gaston ou Jean-François ?

Elle s'était lancée alors dans une explication aussi brève que péremptoire, affirmant que le nom des choses est inscrit en elles et qu'il faut vraiment être bouché pour ne pas l'y trouver. Il était aussi clair pour elle que cette cafetière s'appelait Armand qu'elle se prénommait, elle, Françoise. Pas question donc de lui conférer un autre prénom, Gaston ou tout autre. Je me souviens qu'elle avait ajouté une phrase qui m'avait laissé pantois :

— D'ailleurs Gaston, c'est la poêle à frire.

Nous ne sommes jamais revenus là-dessus et, depuis ce temps, Armand et moi prîmes souvent le café, tandis que moi et Gaston avons confectionné des légions d'omelettes.

Il est certain que cela confère entre l'usager et son ustensile une grande intimité qui n'est pas sans charme.

Cela explique que, lorsque Françoise a pénétré dans cet appartement pour la première fois, elle en a humé l'humidité et, pivotant sur le vieux tapis du salon, a effectué un tour complet sur elle-même. Par les fenêtres basses, la rumeur du passage montait. Elle a fermé les yeux et murmuré :

— Mlle Adrienne...

J'étais fixé : mon trois-pièces-cuisine était une jeune fille et répondait à ce doux prénom. J'étais heureux de l'apprendre. Presque ému. Les présentations étaient faites. Cela n'empêchait pas cette acquisition d'être une connerie.

Trois ans que je cherchais un appartement. J'en avais les moyens grâce à *De Jeanne d'Arc à Diên Biên Phu* par le général Bordieu de La Meynerie. 150 000 exemplaires. Trois mois d'un boulot acharné avec ledit général vociférant, pendu au téléphone. Pas grave qu'il fût sourd, plus délicat qu'il fût gâteux et confondît Hiroshima avec Mao Tsé-toung, en tout cas le succès avait été foudroyant car le général avait réalisé à la télévision des prestations éclatantes. Le fait d'avoir failli assommer le présentateur du Journal de 20 heures sur la 3 avait été déterminant dans la montée des ventes.

Françoise m'avait servi d'agent immobilier. Elle avait couru les agences en tous sens, cherchant un logis clair — très important —, fonctionnel — important —, insonore — capital —, et c'est moi qui, il y a un mois de cela, ai fini par trouver grâce à un coup de fil de Darba, sans avoir eu à lever le derrière de ma chaise.

Que cette habitation fût sombre, déraisonnablement conçue et particulièrement bruyante n'entra jamais pour moi en ligne de compte, pour une raison simple : elle se situait dans ce qui fut pour l'enfant que j'étais, et l'imbécile que je suis, l'endroit le plus magique de Paris : sous la verrière du passage des Panoramas.

C'était pour moi dans les dimanches d'autrefois, entre la rue Saint-Marc et le boulevard Montmartre, le chemin clinquant des promesses et des lumières. L'équivalent d'un sentier de printemps dans les romans populaires et ruraux où un môme en sabots gambade, émerveillé, entre papillons, renoncules, ombre fraîche, frais ruisselet et

181

autres gadouilleuses frivolités... C'était l'hiver, je me collais aux vitrines, on vendait là des parapluies, des corsets-accordéons, des livres dans des bacs, des voilettes à pois sur des têtes décapitées et néanmoins souriantes... Il y avait un magasin de médailles, toute une clinquante bravoure en ferblanterie, de quoi faire vibrer le général Bordieu de La Meynerie soi-même. Il y avait une crémerie où personne n'entrait jamais, des boutiques de timbres et des horloges poussiéreuses derrière des vitres fumées... Une caverne aux lumières sous-marines... je levais le nez et, par-delà les enseignes, on devinait des fenêtres, des volets et je rêvais d'habiter là, au-dessus des trésors. Qui vivait en ces lieux étranges ? Par où entrait-on ? Les pas résonnaient sur les dalles. Ici on ne voyait jamais le ciel et j'imaginais la douceur obscure de ces maisons de l'éternelle nuit. Des êtres anciens et secrets devaient régner là, dans les pénombres tranquilles... Des géraniums parfois sur le rebord au-dessus des panneaux-réclames : chaussettes DD et pipes Saint-Claude... Et, par-dessus le tout, l'arche de gloire, triomphale, protectrice et translucide : la verrière.

Darba n'avait pas raccroché que j'étais déjà sur place... Quatre-vingts mètres carrés d'ombres et de boiseries dans l'odeur des cigares d'autrefois et des tapis agonisants... Les couleurs s'étaient éteintes, la peinture des plafonds avait cette nuance de crépuscule que confère à toute chose l'absence de lumière. Un jeune crétin de l'agence, en tennis à quadruple semelle, m'attendait. Je l'ai haï dès le premier regard, à cause de ses chaussures dont je n'ai jamais pu m'empêcher de prévoir le parfum après délaçage, elles portaient en elles les remugles futurs des godasses à surchauffe...

Il a tenté de m'expliquer qu'en collant du néon partout c'était le plein soleil méditerranéen. Cette bonne blague ! Pour rien au monde je n'aurais voulu de soleil, et encore moins méditerranéen... Il y avait dans les propos de Mlle Adrienne des mystères suffisamment envoûtants pour anéantir l'idée même d'éclairage... Un reflet tamisé tombait de la verrière, transformant les pièces en aquariums... Des poissons devaient nicher là, murènes tapies entre placards et alcôves... Qui avait vécu ici ? Le crétin aux pompes caoutchouc ignorait évidemment... Il devait tenter depuis belle lurette de placer ses quatre-vingts mètres carrés... Il n'a pas eu beaucoup de peine à y arriver — dès l'escalier j'ai su que je vivrais là... Au premier regard, j'étais déjà chez moi. C'est alors qu'il a laissé tomber l'information :

— C'est vendu meublé.

Encore mieux ! Il y avait deux anciens Voltaire épais qui luisaient faiblement de tous leurs velours érodés pour me séduire ; un reflet de marqueterie ; le doré d'une serrure de commode... La chambre a tenté de ressembler à du Louis XIV mais n'a pas insisté longtemps.

— Le matelas est neuf...

Ce type avait le don de taper à côté avec une précision attendrissante... C'était plus cher, mais cela m'arrangeait : le peu d'objets que je possédais ne seraient pas allés entre ces murs vénérables... J'ai toujours vécu au minimum : mon bureau, quatre chaises, je n'ai même jamais pris le temps d'acheter une bibliothèque : les bouquins s'entassent en piles oscillantes contre les murs... là, je m'installerais, enfin... J'ai signé la promesse de vente sur-le-champ.

Françoise, Darba et Paule ont été unanimes lorsqu'ils ont visité ; tous ont été formels : c'était une connerie.

Je suis bien d'accord : étuve l'été, glacière l'hiver, difficile à revendre, l'électricité à refaire, le parquet craque, la baignoire rouille, la cuisine fuit, bref, la connerie. Mais ça y est, je suis dedans. Ouf !

Et c'est au moment où je m'y installe que Françoise sort

de ma vie, comme si Mlle Adrienne ne voulait pas de Mlle Françoise...

Elle va venir... elle devrait être déjà là...

La rupture mijotait... huit ans que nous sommes ensemble, bien que ce terme ne convienne plus tellement, tant les dernières semaines ont été molles et mornes... Les rendez-vous se sont espacés, une mécanique défavorablement languissante a remplacé nos frénésies spontanées.

Terminé.

Elle le sait et s'en arrange, ou tout au moins ça m'arrange de le penser...

Nous n'avons à mon avis ni l'un ni l'autre le gros chagrin, juste le grattouillis tristounet que procurent les choses finissantes...

Elle devrait être là. Elle avait dit 19 heures...

Elle a fait installer une machine à laver et il y a des caisses près de l'évier... Sans doute une batterie de casseroles, je n'ai rien déballé. Elle s'en chargera. Elle adore ça, elle aime installer les gens. Elle est venue hier : l'aspirateur est encore au centre du salon, près de deux sacs-poubelles, elle a dû travailler tout l'après-midi...

Les bruits montent par la fenêtre entrouverte. Désormais ce seront mes bruits et déjà je les aime... Les chiens sur le dallage produisent un cliquetis de gaillardes castagnettes... Si je me penche, je vois le dessus des crânes... Il y a peu de monde à cette heure, mais il est vrai que c'est l'été, Paris est vidé. C'est la bonne saison.

— Tu prends le frais ?

Je ne l'avais pas entendue entrer. Elle a coupé ses cheveux. Un peu, juste la frange. Je connais cette robe aussi imprimée que moulante. Il y a encore peu de temps, elle suffisait à faire monter la passion, aujourd'hui il y a de la mort en nous, du vide.

Dans le baiser rapide, je retrouve son parfum. Je savais

le nom autrefois, elle en change souvent, aujourd'hui j'ai perdu la curiosité de le lui demander...

Elle a commencé à tournicoter dans les pièces. Pourvu qu'elle n'ait pas idée de faire l'amour... L'avons-nous trop fait ? Tout se passe comme si nous avions eu un capital imparti que nous avons dépensé. Le réservoir est vide, plus une goutte de désir, tout a été dilapidé. Les gaspilleurs de sexe. Je la regarde s'agiter, jolie toujours. Je suis vraiment un con, n'importe qui la bousculerait sur le vieux lit dont elle a tiré les draps en bonne soubrette. Je ne peux plus, je n'ai même plus l'envie d'avoir envie.

— Tu as l'air triste.

— Pas du tout. Je savoure l'appartement. Je m'en imprègne.

Elle furète, soupire, passe dans la cuisine. Ses mollets tournent... J'ai adoré ses mollets, ce côté sportif, cycliste piaffant, elle a toujours l'air, même en terrain plat, de grimper le Puy-de-Dôme en danseuse.

— Je me demande si tu vas écrire ici de la même façon qu'à Courbevoie.

Je me suis aussi posé la question. Les lieux interfèrent-ils sur la création ? Je vais le savoir. De toute façon, cela n'a guère d'importance en ce qui me concerne : je ne suis pas un écrivain — juste un nègre — excellent, dit-on, le meilleur à mon humble avis, mais pas de création pour moi. Merci bien ! Je laisse ça à d'autres.

J'avais dans les banlieues un studio-paquebot au-dessus des chantiers, quatre murs blancs de lumière pure. J'y ai usé trois machines à écrire... Peut-être ici vais-je devenir plus feutré, condamné à raconter les vies de marquises vieillottes, les sagas décadentes de molles familles sur le déclin : de Roncevaux à La Garenne-Bezons... Forte demande en ce moment sur l'aristocratie. Cela me fait penser que j'ai laissé tomber mon travail depuis près de huit jours. Je remets le manuscrit à la fin du mois et je vais devoir cravacher, c'est un chanteur qui signera. Ce type remplit Bercy, le palais des Congrès et le parc des Princes mais n'a jamais vu un stylo de sa vie. Titre prévu : *Berceau, Micros, Bravos,* j'avais proposé *Podium* mais ça a paru trop sobre aux commerciaux. Une secrétaire avenante m'a apporté des photocopies d'interviews, un curriculum vitae de quinze pages, et à moi d'en faire trois cents.

J'ai concocté à notre star une enfance de misère qui va faire sangloter les grands ensembles.

— Tu veux aller manger quelque part ?

Elle s'est retournée. Son sourire a changé depuis quelque temps.

— Pourquoi ne dis-tu pas que tu n'en as pas envie ?

Je déteste les gens perspicaces. C'est vrai que je n'en ai pas envie, que cela m'ennuie au-delà de tout, que je n'ai pas le désir de sortir, de marcher, de m'asseoir. « Ces messieurs-dames désirent-ils un apéritif ? Nous avons de la tête de veau en plat du jour. » Merde !

— Ecoute, André, si tu me disais un peu ce qui se passe, ça n'irait certainement pas mieux, mais ce serait plus clair.

Les pieds dans le plat. Une spécialité.

— Tu ne me téléphones plus, on ne sort plus, on ne baise plus, on ne parle plus ; tu déménages, je t'aide, je me décarcasse, j'enlève la poussière de ton nid à rats et tu te colles à la porte avec une mine de déterré en me proposant d'aller bouffer avec la tronche du type qui se dit : pourvu qu'elle n'accepte pas, je l'ai bien assez vue comme ça, pas encore un nouveau tête-à-tête. Alors il reste deux solutions : ou je m'en vais, ou on s'explique une bonne fois.

Voilà ! c'était immanquable, elle a toujours procédé de la même agaçante façon : la Vérité, la Sincérité, l'Explication, les Grands Trucs définitifs qui m'ont toujours paru insurmontables et dont j'ai une sainte horreur...

Je me suis tout de même secoué.

— O.K.! Allons-y pour l'explication.

Nous nous sommes installés chacun dans un Voltaire et j'ai foncé sur les Stuyvesant. Le paquet était plein mais je savais déjà qu'il allait y passer.

— Je commence, dit-elle. Question n° 1 : tu en as marre de moi ?

J'ai aspiré la première bouffée avec la lenteur des détectives privés dans les films de la Warner Bros, période années 50.

— Les choses ne sont pas si simples, je...

Elle a jailli des velours comme un T.G.V.

— Ne me fais pas ce coup-là, sois net au moins une fois dans ta vie et n'essaie pas de m'emberlificoter dans tes états d'âme du style : « Le temps change les rapports entre humains » ou « Peut-être une connivence amicale a-t-elle, à notre insu, remplacé la fougue des premiers jours », ça, j'ai déjà donné, tu n'es pas le premier qui me jouerait les violons de la philosophie Prisu et j'en ai marre. Dis exactement ce que tu ressens, là, en ce moment.

Exactement, je sens mes orteils se recroqueviller dans mes chaussures. Deuxième bouffée... envie de whisky...

— Vas-y, qu'est-ce que tu ressens ?

Elle ne me lâchera pas. Les femmes sont des pieuvres. Je réfléchis, me gratte une oreille et parviens à proférer :

— Je suis emmerdé.

Elle s'est rassise.

— Bravo ! Je ne m'en serais pas aperçue toute seule.

Elle me contemple avec le même air qu'elle avait tout à l'heure lorsqu'elle a regardé les sacs-poubelles au milieu de la pièce.

— Très bien. Je vais t'aider parce que tu ne t'en sortiras jamais seul. Je pose des questions et tu réponds : est-ce qu'il y a une autre femme ?

— Non.

Ça c'est vrai, pas de problème de ce côté-là.

187

— Est-ce que tu en as assez de moi ?

Aïe, aïe, aïe ! Délicat, on ne peut pas nettement se...

— Ne finasse pas : est-ce que tu as assez de moi ?

— Un peu.

— On n'a pas assez un peu, on a assez complètement ou pas du tout. Je répète ma question : est-ce que tu en as assez de moi ?

L'arc de ses sourcils est bien dessiné, c'est peut-être le faible éclairage mais je ne l'avais jamais si nettement remarqué. J'écrase le mégot et proteste.

— Tu te fais la partie belle : c'est toi qui poses les questions, c'est facile, si nous inversions les rôles, tu verrais que...

— On les inverse. Demande-moi si j'ai assez de toi.

Elle a toujours eu l'œil noir. Noir et rieur. En ce moment il n'est plus rieur du tout, et vraiment très noir. Je hausse les épaules.

— C'est idiot.

— Pose la question.

Implacable. Faut y aller.

— Est-ce que tu as assez de moi ?

— Oui.

Net et sans bavures. Finalement, je ne m'y attendais pas, je pensais que, de son côté, elle conservait un espoir, un fond d'amour toujours vivant et tout de même...

— A toi de jouer.

J'ai baissé la tête. Je me giflerais parfois.

— Moi aussi.

— Moi aussi quoi ?

— Moi aussi j'en ai assez de toi.

Elle a écarté les bras. Intervention chirurgicale terminée. Elle refusait les histoires.

— Eh bien voilà ! Tu vois que ce n'était pas difficile...

Tu parles...

Elle a pris une cigarette. Je l'avais rarement vue fumer.

188

Si, une fois, quand les flics l'avaient embarquée au cours d'une manifestation où elle revendiquait une augmentation de salaire avec des durs de la C.G.T.

— Donc tu en as marre. Très bien. C'est évidemment la faute du temps. Cela ne t'est jamais venu à l'idée que l'on pouvait se battre contre lui ?

— Ça me paraît difficile.

— Beaucoup de choses te paraissent difficiles.

Exact. Il commence à faire chaud. Une goutte s'apprête à me dégouliner entre les omoplates.

— Il y a autre chose que tu me reproches ?

J'ai le mouvement d'épaules évasif que j'ai tenté de ne pas avoir : il est parti tout seul. Comment dire cela, Françoise ? Epargnons-nous les cruautés : je ne te reproche qu'une chose : tu continues à être toi... Excusez-moi, madame, pouvez-vous être une autre ? Différente totalement ? Alors, je vous aimerais sans doute... Elle lit mon silence en ce moment, elle sait tout cela. Moment pénible.

— Je ne te surprends plus, n'est-ce pas ? Tu me connais, tu me prévois... Il n'y a plus de surprises ni d'aventures ?

Ne pas incliner la tête davantage, je vais finir par toucher le tapis du front. En bas, dans la galerie, les premiers clients du restaurant sont installés... La terrasse déborde un peu. Je les entends, les voix montent... Il y en a un qui tape avec sa fourchette sur le bord de l'assiette. Plus tard je ferai mettre des doubles fenêtres.

— Mlle Adrienne ne me porte pas chance.

Pour la première fois, il y a une fissure dans la voix... Une crevasse. De celles qui s'élargissent, c'est par là que les chagrins s'engouffrent et se noient dans les larmes. Comment rattraper cela ?...

— Tu as toujours été excessive, c'est tout blanc ou tout noir pour toi, la réalité n'est pas si simple.

— Je ne vais pas pleurer, n'aie pas de crainte. Simplement, renouvelle ton vocabulaire parce que tu répètes vraiment beaucoup, ton travail va finir par s'en ressentir...

Je me sens minable, j'ai horreur de ça, un insecte à carapace, sans envergure, minuscule, répugnant, je n'ai jamais écrit un seul livre sous mon nom, jamais, cela doit signifier quelque chose du côté des psychanalyses... Je m'en fous d'ailleurs, quelle importance ? Je gagne ma vie, admirablement, je suis dans l'ombre et c'est parfait ainsi, je n'ai pas à faire la grande parade des guignols devant les caméras et les micros... Je les regarde parler, j'ai parfois l'impression qu'ils sont persuadés d'avoir vraiment écrit leur livre.

« Oui, c'était une envie que j'avais depuis longtemps... », « J'y ai mis beaucoup de moi-même... », « J'ai pensé à mon fils en l'écrivant... » Pauvres types aux noms en couverture, vous me devez tout, connards, prétentieux, tout. Pourquoi est-ce que je pense à cela en ce moment alors que la nuit va venir, que les boiseries s'estompent et que Françoise s'en va ?

Elle s'est levée et je suis suffisamment lâche pour en être soulagé. Je vais rester seul dans cette tanière que j'ai choisie parce qu'elle est obscure : je n'y habiterai pas, je m'y cacherai. En fait, c'est ça, j'y suis bien parce que c'est déjà un tombeau.

— Tu m'appelles quand tu veux. Un jour je ne te répondrai plus, mais tu peux encore essayer, ça risque de réussir.

Ma main a retrouvé toute seule la douceur de son bras... Pourquoi a-t-elle fait cela ? C'était un geste d'autrefois, déjà, j'aimais — quand nous marchions dans la ville — la tenir de cette façon, juste au-dessus du coude, nos pas s'accordaient et j'avais contre ma paume la danse ronde de son biceps... J'ai deviné les larmes malgré l'obscurité, elles filaient vers les tempes... Voilà ! on y était dedans, en plein, à présent les pieds dans le chagrin, on allait patauger des heures... Ça m'arrangeait tellement de penser qu'elle aussi serait soulagée de cette fin, ça faisait tellement mon affaire de savoir qu'elle n'en souffrirait pas, que je n'avais pas tenu compte de la compagne éternelle : la vieille peine toujours présente, les souvenirs allaient venir, les huit années, tous nos voyages, pas nombreux d'ailleurs, mais tout de même, tes yeux de Saint-Malo, les collines d'Afrique, le soir de Saint-Rémy quand le baldaquin s'est écroulé, quelques cuites à l'armagnac, ta jambe cassée à Font-Romeu, ma bronchite de Carpentras, toute notre histoire, petite mais certaine, si vivante si souvent... et les photos, tiens, les photos... qu'est-ce qu'on allait en faire à présent des photos ?

— Je pars... c'est le cas de le dire...

Elle s'est reprise au moment où j'ai cru qu'elle se collait contre moi, qu'elle tentait le coup de la ventouse, le grand poker de la charnelle passion, prends-moi une fois encore, laisse-moi ton empreinte... Non... c'est elle qui a reculé, il restait juste assez de jour pour que j'y devine le tremblement d'un faux sourire, elle a fait deux pas vers la porte et c'est là que j'ai compris que je souffrirais aussi peut-être... juste un peu, mais tout de même, je n'aurais plus cru en être capable... je me suis épaté... je suis donc encore par moments vivant...

— J'ai mis tes chemises dans la commode, celle de ta chambre. Il y a un tiroir qui n'a pas de clef, pense à en faire faire une... Pour le lave-linge, tu as compris le système...

Elle voulait tout laisser impeccable, précis, prêt à servir, un petit soldat qui passait les consignes tandis que les clairons sonnaient la retraite... Recule, fantassin, quelques pas encore et tu en auras fini avec la bataille...

— Ciao André !

Elle a eu son mouvement des doigts... L'adieu d'un petit enfant sur un quai de trop grands départs.

J'ai reconnu son pas dans la galerie, elle marchait vite... Je ne me suis pas penché à la fenêtre.

Voilà ! c'était fait. J'étais seul à présent dans le passage des Panoramas, un nom que j'ai toujours trouvé plein d'espoir, je ne sais trop pourquoi... Peinard.

J'allais pouvoir vieillir en solo, doucettement, revoir mes vieux films dans mes vieux cinoches, me trimbaler le soir venu entre boulevards et ponts de Seine... J'épuiserais mon univers jusqu'à la lie...

J'ai respiré à pleins poumons l'air confiné et un sourire m'est venu tout seul, comme un grand garçon sympathique et inattendu. Dehors le bruit des dîneurs s'est amplifié, le crescendo des cliquetis m'a donné faim. Et si je descendais ? Les émotions creusent, c'est bien connu... Un p'tit steak-frites pour un artiste, ce ne serait pas de refus... Avec un bordeaux, tiens... Une demi-bouteille... un café, et s'il reste un fond d'armagnac... Allez, je descends, s'agit pas de se laisser aller, et puis en fin de compte ça ne s'est pas tellement mal passé... Youpi ?

Youpi !

II.

Ça ne se fera pas.

Je l'ai senti dès l'apéro. Champagne-fraise. Il est difficile dans nos univers d'échapper au champagne-fraise. J'avais envie d'un pastis serré mais Dumarin me l'a depuis longtemps déconseillé pour raison de standing. Un bon nègre boit du champagne-fraise, ce qui fait plus chic, le pastis ayant des relents de maillot de corps, boules de pétanque, aisselles velues, short fluorescent et chaussettes dans les sandales. Dumarin est sensible au détail, ce qui fait de lui un éditeur recherché et efficace. Il vendait, il y a moins d'une dizaine d'années, des surgelés sous Plexiglas, il y réussissait fort bien, il a un succès au moins égal aujourd'hui et déploie autant de compétence à lancer sur le marché des biographies traficotées qu'à écouler des stocks de filets de harengs et de gratin dauphinois fabriqués en Corée du Nord.

Donc dîner d'affaires, typiquement parisien, dans un restaurant typiquement mode.

Je savais dès le départ ce qu'il y aurait dans les assiettes et n'ai pas été déçu : tranche de saumon cru translucide aux deux poivres avec tomates lilliputiennes, le tout noyé dans une sauce où interviennent vinaigre balsamique et copeaux de truffes filiformes. Le tout doit peser trois milligrammes et me donne régulièrement des envies de sandwich aux rillettes.

193

Bernard Trent a été sollicité par Dumarin pour qu'il raconte sa vie.

Plus précisément pour que je la raconte à sa place. D'entrée, l'éditeur m'a prévenu : ce n'est pas un gros gibier. Il y a de moins en moins de gros gibiers, mais comme il me l'a expliqué longuement dans son splendide bureau de la rue Daguerre, il vaut mieux raconter Tartempion si Tartempion a eu une vie foisonnante que George Bush si George Bush a vécu une existence rectiligne, progressant dans des paysages de platitudes. Evidemment, on peut toujours inventer des accidents, mais les limites sont étroites.

Trent a connu du monde, il a été l'assistant des grands du cinéma : Renoir, Carné, Delannoy, Prévert... L'espoir de Dumarin est que le type fourmille d'anecdotes, qu'il raconte des virées avec Michel Simon, des empoignades avec Fernandel, les incartades géantes et passionnées des stars de la guerre et de l'après-guerre, croustillantes indiscrétions qui feront hoqueter la foule ébahie des lecteurs stupéfiés de telles révélations... Comment, Morgan a fait cela ? et Darrieux aussi !

Mais Trent ne parle pas.

Je l'aime bien déjà. Peut-être à cause de cela ; manifestement il n'a pas envie de se raconter et moins encore qu'on le raconte. Il est surpris qu'on le lui demande, un peu mal à l'aise... Il a compris que Bernard Trent ne comptait pas, que l'important serait ceux qu'il avait côtoyés et dont on attendait de lui qu'il les fasse revivre différemment... Il y avait du trucage dans l'air, de l'embrouille, et il le sentait...

— Vous avez été au centre de ce qu'il faut bien appeler « l'âge d'or du cinéma français »... L'engouement du jeune public pour cette époque à laquelle vous avez contribué à donner de grandes œuvres est incroyable aujourd'hui où le film n'est plus qu'une opération commerciale dont la notion même de plaisir est absente, le public se retourne vers vous et nous sommes persuadés...

Dumarin est lancé... Je connais sa musique, le numéro peut durer entre deux heures et une nuit. Je ne l'aide pas, ce n'est pas mon rôle, je parlerais bien avec Trent, mais d'autres choses.

Tout à l'heure, il a évoqué sa maison dans les Yvelines, il plante des rosiers et a placardé sur ses murs les affiches des films où son nom n'est jamais apparu. C'est peut-être cela qui me le rend proche.

— ... Vous me direz, bien sûr, que tout le monde n'est pas écrivain, je vous l'accorde, j'ajouterai simplement : heureusement !

Suit la théorie dumarinesque, selon laquelle il n'est pas nécessaire d'écrire pour vivre, ce qui se révèle parfaitement exact et ce que tout le monde sait d'instinct depuis toujours, mais que Dumarin présente comme sa contribution la plus importante à la philosophie contemporaine.

— ... Donc, vous n'avez aucun scrupule à avoir à ce sujet, de plus André est justement là pour vous aider.

Ça y est, j'entre en scène. Trent mâchonne, il a l'air de trouver les plats tristes, les murs sinistres et nos gueules sépulcrales, il me lance un regard vague qui signifie : comment ce type, que je n'ai jamais vu, peut-il bien m'aider en quoi que ce soit ?

Plats de résistance. J'ai du lapin aux pleurotes. C'est tout au moins ce qui est indiqué sur la carte car je ne vois pas de pleurotes ou alors c'est le petit tas noirâtre sur la droite de l'assiette que j'ai pris pour une cochonnerie oubliée par un cuisinier négligent. Le magma au centre, qui nage dans une sauce violacée, doit être le lapin, mais je n'en jurerais pas.

Dessert — Je suis sûr que le vieux bonhomme aurait voulu du fromage, il n'a pas osé.

Dumarin lisse sa cravate soie sauvage. On doit les peindre à la main spécialement pour lui.

195

— Vous avez également travaillé avec Jouvet ?

— Plusieurs fois.

— Voilà le genre de choses qui intéresse non seulement les cinéphiles mais le grand public, lorsqu'un personnage atteint une dimension semblable à la sienne la curiosité est générale... Ce devait être un personnage...

L'œil de Trent ne varie pas, il avale une fraise calibrée.

— Il détestait le cinéma...

Pauvre Dumarin... Son rire est disproportionné à la nouvelle.

— Il vous le disait ? Il s'était un peu confié à vous ? Car avec un assistant...

Il ne va tout de même pas lui dire qu'un assistant est toujours un confesseur.

— Il me demandait le cendrier, tout le temps, sur le plateau, entre les scènes, il téléphonait et demandait des cendriers.

— Ah ! ah ! dit Dumarin.

C'est la première fois que je le vois si laconique.

Dehors, la nuit n'avait pas apporté de fraîcheur... La rue de Longchamp était déserte, j'ai proposé à Trent de le raccompagner mais il avait sa voiture. Une vieille Renault, sur le siège arrière j'ai aperçu des cageots et un morceau de tuyau d'arrosage. Dumarin l'a vu aussi et ce spectacle l'a achevé définitivement.

Lorsque le vieux eut démarré, il a poussé un soupir presque attendrissant.

Il m'a proposé un verre mais je n'en avais pas envie. Les verres de Dumarin se trouvent tous dans des endroits tamisés où les glaces renvoient à la raquette les reflets des plastrons immaculés des chemises masculines et les diamants des dames. Au bout de quatre secondes, une créature longiligne et nimbée de Chanel grand cru s'élance et s'écrie :

— Christian !

196

Il s'exclame :

— Violaine !

La créature éclate d'un rire forcené.

— Pas Violaine, Sylvana !

— Bien sûr ! se réexclame Dumarin, Sylvana !

La créature se love déjà sur les coussins, elle se pelotonne, ronronne à en perdre ses chaussures, dans trois minutes elle va l'enduire de bave.

— Alors, mon manuscrit, tu l'as lu mon manuscrit ?

Christian Dumarin relâche subrepticement sa cravate pour reprendre souffle.

— Bien sûr, Sylvana, que je l'ai lu !

Il ne l'a pas lu mais lui en parle tout de même, une bonne histoire, un peu trop folle peut-être, folle n'est pas le mot exact, et puis l'écriture demanderait à être, comment dire ?... resserrée... Voilà ! c'est ça, exactement : resserrée. Pas un gros travail, mais enfin...

A ce moment-là je me lève, ils ne s'en aperçoivent d'ailleurs pas et je disparais en tentant de ressembler à un vieux loup solitaire qui s'enfonce dans la nuit, ce qui n'est pas à la portée du premier venu, donc pas de la mienne.

J'ai refusé l'invitation et suis rentré.

Personne dans le passage à cette heure, les boutiques sont fermées... Je serai la seule lumière filtrant à travers les volets... Je lirai un peu au lit.

Douche du soir. La meilleure. J'ai toujours eu l'impression que l'eau, la nuit, était plus fluide, plus caressante... J'ai balancé chemise et chaussettes dans le tambour de la machine à laver et, au moment où j'allais commencer à siffloter les premières mesures du Lamento de *La Tosca*, j'ai eu la vision d'un tiroir vide.

J'ai même retrouvé la sensation de ma main rencontrant le bois. Cela date de ce matin et cela signifie que je n'ai plus de chemise propre pour demain. J'ai tapé dans les piles de linge propre et n'ai pas mis la lessive en route.

Je serais bien en peine de le faire, j'ai totalement oublié les indications de Françoise.

Ça ne doit pas être sorcier.

J'ai tort de me dire cela. Chaque fois que j'ai dit de quelque chose que ce n'était pas sorcier, je n'y suis jamais arrivé. « Je vais réparer cette prise de courant, ce ne doit pas être sorcier. » Ça devait l'être car après court-circuit général l'installation a dû être refaite dans tout l'appartement.

Vérification tout de même, parfois le sort vous réserve des surprises.

C'est une commode Empire, laide et trapue.

Premier tiroir : pas de miracle, il est vide.

Deuxième tiroir : il est plein mais de pulls et de chandails. Peu utilisables au mois d'août.

Troisième tiroir : fermé. Pas de clef.

Françoise me l'avait dit.

Ça doit pouvoir s'ouvrir. Ce ne doit pas être sorcier. Peut-être avec un canif. Il y a bien la technique du crochetage avec une épingle à cheveux mais je manque d'entraînement... Avec un couteau costaud — en faisant levier.

J'ai ramené de la cuisine un couteau à découper, ma mère s'en servait pour tuer les lapins...

Le bois joue, il y a un interstice assez large entre les parties fixes et mobiles, je dois pouvoir glisser la lame et en pivotant un peu... Je me demande ce que je fabrique, à 1 heure du matin, à cambrioler ma propre commode alors que je n'ai plus de chemises propres, tout cela pour ouvrir un tiroir qui...

Clac !

Ça a fait clac, nettement, le pêne s'est dégagé sans effort. Cette fois ce n'était vraiment pas sorcier.

Il y a une enveloppe de papier kraft dans le fond.

J'ai mis la main sur un magot. Des billets ou un plan de

trésor : suivez la ligne du tapis jusqu'à la table de nuit, soulevez la troisième latte de parquet et vous êtes en possession des diamants prélevés par Hermann Goering sur le trésor des Templiers.

Des lettres. Uniquement des lettres.

Une écriture ample. La main qui écrit n'économise pas le papier, l'inverse de mes pattes de mouche...

J'ai emporté le tout dans ma chambre avec un crochet pour le buffet, pour récupérer la bouteille de Jack Daniels, et je me suis adossé aux oreillers.

Difficile de procéder par ordre, il n'y a pas d'ordre, pas de date...

Celle du dessus doit être la première. J'ai commencé la lecture.

« *C'est vrai que je ne m'étais jamais aperçue de ces échappées le long des canaux du nord de la ville... J'y ai marché, la mine béate des grandes idiotes amoureuses qui n'en reviennent pas du coup de veine... J'ai cherché l'air qui passe dans les feuilles jouvencelles et, à travers elles, partout, les yeux d'un homme que l'on n'espérait ni ne voulait. J'avais refusé autrefois tant d'histoires d'amour que l'on finit par se croire à l'abri et puis voilà que dans ce matin parisien je t'emporte et ne serai plus seule dans l'été qui vient, jusqu'à l'automne qui sait ? Pourtant, que de choses que nous n'avons pas faites, tant de fêtes crépusculaires où nous aurions pu naviguer, des bars, des boulevards... Mais nous avons eu la pluie sur nous un soir de Ritz moite, le silence des pendules et tes lèvres dans les carillons soudains de Clignancourt...*

J'ai cru tous ces instants que la vie inventait un roman...

Je m'emballe, je déconne, je prends le grand coup de printemps pleine poire... ravie... Les hommes m'ont aimée, je crois, pour l'inverse de ce qui paraissait devoir me rendre aimable, je jouais les lianes sinueuses, les fières-à-bras, et ils flashaient sur ma fragilité, je maquille mes yeux, je pédale sur un vélo pour garder la taille fine et ils s'attendrissent sur un bourrelet, une voussure, une ride marquée... C'est magnifique, au fond on ne peut pas tricher, je ne l'ai pas fait d'ailleurs, avec d'autres peut-être mais pas avec toi, jamais...

Et puis des voyages, des larmes dans un parking, des rires dans un taxi, et nos projets, vous en souvenez-vous ? On partira, bien sûr, et pour toujours... Pourquoi rentrer ? Quelle était la formule ? " Elle ne serait pas belle la vie si... " Si quoi ? Si je ne m'étais pas trimbalée, étranglée d'anxiétés, d'incertitudes. On s'est saoulés au mistral, sur les remparts du château d'If, cet été-là. Quatre heures volées entre deux avions, nos vies sont des vies volées, je chaparde du temps... ton temps.

Ne m'en veux pas de cette lettre mais tout va mal, tu le sais, tout est si glacé et je voudrais tant que tout revive... Fous ces feuilles en l'air, demain je serai drôle mais je n'en ai tellement pas eu la force. Ai-je droit à un bisou ? Je n'en suis pas sûre, à moins que ce ne soit pas affaire de droit mais de plaisir, dans ce cas, sans permission, je t'embrasse beau brun, follement.

M. »

Quel silence, passage des Panoramas ! Cette chambre est délicieusement mortuaire.

Qu'est-ce que c'est que cette histoire ?

Pas de date... Le papier est usé mais est-il vieux ? Difficile à dire.

Elle était malheureuse lorsqu'elle a tracé ces lignes. Amoureuse et malheureuse... Il y a Paris, Clignancourt, Marseille... des avions, le Ritz... Et lui, qui est-il ? Elle ne dit jamais son nom au beau brun... Ils volent du temps, donc l'un des deux n'est pas libre. Les deux peut-être...

Les autres lettres m'en apprendront plus mais c'est une étrange impression, à l'instant, en lisant, un visage se dessinait, une douceur prenait forme... J'ai presque envie de ne pas continuer pour laisser le charme se poursuivre.

Comme cette lettre est peu compréhensible...

200

Une autre. Le format du papier est différent : toujours pas de date. Oubli, manie ou accord ? Deuxième lettre, courte celle-là.

« *Viens là que je te fasse ta fête.*

....

Passé cette très sexuelle et poétique entrée en matière, je voulais te dire que ton coup de fil de cet après-midi a été une pluie de roses sur mon cœur brisé, que la télé diffusait un reportage sur les saucisses de Strasbourg et des environs, que du coup je me suis baladée tout autour de chez toi et que tu ne le savais pas, que ta gonzesse aux quinquets d'azur s'est fait couper les cheveux à midi et qu'elle a tout désormais d'une Cadillac 50, série spéciale et limitée.

Je t'embrasse, mon amour.

A cette heure et dans dix jours nous serons peut-être ensemble...

Il reste 864 000 secondes.

M. »

La télé. Il suffirait de savoir quand elle a diffusé un reportage sur les saucisses de Strasbourg pour connaître la date. Mais quelle chaîne ? Peut-être était-ce au temps de l'O.R.T.F !

Ah ! elle parle aussi de Cadillac des années 50. On peut parler de Cadillac des années 50 en 60, 70, 80 ou 90. Peut-être même en 50 d'ailleurs. Enfin, ça me permet de savoir que je ne suis pas en train de me vautrer dans un roman d'amour des années 20...

2 heures du matin... je poursuivrai demain la lecture et...

La propriétaire ! L'ancienne propriétaire !

Qui d'autre pouvait fourrer ses lettres dans ce tiroir ? La clef a été cachée volontairement. Le type aux baskets puantes doit savoir... Je dois même avoir son nom sur l'acte de vente, où est-ce que je l'ai fourré ?

Si son prénom commence par M, c'est elle.

Dans le secrétaire. J'ai traversé la chambre.

Je l'ai découvert. J'y apprends que René et Florence Sardreux vendent à André Berthold — c'est moi — leur appartement sis au passage dit des Panoramas, le... Rien à voir. Ni le prénom ni le nom ne commencent par M.

Pourtant ces lettres ont un rapport avec eux, sans cela pourquoi seraient-elles ici ? Est-ce que Florence Sardreux n'aurait pas pris un nom de guerre ? Prénom d'amour...

Trop sommeil, je poursuivrai demain.

Bonne nuit, M. à l'œil bleu, qui que tu sois ou fus, merci pour ces lignes et pardon de faire le voyeur, ce n'est pas joli de glisser un œil par les serrures, surtout lorsque l'on apprend que derrière se déroule une histoire d'amour qui n'a pas eu l'air bien facile... Lettre de cafard, lettre d'attente, mais dans les deux cas il y a un sourire de courage, la gonzesse à la prunelle d'azur carrossée en belle américaine. Hante mes rêves, petite, moi j'en ai terminé côté cœur, je ne crains plus ni tachycardies ni galères... Je me suis d'ailleurs débrouillé pour les transformer en bateaux de plaisance. A chacun son tempérament.

A demain, Marguerite Mireille Madeleine Mathilde, j'ai encore du courrier de toi, je me le garde, je l'économise, un peu comme si moi aussi, à chaque seconde, j'attendais le facteur.

III.

WEEK-END chez Darba.
Darba a deux maisons, une pour la semaine et une pour le week-end. La première est située rue Ravignan, la deuxième rue de l'Orient, c'est-à-dire à un peu moins de cent mètres.

Darba explique que l'essentiel est qu'elles soient différentes et insiste sur l'immense avantage que représente cette proximité : pas de craintes d'embouteillages, d'angoisses de retour et de retard, pas de frais de transport. Il m'a avoué qu'au début, lorsqu'il quittait la rue Ravignan pour aller passer l'été rue de l'Orient, il partait avec des valises pour se donner l'illusion de la distance.

Il a gagné des fortunes en dessinant et peignant des bateaux dont il a horreur. Il a prétendu longtemps qu'il n'en avait d'ailleurs jamais vu puisque, né dans les Cévennes, monté à Paris à vingt ans, service militaire à Mourmelon, retour à Paris dont il n'a plus bougé, il ne voit la mer que lorsqu'il prend l'avion pour un vernissage à New York ou Tokyo. Donc pas de bateaux. Ça lui permet de les inventer et de leur donner ces formes horribles et fantomales qui ont fait son succès. Il a eu ensuite une période nourrissons. Il en peignait jusqu'à trois par jour, avec tétine, sans tétine, dormant, hurlant, avec couches, sans couches, mais tous avaient cette particularité d'avoir l'œil extrêmement méchant. Une touche dans la pupille d'une cruauté rare. Il est le créateur du nourrisson dangereux. Ce contraste lui a valu maintes récompenses et une rétrospective de l'ensemble de son œuvre à Bruxelles et des prix tant en Angleterre qu'aux Etat-Unis. Comme il se plaît à le dire, il est le seul homme nourri par des nourrissons. Il peint actuellement des omelettes vertes dans des poêles rouges, ou l'inverse. Il gagne des fortunes et c'est mon ami.

L'avantage de passer le week-end chez Darba est aussi d'éviter la campagne dont la désolante verdure entêtée me remplit toujours d'un gros ennui. Il a fait chaud ce dimanche et nous sommes allés prendre le frais dans la salle réfrigérée d'un cinéma de la place Clichy toute proche où nous avons fait une superbe et confortable sieste. Il m'a semblé qu'il y avait Mlle Adjani sur l'écran mais rien n'est sûr, nous avions bu un peu trop de rosé de Provence.

Plus tard il a travaillé sur la dernière de ses toiles tandis que j'ai mis au point les bases du prochain pensum : les souvenirs d'un commissaire de police. La dernière idée en date de Dumarin. Une collection petits métiers : flic, boulanger, concierge, femme de ménage, etc. Après les étoiles de la danse, du pouvoir politique, de l'art, les familles royales et les champions du monde toutes catégories, coucou ! voici les petites gens. J'ai accepté d'ouvrir la série avec ce flic qui a enregistré douze heures sur cassettes et raconte des faits assez drôles. Ce ne sera pas un gros travail, juste un peu de sauce pour accommoder les morceaux. Contrat signé, angle d'attaque trouvé, je démarre sur le départ à la retraite. Le mousseux tiède dans le commissariat un soir d'hiver, quelques clochards sur le banc, un dealer en cage, quelques putes ramassées et les copains qui offrent la chaise longue avec le discours maladroit... Tandis que le héros de la fête lève son verre, la vie défile de son premier képi à ses dernières menottes : il n'a pas quitté le quartier. Premier tirage prévu : 35 000 exemplaires.

J'ai travaillé une paire d'heures sur la terrasse et lorsque j'ai levé le nez une chose étrange s'est produite. Le ciel était écarlate. Une belle poussée de fièvre. Décidément, le crépuscule est la maladie du jour. Paris s'étendait en contrebas jusqu'aux tours des banlieues. Une hémorragie folle, la ville perdant son sang par toutes ses artères, sans drames ni convulsions, sereinement et sans histoires, c'était le dernier jour et tout finissait en grand spectacle, théâtre somptueux, d'une agonie géante et j'ai eu envie de ne pas être seul à voir cela...

A l'horizon galopaient de rouges cavaliers, leurs capes et leurs étendards envahissaient le ciel, et j'ai eu ce besoin physique de la présence d'une femme que j'aurais aimée toujours et avec qui j'aurais pu regarder s'approcher les oriflammes de la nuit violette... Et j'ai sorti les lettres...

Les deux dernières, les préférées. Quatre jours que je les traîne sur moi sans raison aucune... Une femme dans ma poche. Il y avait une chanson d'enfant là-dessus que maman me chantait, un type qui mettait sa femme dans sa poche, ou l'inverse, je ne me souviens plus... C'était elle que je voulais sentir près de moi devant les cohortes sanglantes du soir tombant... Nous deux face aux cavaliers d'Apocalypse, nous nous serions si bien entendus, M., si bien, je le sens, il aurait pu y avoir tant d'amour, je l'ai su dès la première ligne comme on le sait dès un premier regard.

Qu'est-ce que c'est que ce bordel qui me vient dans la tête ?... Ce n'est pas moi que tu aimes lorsque tu écris et il m'en vient comme une jalousie.

« Vendredi,
J'ai faim et je rêve de me taper avec toi pendant que le jour tombe

205

une chouette plâtrée de pâtes au pistou et de regarder rire tes yeux...
Tu sais que je n'aime pas du tout, mais alors pas du tout, ta façon
de ne pas dormir avec moi depuis quelque temps ? Il est tard et je ne
vois plus la feuille, je risque d'écrire à côté du papier...

A tout bientôt, mon bel amour.

Ne déconne pas
N'aie pas peur
Ne sois pas triste.
Tout le reste tu peux.
Baisers à deux bras serrés comme on disait quand j'étais petite.

M. »

Je suis allé m'accouder à la rambarde. Le ciel tournait
au pourpre de seconde en seconde et, pour la première
fois, je sens qu'il est moche d'être seul. Darba est apparu à
cet instant et une vague de rayon l'a enduit d'un tango
violine.

— Qu'est-ce que c'est que cette putain de lumière ?

Il travaille au néon blanc, même le jour.

— Tu ne trouves pas ça beau ?

Je lui aurais dit que je m'apprêtais à sauter dans le vide,
il n'aurait pas eu l'air plus étonné.

— Beau ?

Il a reniflé vers le couchant, manifestement dégoûté.

— Je pensais pas que tu en étais encore à apprécier
ce genre de marmelade... C'est du sirop, ça, mon petit
pote, du sirop dégueulasse... Je t'ai expliqué trente-six
fois pourquoi tout ce qui est naturel est artistiquement
nul...

— Je sais, dis-je, plus de trente-six fois... Dieu n'est pas
peintre et la gamme des couleurs ne varie pas.

Il a haussé les épaules.

— Sers-moi un tassé sans eau.

C'est un vieux con. Aussi con et aussi vieux que moi. Je

lui ai versé la dose mortelle sur deux glaçons, le vrai pastis du soir avant de s'endormir.

— Tu as fini ton omelette ?

Il a eu l'air content soudain, c'est le signe que le tableau est fini.

— Elle bave de l'émeraude... Les dieux de l'enfer la dégusteront dans une ombre propice... Je vais préparer la salade.

— J'y vais.

Il m'a arrêté d'une paume autoritaire.

— Reste dans ta lumière à la con si tu es assez bête pour aimer ça.

Il reste peu de temps pour lire, il va faire nuit. Il est vrai que si je continue ainsi je saurai bientôt ces pages par cœur. Malade, complètement malade.

« *Ah ! le moral remonte, me dit la petite boîte qui répond au téléphone quand je ne suis pas là... Eh bien, figure-toi qu'aujourd'hui tu m'as particulièrement manqué... Ça m'a pris par grandes bouffées tout au long de l'après-midi, avec un grand sourire niais sur la gueule, et tout et tout... Je me suis consolée avec un merveilleux saint-marcellin affiné, tout dégoulinant, et la dernière mi-temps d'un match de foot, j'ai cru comprendre que c'étaient les Français contre des Argentins ou des Brésiliens, en tout cas ils couraient très vite. L'un d'eux était très beau, il marquait d'ailleurs plus de buts que les autres. Y aurait-il un rapport ?*

Serre-moi fort mon bel amour, ma déchirure, le temps passe et sans toi se gaspille.

M. »*

France-Argentine ou France-Brésil... Ce n'est pas vraiment un indice mais peut-être qu'en cherchant...

Ce qui est important, c'est que les choses se précisent en se rapprochant, elle a eu un répondeur. De quand datent les répondeurs? Dix ans? Davantage? Cette fille est vivante, il n'y a pas de raison pour supposer l'inverse. Quant à lui, il n'avait pas toujours le moral... qui était-il ce salopard?

Nous mangeons dans la cuisine, elle est grande et ouvre sur l'ancien maquis montmartrois... Il a une fois de plus collé trop de moutarde dans la salade, cela aussi je le lui ai dit cent fois. Nous sommes un vieux ménage clownesque.

— Donc tu en as fini avec Françoise...

— Fini...

Il monte les sourcils, les redescend, l'air du type qui n'est pas persuadé. Je le comprends, il a traîné pendant plus de vingt ans une maîtresse athlétique qui lui servait de modèle pendant sa période abstraite : elle posait et il peignait des cubes emboîtés, au bout de deux mois elle est partie en claquant la porte. Il l'a rattrapée et en passant par des hauts et des bas, ils se sont fait la vie infernale durant deux décennies. Elle l'avait séduit, car elle connaissait tout Aznavour par cœur et s'entraînait à déchirer le Bottin en faisant rouler ses deltoïdes.

— Tu plonges dans le célibat complet?

— Complet.

— Et c'est le bonheur?

— Mieux que ça : le calme.

Je me lève. Il reste du gigot dans le frigo, et je coupe deux tranches.

— Elle n'était pourtant pas emmerdante, Françoise...

— Peut-être pas assez... va savoir !

Il soupire.

Il fait nuit sur Paris à présent.

— Tu devrais nous peindre, dis-je, tableau du genre : vieux débris sur le deuxième versant de la vie, faisant le bilan de leurs amours mortes.

— C'est pas mort avec Agrippine.

C'est vrai qu'il l'appelait Agrippine. Il ne supportait pas Georgette.

— Elle t'a écrit quelquefois ?

Pourquoi est-ce que je demande cela ? C'est ridicule.

— Qui ça ?

— Agrippine.

Il n'arrête pas d'avoir l'air surpris ce soir.

— Pourquoi veux-tu qu'elle m'écrive ? Elle habite à trois cents mètres, rue Caulaincourt. Et puis il existe un engin que tu as dû oublier et qui s'appelle le téléphone.

— Ça n'empêche pas, il y a des gens qui s'écrivent même s'ils habitent sur le même palier.

— Des cons.

Son naturel tranché prend parfois un peu trop le dessus.

— Elle n'est jamais partie en voyage ? Tu n'as pas reçu du courrier au moins une fois dans ta vie ?

Réflexion intense. Lorsqu'il réfléchit, Marcel Darba se contracte et semble perdre de son volume habituel, ses yeux s'enfoncent, ses lèvres rentrent, il tente de s'avaler lui-même.

— Si, une fois, quand elle était aux Bahamas, une carte postale...

Pauvre Darba, pauvre Agrippine, ils n'ont jamais dû se faire rêver beaucoup...

— ... elle me refilait l'horaire de retour de l'avion pour que j'aille la chercher à Roissy...

L'heure coule... je devrais être bien, nous nous tapons l'armagnac à présent et Marcel Darba parle de Georgette, des omelettes, des nourrissons et des bateaux, qu'il a failli être un grand peintre et qu'il n'est qu'un professionnel, que tout a eu un petit parfum de manqué comme un goût de brûlé dans un plat trop cuit, un cocktail doux-amer où il excelle et dans lequel je ne suis pas mauvais non plus habituellement, mais ce soir peut-être n'ai-je

209

pas assez bu et je n'ai pas envie de sombrer dans les jérémiades. Comme s'il y avait du neuf dans ma vie...

Quatre lettres qui ne me sont pas destinées... De quoi se tordre.

Destinées...

Merde !

Darba sursaute. J'ai dit « Merde » tout haut.

— Qu'est-ce qui t'arrive ?

Pas plus stupide que moi. Ce n'était peut-être pas M. qui habitait rue des Panoramas, mais lui !

C'est lui qui les a cachées dans ce tiroir sans clef !...

Les propriétaires... René et Florence Sardreux... Il était marié, ce qui explique ces attentes, ces absences, toutes ces nuits loin d'elle, ces soirées solitaires où elle déambulait dans Paris... Il vivait à Paris avec sa femme et a caché ces lettres.

— Réponds, qu'est-ce qui t'arrive ?...

— Rien, je suis crevé, je me rentre.

Darba a un coup d'œil sur sa montre, d'ordinaire je ne pars pas si tôt, je dors même parfois sur le canapé de l'atelier, dans le parfum de térébenthine...

Si je le retrouve lui, je la retrouve elle, même s'ils ont rompu, si l'histoire est ancienne il me dira son nom, je me débrouillerai.

J'ai pris l'avenue Junot et je l'ai descendue. L'asphalte avait gardé la chaleur du jour, c'est le parfum de l'été à Paris. Des cars de Hollandais montaient vers la Butte, je me suis laissé glisser vers Pigalle clignotant, un travesti aux paupières pailletées m'a fait un bout de conduite. Je suis rentré chez moi.

Il a caché ces lettres bien mal. Et s'il y en avait d'autres ?

Il y a pire qu'une lettre, c'est une lettre qui ne vient pas...

J'ai rôdé dans le salon... Pourquoi ne les a-t-il pas

emportées avec lui ? Il n'a pas pu ou pas voulu les brûler... Il devait se douter qu'un jour ou l'autre quelqu'un forcerait cette serrure... Tout cela est incompréhensible... Il y en a d'autres ici, je le sens.

Je les sens.

Le sommeil est long à venir, je cherche à établir un plan de recherches : derrière les meubles, dévisser ce qui est dévissable, sous les étagères, partout...

Et puis, me renseigner auprès des voisins ; dors, M., je t'embrasse, c'est la première fois, « à deux bras serrés » et follement... Allez, on ne se connaît pas mais tant pis, pardon pour l'audace...

Il pleut ce matin, pluie tiède d'été, imperceptible, un lavage soyeux pour la poussière et le chiffon du soleil va faire briller tout ça très vite.

Je n'ai pas encore commencé les recherches ; je suis sur le premier chapitre du commissaire, dix-huit pages d'un coup sans sourciller, je vais battre mes records, j'ai laissé quelques blancs pour des noms de rues, il faut que j'achète un plan du quartier Popincourt, j'irai m'y balader plutôt, c'est un coin que je connais mal, j'y reniflerai l'atmosphère, comme disent les romanciers.

Midi. Il y a du monde à côté, mes voisins sont là, c'est l'occasion.

L'alibi sera le sel. Je dirai que je n'en ai plus. Le genre de petit service qui crée les relations amicales.

J'allais sortir lorsque Françoise a appelé.

— Tu te débrouilles ?

— Pas mal.

— Tu vas bien ?

— J'espère que toi aussi.

— J'ai oublié de te dire qu'on doit te livrer une table Empire, elle était dans le salon et avait un pied cassé, je l'ai fait réparer par un copain plus ou moins ébéniste. Tu seras chez toi dans l'après-midi ?

— Si tu me dis l'heure...

— Trois heures lui conviendrait. Il ne te prendra pas cher.

— D'accord.

Pas d'émotion à entendre sa voix, rien, vide comme un tiroir vide, vide comme lorsque l'on aime ailleurs...

— Tu t'en sors avec la machine à laver?

— Admirablement.

— C'est parfait. Je vois que je t'ai dérangé! Ne m'en veux pas, je t'embrasse.

Je n'ai pas eu le temps de répondre qu'elle avait raccroché. Terminé, ma fille, j'en ai terminé avec toi.

J'ai sonné chez les Chovrinsky. Le nom était sur la boîte aux lettres.

J'ai senti mon cœur battre et je savais pourquoi : la recherche commençait et il y a toi au bout, M., et je te retrouverai.

Mme Chovrinsky ressemble à Saint-Pétersbourg sous la neige. Son chignon croule et son accent roule, lui est plus gaillard, un nez comme un sabre ottoman, et un tic sévère qui lui casse la nuque en deux toutes les dix secondes. Je n'ai pas fini de m'excuser du dérangement que je sais déjà qu'elle a joué dans un orchestre hongrois et qu'il a passé sa vie comme démarcheur pour les Mutuelles du Mans. Quant au sel, pas de pot, ils sont au régime mais cela n'a pas d'importance, entrez donc... Ravis de me connaître, ils croyaient l'appartement encore vacant, je fais si peu de bruit, ce qui est vrai, et puis il faut dire que Sergueï est un peu sourd.

— La guerre, précise-t-il avec un coup d'œil appuyé.

Je n'ose pas lui demander laquelle. Pendant ce temps, elle a déjà sorti l'album photos. En toque de martre, bottes souples, justaucorps, brandebourgs et jupe ample, elle scie du violon avec une violence forcenée, devant des plantes en pot.

— Bratislava, trente jours de tournée, après Vienne, Prague, Marienbad, même Berlin.

Lancée en locomotive, la petite Mme Chovrinsky, tandis qu'il me verse un plein verre à bière d'un vin cuit qui sent la résine et le poisson.

— Fabrication maison, c'est une recette qui vient de Roumanie.

Ils ne sortent jamais, ils sont dans le passage depuis 1937, ils étaient venus en France pour y passer huit jours, un coup de tour Eiffel, de grands boulevards et retour dans les steppes. Ils sont toujours là, un peu étonnés quand même de s'être fait fixer par la vie. Il faut dire qu'en 37 Paris était plus sain que l'Europe de l'Est pour tous les Chovrinsky de la terre.

La recette roumaine est terrifiante. Si le vin sent le poisson on comprend pourquoi en le buvant j'ai l'impression d'avaler du hareng saur liquide. Lui cligne encore de l'œil avec un encouragement enthousiaste.

— Terrible, hein?

Elle se mélange dans les clichés, il y a quelques daguerréotypes, sa grand-tante faisait partie de la branche aînée de la famille princière, c'est elle qui a tenu à ce qu'on lui donne une éducation musicale, mais pas douée au piano, immmmmmense désespoir de Tatiana — la tata s'appelait Tatiana — donc violon, donc concerts, mais les temps changent : pogroms, déménagements, fuites, valises, villes, maman tuberculeuse, alors engagement petit orchestre, pas de tziganes, mais czardas quand même et en avant dans toute l'Europe avec répertoire touristes... Deux des musiciennes trouvent des fiancés en route, une autre disparaît, elles restent trois, elles jouent de tout, contrebasse, bandonéon, accordéon, guitare magyare, l'orchestre s'appelle « Zim Boum-Boum » parce que international Zim Boum-Boum, rigolo non? Ah! ah! quelle vie! Elle allait finir seule en femme-orchestre avec les grelots aux chevilles, la grosse caisse sur le ventre, l'harmonica autour du cou, le violon au bras quand, tout à coup, pan ! qu'est-ce qui apparaît au détour d'un couloir d'hôtel entre Bucarest et Budapest ? Sergueï Chovrinsky, tout beau, tout nouveau, ils s'enlèvent, se marient, et c'est Paris et c'est les Panoramas et les Mutuelles du Mans et la retraite et ils sont vieux, et non, ils ne connaissent pas bien les Sardreux. Des gens discrets, plus jeunes qu'eux. Elle était un peu fière, à peine bonjour dans les escaliers. Lui plus gentil mais pas dix paroles en dix ans. Où ils sont ? A la campagne, c'est toujours ainsi, lorsque les gens deviennent vieux ils partent à la campagne. Ils ont l'impression que ça les rajeunit. Idiot ! Rien n'est meilleur que la ville, bruits et couleurs, vacarmes et fracas, musique donc, tandis qu'à la campagne ! Labours et gadoues. En plus les Sardreux n'étaient pas très âgés, soixante ans peut-être... Même pas... Quelle campagne ? Ah ! nous savoir pas.

— Si, coupe Sergueï. Eux laisser adresse pour suivre courrier.

— Très vrai, mais où nous mettre ?

Branle-bas de combat, course dans les pièces, je tente d'expliquer que c'est parce que j'ai retrouvé dans meuble paquet personnel, voudrais rendre à eux, impossible sans adresse ; oui, oui, ils comprennent... Eh bien non, pas retrouvé, dommage ! tant pis ! au revoir monsieur, monsieur comment ? Berthold ! Et vous faites quoi ? Des livres ! Ah ! merveilleux les livres, que ferait-on sans livres ! Cri de Sergueï. — Ah ! voilà ! Sergueï a trouvé, c'est toujours Sergueï qui trouve, Sergueï trouve toujours tout, en 39 il a retrouvé violon perdu dans métro, c'est dire... Voilà ! voilà ! c'est ça, je savais que c'était quelque part : Monsieur et Madame Sardreux, 6, parc des Roses à Trouville... C'est au bord de la mer ça Trouville, magnifique la mer, nous avons aimé la mer, on se baignait à Odessa, à Biarritz, partout... Allez, au revoir cette fois, vous ne finissez pas votre verre?... A bientôt, on se reverra, ferme bien à clef Serguéï...

Je me retrouve sur le palier sonné comme un boxeur, la bouche comme une poissonnerie sucrée...

Trouville? Est-ce que c'est lui? Un monsieur discret dont ils ne savent rien... Est-ce lui que tu as aimé? Est-ce lui à qui tu as écrit?

Il est 2 heures de l'après-midi. J'en ai assez du commissaire de Popincourt, je le retrouverai demain.

Commençons par la chambre. Sous le lit d'abord.

Je me glisse. Françoise heureusement a fait le ménage. Ma main frôle les montants de bois. Rien.

— Le sommier à présent. Pas de couture dans les matelas.

Table de nuit. Tiroirs vides. La niche du bas devait contenir un pot de chambre. Rien derrière, rien sous le marbre, rien dans la lampe, rien ne sonne creux. Qu'est-ce que je fous là à chercher des lettres dont je ne sais même pas si elles existent? Peut-être ne lui a-t-elle écrit que quatre fois... Une aventure qui n'a pas abouti, ils ont rompu, le petit monsieur laconique n'avait pas l'air fait pour les amours compliquées... et tracassières. Rien sous le tapis. Nous passons au salon.

Buffet d'abord. Je suis allé prendre l'escabeau pour inspecter le dessus du meuble. A cet endroit le ménage n'avait pas été fait, il devait y avoir un bon demi-siècle de poussière grasse, des mouches mortes, trois mégots... Qui avait bien pu les expédier dans ces hauteurs?

Dernier rang d'étagères. Je n'ai pas encore installé la vaisselle, je peux donc passer la tête à l'intérieur. Ça m'a permis de me fracasser le crâne quand la sonnette a retenti. Je suis descendu et j'ai ouvert.

Il y avait un type sur le seuil, un grand à catogan, le genre de type qui doit se dandiner dans les concerts de plein air. Devant lui il avait une petite table Empire à pied

215

central. Il avait ficelé le tiroir avec le plateau pour éviter les chutes.

— Monsieur André Berthold ?

— C'est moi.

— C'est pour la table.

Difficile de ne pas s'en douter. Un gros malin.

— Le placage était décollé et j'ai renforcé les côtés parce que le bois était bouffé par les termites.

— Entrez ! on verra ça à l'intérieur.

Une jolie table. Il avait l'air de s'y connaître, il m'a parlé de bulbes en citronnier, de nervures, de cannelures et de griffes de lion. Je n'aurais jamais cru qu'un si petit meuble pouvait contenir tant de choses...

— Elle est d'époque, hein, pas de doute, ça se voit à l'œil nu, mais quand on la désosse, c'est encore plus net...

Je lui ai offert un café et on a bavardé un peu. Il avait du mal à me présenter sa note. L'habitude viendrait. Ce n'était d'ailleurs pas cher et je l'ai payé en liquide, j'ai compris qu'il préférait. Je l'ai assuré que si j'avais des problèmes avec d'autres meubles je lui ferais signe, et je l'ai raccompagné à la porte. Sur le palier il a fouillé dans son blouson et m'a tendu un paquet cylindrique, un rouleau cerclé de ruban de pâtissier.

— Au fait, j'ai trouvé ça dans le pied en dévissant, comme c'était dans la table, ça vous appartient.

— Merci.

C'est lui qui a refermé la porte.

Je suis allé m'asseoir doucement. Les nœuds étaient serrés. On avait comprimé les feuilles pour pouvoir les faire glisser dans l'axe. J'ai ouvert et j'ai lu les premières lignes.

« Il pleut des cordes d'hiver, mon amour, ça ne ressemble même pas à de l'orage et ça n'a rien à voir avec juillet. Si tu étais là, ça n'arriverait pas... »

216

J'ai eu comme une montée de larmes tandis qu'une paix me venait soudain comme je n'en avais jamais éprouvée : elle était revenue.

Welcome, M.

IV.

« *I*L *fait si pluvieux cet été... Depuis les marronniers des Champs-Elysées jusqu'aux calcaires de l'Estaque, tout ruisselle. Je ne sais encore comment tout cela finira, qui va souffrir ? Qui va plonger dans les solitudes ? Nous deux sans doute, c'est la vieille loi...*

Fête dans mon quartier. Les orchestres seront mouillés, un froid me vient du fond des neurones, mon éternelle peur des amours lourdes...

Demain le cocktail de l'année. Il va falloir y aller avec les congénères, tout le zoo sera là. Nous nous chercherons dans les populaces, au-dessus des verres vides et des soucoupes ravagées... Ce sont les saisons des amours cacahuètes, des couples se forment, des flirts mondains. Je voudrais tant avoir cette aisance, refiler aux choses cette importance pelliculaire, être une touriste de plumard... J'ai peur de me surprendre et de craquer, de tout casser, de tout balancer pour toujours et j'en claque mes ultimes artérioles...

Je pars pour ce mois, je le voudrais réparateur alors qu'il ne sera qu'attente... Nous nous reverrons en août, c'est sûr, mais d'ici là...

Les pluies toujours, lancinantes comme dans un vieux polar loupé des années 30, quand tout se noie et que les gouttières se répandent sur les cols des vieux impers des privés fatigués... Mais je ne te lâche pas, surtout pas ! Il ferait beau voir ! Tu es dans ma vie comme le vent sur la lande, comme un cheveu sur ma soupe, saugrenu et nécessaire, aussi vital qu'embarrassant... Bref, tu me saccages les sérénités mais n'aie pas de remords, il n'est plus de sérénité sans toi... Tu dois dormir à cette heure, continue, je ne veux pas que mon baiser te réveille.

M. »

Les nouvelles lettres. Toujours non datées.

J'ai décidé de n'en lire qu'une par jour, comme si je les recevais... Je vais me fabriquer de lancinantes petites attentes...

En tout cas je n'apprends rien de plus. Elle est partie un mois. Elle ne dit pas où. Un cocktail comme il y en a deux mille chaque soir à Paris, ce n'est pas une indication qui m'avance. Ça me fait penser que demain soir j'en ai un. Dumarin y tient beaucoup. Question de standing. Nous avons chacun notre zoo, M.

Je n'ai pas fait de graphologie. Qu'est-ce que ça m'apprendrait ? J'ai l'impression, malgré le chagrin qui te submerge parfois, que tu sais donner le coup de reins qui te remonte en surface...

Peu de sexe dans tout cela, à se demander si elle fut vraiment sa maîtresse, si l'amour n'avait pas dévoré toute la place...

J'ai tenté de retourner à mon commissaire et aux délices enjouées de sa première arrestation, mais je n'avais pas la tête à ça. Il est là et son sourire amusé me désarme : qu'est-ce que tu fais là, petit bonhomme, à raconter les histoires des autres ? Tu as donc si peur de raconter la tienne ?

— Je n'en ai pas, monsieur, c'est tout simple, je suis un type sans histoire, je regarde les gens, les crépuscules, la télé, les années passent et rien ne m'arrive.

Attention, mon petit André, c'est la première fois que tu parles tout seul. Signe certain de gâtisme ou de dérangement mental.

Et puis « rien ne m'arrive », c'est vite dit, tu viens de

m'arriver toi, et c'est ce qui m'advient de plus fort... De quoi en faire un roman de gare ; je vois la couverture : un monsieur songeur et, en surimpression, un visage de femme très flou. Titre : *Lettres d'une inconnue*. Dumarin serait capable de bondir là-dessus.

Re-sonnerie. C'est une journée exceptionnelle : deux visites.

Paule est sur le palier.

Ma fille me surprend toujours : elle sait faire très bien tout ce que je ne sais pas : s'habiller, entre autres. Elle a une prédilection pour des vêtements spectaculaires qui la rendent affriolante.

— Je ne me ferai jamais à ton gourbi.

Son rouge à lèvres sent la framboise. C'est vrai que nous devons manger ensemble ce soir, et ce soir c'est maintenant. J'avais oublié l'heure et ma fille.

Elle tournicote autour du bureau, louche sur les feuilles.

— Qu'est-ce que tu nous ponds de beau ? Tu n'as pas bonne mine.

Spécialité maison. Elle fait suivre une question d'une constatation qui n'a rien à voir avec, ce qui vous dispense de répondre. Exemple : « Quelle heure est-il ? J'ai trouvé un nouveau job. » Si vous dites 20 h 30, vous avez l'air de ne pas vous intéresser à elle et elle le fait en général remarquer.

— Comment va Sébastien ?

Elle cohabite plus ou moins avec ce bon moustachu depuis plusieurs années, une sorte de lémurien massif à la voix flûtée.

— Il me pompe l'air.

Ils s'aiment donc toujours. L'essentiel est de traduire. Il existe un code Paule.

— Le boulot ?

— Lassant, mais j'ai l'occasion de changer.

J'ai cru longtemps au dicton : « Mille métiers, mille

misères. » Je le crois encore exact, sauf pour Paule. Elle change sans arrêt, et dans les débuts j'ai tenté de lui faire accepter plusieurs chèques pour l'aider financièrement lorsque quelques remarques anodines m'ont permis de m'apercevoir qu'elle gagnait des sommes supérieures aux miennes pour des travaux de moi inconnus. Elle passe deux mois dans une galerie, vend quatre tableaux et empile des bank-notes... Dans une agence de pub elle flanque la pagaille et en ressort pleine aux as après avoir trouvé le slogan pour un yaourt au kiwi ou pour des collants fumés. Son sens aigu des affaires me remplit d'admiration et je ne l'ai jamais vue acheter le moindre paquet de cigarettes ni régler la moindre addition sans faire passer le tout en note de frais. Quant aux impôts, le percepteur doit s'estimer heureux de ne pas avoir à lui verser de l'argent.

Nous sommes descendus manger dans le restaurant du passage. Je commence à y avoir mes habitudes et le serveur à forte charpente osseuse me gratifie à présent d'un quart de sourire en souvenir de mes pourboires.

— Prends le chèvre en salade, tu l'aimes et il est bon.

Elle me regarde, surprise :

— Tu te souviens de ça ?

Elle est toujours étonnée que je connaisse certains de ses goûts. Il est vrai que je les ai ignorés fort longtemps. « Paule a été élevée par sa mère », comme ne manquait pas de le répéter six fois par jour mon ex-belle-mère. Je l'ai trimbalée aux jardins zoologiques pendant les dimanches d'été de son enfance, au cinéma pendant les dimanches d'hiver jusqu'à ce que, ayant épuisé tous les animaux de la capitale et tous les Walt Disney, elle me fasse comprendre qu'elle avait douze ans, qu'elle faisait désormais partie de l'équipe de basket du lycée, qu'elle n'avait pas grand-chose à me dire et moi non plus, et que le téléphone était un excellent moyen de prendre des nouvelles. Nous nous sommes revus, elle avait vingt ans et tenait la caisse du rayon Bricolage du Bazar de l'Hôtel de Ville. J'étais venu acheter des crochets X pour suspendre deux toiles dont Darba m'avait fait cadeau et je lui ai tendu mon acquisition.

Elle a pianoté sur sa machine et m'a dit :

— Ça va ? C'est 12 francs 40.

On n'a jamais fait mieux dans le genre retrouvailles dépouillées. Depuis, il y a entre nous un nombre assez incalculable de restaurants et Sébastien m'a été présenté. Nous avons accroché tout de suite, nous étant découvert la même panique des femmes et un identique amour pour le parmesan râpé.

— Et Françoise ?

Paule connaît Françoise, elles ont gloussé pas mal ensemble durant ces dernières années et avaient poussé l'intimité jusqu'à s'échanger leur maillot de bain lors d'un week-end au Touquet.

— Terminé.

— Allons bon !

Paule n'est pas une consolante née. Je sais qu'elle ne me posera pas de questions, si c'est terminé c'est terminé, pas de quoi en faire des tartines de rillettes — j'ai toujours pensé que la vie était plus simple pour ma fille que pour moi, c'est peut-être le résultat de l'absence d'éducation que je lui ai donnée.

— Il y en a une autre ?

Voici qu'elle s'intéresse à ma vie sentimentale. Cette enfant vieillit.

Et là je ne sais pas ce qui m'a pris... Une envie imbécile de partager quelque chose de précieux, de si riche qu'il ne m'était plus possible de le garder entièrement pour moi.

— Oui, il y en a une autre.

Jamais je ne me serais cru si intensément stupide. M. est là soudain, je lui ai presque déjà donné un visage, une silhouette... Elle est à ma droite, je peux presque entendre son rire et sa pensée.

« Tu es dans ma vie comme le vent sur la lande, comme un cheveu sur ma soupe, saugrenu et nécessaire... »

— Qui c'est?
— C'est une drôle d'histoire.

Elle a suspendu le fil de son couteau sur son entrecôte. Paule est pour les nourritures terrestres saignantes et consistantes.

— Merci du renseignement, si tu ne veux pas parler tu la fermes, c'est pas compliqué.

Je comprends pourquoi elle s'entendait si bien avec Françoise, elles ont la même netteté, la même dureté... Les femmes sont herculéennes, elles frappent à tour de bras et moi je vole, de massue en massue.

— Je ne refuse pas de t'en parler, je te dis simplement que c'est compliqué, voilà tout, ne fais pas ta tête de mule.

Elle vient d'avoir le même visage que lorsqu'elle avait six ans, à la sortie du cinéma, que c'était février et qu'elle n'avait pas aimé le film parce qu'il finissait bien.

Voilà! j'en ai trop dit à présent et il faut que je continue de m'enfoncer.

— En fait, on peut résumer la situation comme suit : c'est une femme dont j'ignore le nom, que je n'ai jamais vue, qui est peut-être morte et, pour parfaire le tout, je ne sais pas où elle est.

Elle tique, louche sur mon verre de rouge et résiste visiblement à la tentation de me tâter le front.

— Parfait, dit-elle, je vois que tu as fini par te trouver la créature idéale. Continuez comme ça tous les deux et vous risquez de vivre un amour éternel.

— Je n'ai que des lettres. Elles ne me sont évidemment pas adressées.

— Cette bonne blague! Ce serait d'une écœurante banalité.

Je lui ai raconté l'histoire en détail. Elle a pioché dans mes frites personnelles après avoir fini les siennes, et a fait « Mm » trois fois en me regardant d'un œil suspicieux.

Lorsque j'eus achevé le récit de mes exploits, le garçon est arrivé et nous avons commandé chacun une tarte aux fraises. Je la lui ai conseillée car elles sont énormes et Paule ne badine pas avec la quantité.

Les clients étaient nombreux à présent. En me penchant, je pouvais distinguer dans le jeu des lumières le contour de la fenêtre au-dessus de moi.

— Qu'est-ce que tu vas faire?

— Aller à Trouville, je saurai trouver un moyen de savoir si le type qui habitait là avant était bien le destinataire.

Elle a allumé une Stuyvesant. A une époque elle en fumait trois paquets par jour. Elle prétendait que le tabac la préservait des rhumes et que, statistiquement, un fumeur est moins grippé qu'un non-fumeur.

— Tu plaisantes! Ce type est marié, tu vas arriver avec ton paquet de lettres d'amour, il ne te dira rien, c'est-à-dire n'importe quoi, il a dû oublier tout ça... Il s'est rabiboché avec sa bonne femme, il ne doit pas avoir envie qu'on lui rappelle le passé...

— C'est un risque à courir.

Elle tire sur la cigarette, le voisin à la table de droite a l'œil réprobateur des grands hygiénistes et hume la fumée comme s'il s'agissait du nuage de Tchernobyl.

— Folie, ton truc, folie totale. Tu me dis que ce bonhomme a soixante ans. Elle doit, en gros, avoir le même âge que lui...

— Je ne crois pas.

— Tu n'en es pas sûr. Elle était peut-être plus âgée et si elle en a soixante-dix, ça va te poser des problèmes.

— Je verrai bien.

Je sens M. jeune, tout cela s'est passé récemment, leurs voyages, le cocktail, mais c'est plus dans sa façon d'écrire que dans ce qu'elle raconte. Elle est jeune. Enfin pas vieille, je le sais, voilà, c'est comme ça.

— Tu vas donc à Trouville?

— Dimanche.

Sifflotement.

— Si tu avais toujours été aussi décidé pour les autres choses de la vie, tu ne serais peut-être pas là où tu en es.

Elle m'emmerde, là.

— Où j'en suis? Je gagne plein de pognon, je suis libre, je peux partir aux Bahamas, rester, prendre un an de repos, je suis indépendant, je vis à Paris, j'ai des amis, je ne dépends de personne, voilà où j'en suis, c'est pas si mal!

Paule sourit. Cela m'a arrêté, j'ai cru un instant qu'elle allait poser sa main sur mon bras. Ne rêvons pas.

— Ce n'est pas ce que je voulais dire.

— Qu'est-ce que tu voulais dire?

Ma voix vibre mal lorsque je pose une question dont je ne voudrais pas entendre la réponse.

— Je voulais dire que tu es seul, papa, que tu t'es enfermé toi-même dans une grotte toute sombre et que tu cours après une femme que tu n'as jamais vue.

On peut voir ça comme ça, elle a peut-être, sans doute, raison, mais c'est moi et je ne suis pas fait autrement.

— Un café?

— Non, prends-en un, toi.

Je commande. J'ai du courrier ce soir, un vieux facteur a déposé une lettre... Je ne voulais commencer la lecture que demain mais j'ai déjà trop d'impatience. Je voudrais y être déjà.

Pourquoi est-ce que je bois du café? Je n'ai jamais aimé cette amertume, la nuit me coule dans la gorge.

— A bientôt, Paule, tu salues Sébastien.

Je suis parti trop vite, je l'ai sentie inquiète de ce départ trop rapide, elle ne peut pas savoir que j'ai rendez-vous. Tout est clos à présent... chaussures ôtées... Canapé... Les feuilles bougent sous mes doigts. Viens, M., c'est notre rencontre... Viens me parler. Viens me dire des mots qui ne sont pas pour moi...

« *Or donc je rentre de l'Opéra. Un ténor court sur pattes et au chevrotement expressif nous a inondés de contre-ut italiens. C'était magnifiquement grandiloquent, et tu m'as beaucoup manqué. Je suis consciente que ceci n'est pas une grande nouvelle mais permets-moi de te le dire, tu m'as beaucoup manqué. Je dois t'avouer que j'y suis allée de ma larme lorsqu'il meurt sur la terrasse du château Saint-Ange. Tu imagines dans quel état j'étais lorsque la belle Tosca se jette à son tour dans le vide. Comme le méchant avait été tué la scène d'avant et qu'il ne restait plus personne, j'ai compris que c'était fini, d'ailleurs tout le monde s'est levé pour partir. Hélène a voulu boire un verre après, mais j'ai préféré rentrer pour t'écrire, elle m'a fait jurer de l'accompagner à nouveau, il me sera, la connaissant, difficile d'y échapper. J'ai aimé la journée d'hier... Sapristoche ! Plus de quatre heures ensemble ! Vous ne m'aviez pas, Monseigneur, habituée à tant de magnificence. Merci de m'avoir trouvée belle, ce doit être une simple question d'éclairage et de maquillage, mais ça fait toujours plaisir à entendre... Je ne m'étendrai pas sur le compte rendu de la journée, je voudrais te dire simplement que si je te loupe, j'aurai tout loupé. Bête comme chou ! Tu es un vieux croûton insupportable mais ça tombe mal pour toi, j'aime les vieux croûtons insupportables, je n'aime même que ça et, parmi tous les croûtons insupportables il en est un que je préfère entre tous, et tu as de la malchance, c'est toi.*

Il est tard et déjà le café va fermer, comme dit la chanson. Ne sois pas triste, j'attendrai le temps qu'il faudra, je serai là quand tu le voudras, dans l'ombre ou dans la lumière, je t'apporterai tes pantoufles, tes tisanes, de la fleur d'oranger si tu le désires, je m'habillerai en Espagnole, en gonzesse, en camionneur, j'achèterai des peignoirs à froufrous, transparences et plumes d'autruche, toutes les panoplies ou aucune, c'est-y pas de l'amour ça, mon bon monsieur? Allez un p'tit sourire siou-plaît pendant que je t'embrasse à coupe-souffle, toute une sarabande de bisous comme tu n'en as même jamais rêvé... Viens, reste encore, tout près, regarde-moi et ne me dis pas que ceci n'est pas une histoire d'amour.

M. »

Ils se voyaient très peu.

Une chose aussi apparaît dans cette lettre comme dans les autres : elle est la seule à écrire... C'est une possibilité... En général, une lettre est une réponse à une autre : « Tu me dis que... », « Je vois que tu ne t'ennuies pas... », « Ta lettre m'a amusée... » Jamais elle ne demande quelque chose, comme si elle savait qu'il n'y a pas, qu'il n'y aura jamais de réponse... Tout se passe comme si elle parlait seule... Et rien, jamais, qui date ce courrier... Cela doit faire un siècle que l'on joue *La Tosca* à l'Opéra... Et puis autre chose m'intrigue : elle ne le nomme jamais.

Pourquoi? Etait-ce un arrangement entre eux? Une précaution qu'ils avaient décidée au cas où ces feuilles seraient découvertes? Peu probable, mais il y a là quelque chose d'étrange tout de même. Une jeune amoureuse aime à répéter le nom de l'heureux élu... « Je t'aime, Marcel », « Mon Adhémar chéri »... Là jamais...

Il existe à peine, ce monsieur, pas de nom, pas de réponse... un marasme simplement, une pesanteur, on le sent presque récalcitrant... Plus âgé qu'elle : « vieux croûton ». Très bonne chose pour moi, ça, « vieux croûton ». Non pas que je n'en sois pas un moi-même, mais ça fait plaisir de savoir qu'il en était un aussi...

Et puis pourquoi ce « M. »? Elle avait tellement peur

d'user de l'encre qu'elle se contentait de l'initiale ? Cela non plus n'est pas clair...

Et si ces lettres avaient été dérobées ? Si ça n'avait rien à voir avec les Sardreux ? Si le père Sardreux avait fauché ces pages ? Si elles avaient appartenu à quelqu'un d'important ? Je ne sais pas, moi, un ministre, une célébrité quelconque... D'où tout ce mystère... De toute façon, dimanche, direction Trouville... Il reste deux lettres. Peut-être contiennent-elles la clef de tout, dans l'une d'elles je vais avoir tous les éclaircissements escomptés... Je devrais... Non, je tiendrai bon, demain... demain seulement, lorsque la nuit sera venue... Dors, M.

A travers la verrière la nuit est verte.

Cocktail caniculaire. L'hiver ce genre d'exercice permet de se réchauffer mais par trente degrés à l'ombre ça tient du masochisme. Pourtant tous sont là. Le genre d'événement à ne surtout pas manquer : petits fours gluants et canapés fugueurs. Je me suis rabattu d'entrée sur le whisky. L'artistique tête de piaf de Dumarin surnage du lot, des femmes tanguent en robes échancrées... Je viens d'apprendre qu'il serait question d'un film tiré de la vie du général de La Meynerie. Le problème est qu'il voudrait jouer son propre rôle et que le producteur intéressé pense à Depardieu. Dumarin sprinte vers moi, champagne à la main.

— Ce con est capable de nous faire rater le coup. Il veut fourrer son nez dans le scénario.

— C'est son droit.

Dumarin me fixe, hébété. C'est peut-être le whisky, mais je le supporte de moins en moins. J'insiste :

— C'est son droit puisque c'est sa vie.

— Ne déconne pas, dit Dumarin, j'ai demandé une brique lourde de droits, je ne veux pas la louper.

— Tu ne la louperas pas, je te connais.

— Tu sais ce que je vais faire ?

228

— Non, mais toi tu le sais.

— Je vais te proposer pour le scénario, La Meynerie t'aime bien, il me l'a dit, il a l'impression que tu ne l'as pas trahi et...

— Il a cette impression parce que le bouquin a marché, s'il en avait vendu 2 000 il aurait crié à l'assassinat.

Je repique au whisky. Si j'arrive à en boire suffisamment, M. va bien finir par surgir à un moment quelconque. Je la reconnaîtrai. Une femme qui dit « Je rêve de me taper avec toi pendant que le jour tombe une chouette plâtrée de pâtes au pistou et de regarder rire tes yeux » se repère au premier coup d'œil. Des yeux bleus, en plus, j'ai plus d'indices qu'il ne m'en faut.

— Tu accepterais de le faire ? Je sais que tu as déjà fait des scénarios. Le cinéma paie bien. Si le vieux Ratapoil est d'accord, je t'aurai un à-valoir conséquent, sans parler de la participation aux bénéfices, les producteurs ont l'air de vouloir mettre le paquet.

Bien sûr, bien sûr ! Tous veulent mettre le paquet, la belle affaire !

M. n'est toujours pas là, en revanche Françoise y est. Je l'ai aperçue avec un type en costume tweed, il doit être spécial pour ne pas se liquéfier là-dessous.

Je largue Dumarin. J'en ai marre.

— Appelle-moi demain. Je vais réfléchir.

Ça bouchonne vers le bar mais j'ai l'habitude, en trois excuses et deux reptations je suis sur le Jack Daniel's.

— Whisky, s'il vous plaît. Et inclinez carrément la bouteille, la température monte.

Le garçon sourit et verse. On me tape sur l'épaule.

— Tu ne te laisses pas mourir de soif...

Françoise. Elle a toujours été là au moment où j'étais en situation ridicule. Chaque fois que je me suis mis le doigt dans le nez, elle a surgi. Quand je suis rentré dans le garage sans ouvrir la porte, elle était là, le soir de chez

Maxim's où j'avais oublié mon portefeuille, j'étais avec elle. Heureusement d'ailleurs, qui aurait payé ?

Elle me présente l'homme au tweed. Beau gosse à moustache, un soupçon d'estomac mais beau gosse. Dents d'émail, pas une carie. Ça me fait penser qu'il faut que je prenne rendez-vous pour ma molaire du fond.

— André Masay travaille à la télévision.

— Noble tâche !

Cela me rappelle que, pour elle, la télévision s'appelait Eglantine. « Tu veux pas brancher Eglantine sur la 2 ? »

Masay a la poigne massive. J'espère qu'il baise aussi bien qu'il serre les mains.

— André Berthold écrit des livres.

Battements de paupières, il doit désespérément tenter de trouver le titre de l'un de mes bouquins.

— Ne cherchez pas, je suis nègre, nègre officiel. J'ai plus écrit de volumes que tous ces braves gens réunis.

Il hoche la tête.

— Intéressant. Je trouve ça très intéressant. Et vous n'avez jamais rien signé de votre nom ?

— Risque pas.

— Curieux, dit Masay, vraiment curieux.

Il me regarde comme une nouvelle espèce de cloporte. Un entomologiste découvrant une larve méconnue. C'est lui la larve méconnue, si ce type était vraiment humain il nagerait dans sa propre sueur.

— Vous n'avez pas trop chaud avec ça ?

Je tâte le tweed d'un geste de marchand de tissus en gros.

— Tu devrais moins boire, dit Françoise.

Je la regarde. Robe noire que je n'avais pas vue encore, et deux boucles d'oreilles argentées en forme de poubelles. Comment ai-je pu aimer cette petite dame anodine ? Est-ce que je l'ai aimée ? Je ne me suis jamais vraiment posé la question et, si je ne me la suis pas posée, c'est que ça ne m'intéressait pas tellement d'avoir la réponse.

J'aime M., c'est tout.

— Quel jour sommes-nous?

— Le 17, dit Masay.

Brave mec; toujours prêt à rendre service. Je lui demande le jour et il dit le 17. Ça ne m'étonne pas que ça déconne tant à la télévision, c'est grâce à des types comme lui qu'on a droit tous les soirs à des rediffusions.

— Je m'en fous qu'on soit le 17, je veux savoir le jour.

— Vendredi, intervient Françoise, et ne sois pas agressif.

— Je ne suis pas agressif, dis-je, je demande simplement le jour et ce con me donne la date, je parie qu'il l'a fait exprès.

Masay lève les deux mains.

— On se reverra en d'autres occasions, dit-il, passez une bonne soirée.

— C'est ça et surtout n'oubliez pas de garder votre costume pour dormir.

Coup de pétard dans l'œil de Françoise qui entraîne le moustachu. Vague mal au cœur mêlé à une intense chaleur stomacale, ce double signe est révélateur, j'ai très légèrement forcé sur la boisson. Et le problème est que, lorsque j'ai forcé sur la boisson, ça me donne soif. La vie est mal faite. M. n'est pas là.

Départ demain matin. Si j'emmenais Darba? A la mer pour la première fois de sa vie? En s'y prenant avec précaution, on doit pouvoir arriver à ne pas voir de bateaux... Je vais l'appeler dès que je serai de retour à la maison. L'ennui, c'est qu'il va falloir que je lui raconte l'histoire... ça m'étonnerait qu'il comprenne... Oui, c'est décidé, j'emmène Darba.

Dans un reflet de porte-fenêtre, j'ai entrevu Dumarin toutes voiles déployées qui fonçait vers moi... J'ai eu ma

231

dose ce soir... Je me suis fondu dans un groupe et en marche serpentine j'ai gagné la porte, j'ai pris l'escalier un peu plus rapidement que prévu et j'ai passé les trois dernières marches sans lever les talons, ce qui m'a retenti cruellement dans les cervicales. Ouf! Presque nuit dehors, je vais marcher un peu... Prends mon bras, petite, je te ferai oublier la tristesse du temps perdu, les soirées vides, j'ai envie de remonter vers le nord de la ville dont tu me parlais dans ta première lettre et d'y retrouver la douceur triste de tes pas...

V.

Je n'aime la mer que l'hiver et au soleil. Ça doit me venir des publicités pour pull-overs ou aliments énergétiques où l'on voit un couple couvert de lainages souples courir au ralenti sur des plages infinies. Ils ont en général avec eux un chien gambadeur et se jettent dans les bras l'un de l'autre avec un emportement sportif. Rires éclatants, ondoiements de chevelures, le tout pétant de santé et de belle jeunesse. On sent, en plus, qu'ils sont très riches, que leur villa est derrière la dune et que leurs nuits sont folles. Je me remets difficilement de ce genre de spectacle car je suis fondamentalement un envieux.

Aujourd'hui c'est l'été, il fait gris, et un pépé ventru, en bermuda, balade en longeant les vagues goudronneuses un caniche lambin. Il est 7 heures, Trouville dort encore, Darba aussi, et je piétine.

Petit déjeuner dans une salle déserte. Je termine sans plaisir un jus d'orange aigre-doux et un croissant bétonné. Par les baies c'est la mer et nous nous regardons, elle et moi, sans aménité aucune. Elle a grise mine et se retire en douce, écœurée, laissant de mornes plaques frappées de nuages inversés. J'aime les paysages horizontaux. Je suis servi.

Je n'étais pas le premier levé, des golfeurs sont descendus, pantalons à carreaux, sacs de grande marque et batteries de clubs. Ils se sont éloignés et, à cent mètres, ils ressemblaient à de vieux pêcheurs de crevettes partant pour la pêche du jour, comme si ce paysage avait imposé leur réel emploi à des acteurs qui se seraient trompés de film.

J'ai, le long de la route, expliqué à Darba la raison du voyage. Il a trouvé ça rigolo et, contrairement à mes craintes, il s'est passionné un peu... Ce côté enquête de flic doit lui plaire... Il a avalé hier soir une quantité d'huîtres assez considérable, arrosées de bourbon de trente ans d'âge. Les serveurs ont paru un tantinet écœurés, mais ils ont dû en voir d'autres.

M'y voilà donc. A toi de jouer Sherlock Holmes.

Hier soir, pris troisième lettre. Elle semblait faite pour être lue au bord de la mer, je me suis endormi la fenêtre ouverte et me suis aperçu au matin que j'avais gardé les feuilles dans ma main. Chacun sa façon de coucher avec les dames...

« J'ai ce soir des violons de série B plein la tête. Ce doit être l'Ariège. Même en plein été on sent qu'il y fait froid l'hiver. La cuisine est glaciale en cette saison, j'ai fait du feu hier soir, ma grand-mère a considéré cette flambée comme un caprice de Parisienne, c'était un peu ça, un fagot de sarments et deux bûches en croix. Je suis très forte pour allumer le feu. Elle n'a recours au chauffage que lorsque l'eau gèle sur la pierre de l'évier... Je me suis endormie au soleil dans le jardin et qui a le nez rouge ce soir ? Je l'ai enduit de pommade, ravie que tu ne puisses voir cela... Il y a des gosses dans la cour à côté, dont un tout petit, qui traîne son derrière dans les plants de carottes et avance par soubresauts en hurlant. Je suis devenue amoureuse de lui. Il nous en faut un tout pareil, absolument. Décidément je n'échapperai à rien avec toi : voici maintenant une envie d'enfant... C'est vrai, après des années de bagarres féministes, je n'ai plus qu'un désir insensé de vieille maison et de petit marmot. Et toi qui arrives des champs affamé, je t'ai fait de la soupe aux choux que la cuillère tient debout dedans, et le

*jambon fumé pend des poutres. Je t'enlèverai tes sabots et tu me
prendras dans la paille de la grange en ahanant comme un
bûcheron asthmatique. La Mémé m'a demandé sévèrement si
j'allais finir par me marier un de ces jours, je lui ai dit — délicat
euphémisme — que j'y pensais sérieusement. Elle te plairait je
crois. Elle ressemble à ma première rédaction : Décrivez votre
grand-mère... Je crois qu'elle a toujours le même tablier qu'à
l'époque de ma communale.*

*Je suis malheureuse parfois, heureuse de temps en temps, cela
dépend de l'espoir, s'il vient ou s'éloigne... Un drôle d'oiseau
l'espoir, il ne tient pas en place.*

*Viens mon beau péquenot, enfonçons-nous sous les rouges
édredons, le vent venait ce soir des montagnes, mais touche-moi,
embrasse-moi et constate : c'est pas glacé du tout.*

M. »

Ce n'est pas glacé du tout. Jamais tu n'as dû être
glacée, même au fond d'une déroute, quelle force, M.,
quel sourire et quelle vie en toi... Peut-être ton bel amour
n'a-t-il pas tenu la route, emporté par ta vague trop
violente... Nous partirons tout à l'heure, dès que le grand
peintre sera réveillé.

J'ai retrouvé Darba en train de gesticuler lentement.
C'est la gymnastique chinoise, revue et corrigée en
fonction de sa propre conception du corps. Comme il se
plaît à le dire :

— L'Occident symétrise les mouvements, plus exactement il les simultanéise, c'est une erreur car ainsi il
chasse l'esthétique, or qui se sent beau est fort.

— Tu te sens beau ?

— J'y arriverai un jour.

— Essaie un bon taxidermiste...

Il arbore un tee-shirt ridicule, un vieux modèle collant
des années 50, 100 % nylon, luisant comme un marron

d'Inde. Il se frotte les mains et les plis de son ventre tremblotent.

— En avant! les fins limiers s'élancent sur les traces du mystère. On y va ce matin?

Pourquoi pas?

Le trac.

Peut-être pleuvra-t-il. Ils ont annoncé des averses à la radio. Le ciel est plein de ventres lourds qui, au loin, se violacent, toiles tendues d'eau qui tout à l'heure vont craquer. Je suis venu quelquefois ici, il y avait toujours une brume, des tulles successifs pendaient jusqu'à l'horizon... Le ciel mouillé laissait tomber une poussière de gouttes et la mer naissait de cette pluie incessante et invisible, le sable tournait en moutarde et les mouettes fuyaient vers les falaises. Le paysage cesse pour devenir un marasme, il faut alors retrouver le sens de la vie, être amoureux fou ou plonger dans les alcools de fort calibre.

Nous avons roulé en suivant la côte... Les gens marchaient vite, ils devaient sentir une menace... Il m'a semblé malgré le bruit du moteur entendre le grondement à l'horizon d'une antique machine de guerre, des roues pleines, géantes qui cahotaient.

Quelque chose a eu lieu hier soir sur la terrasse, je ne l'avais jamais ressenti aussi fortement : ces heures sans elle ne reviendraient pas, les bougies brûlaient sur les tables et les mouettes s'enfonçaient dans le ciel de la nuit, l'air sentait le sel, c'était un moment à vivre à deux, où tout était perdu. J'avais à mon côté un balourd de copain et je n'ai pas eu envie d'être vivant pour lui, le temps ne servait plus, ces heures étaient manquées, je dépensais le capital, brûlant les minutes, je les ai vues se carboniser derrière moi, petites branches mortes et fumantes sans parfum... Un peu de fumée grise, un incendie étriqué qui ne laissait qu'une friche de souvenirs, une tisane amère, c'était le goût de mon abordage dans le morne pays des terres inutiles...

Je donne à M. de plus en plus un visage, un sourire et un regard, elle est parfois près de moi comme une chose forte et douce, sa taille est sous mes doigts, entre sa peau et la mienne, juste la glace moirée d'un tissu, peut-être n'ai-je jamais eu de sensation aussi exactement précise... Un parfum de savon lorsque ses cheveux me frôlent, hier pour ce dîner imbécilement prétentieux, je savais comment elle était habillée, j'ai deviné tes gestes dans la nuit, les reflets des bougies sur la soie du corsage, la brillance du bonheur dans l'émail de tes dents...

Je débloque. A fond. Ce doit être un type de folie, frottez-vous les mains, psychiatres, un beau cas de dinguerie géante... Fréquent sans doute et banal même, fabrication d'une créature idéale, entièrement bâtie avec la chaux et le sable des désirs et fantasmes. Construisez vous-même votre femme idéale, chair, os, tendresse, modelez le tout à votre façon, l'essayer c'est l'adopter, modèles livrés en plusieurs tailles... Tiens, c'est vrai, la taille... M. est grande, un peu moins que moi disons, 1,70 m et n'en parlons plus... jambes longues, dos plat, vas-y, crétin, continue, fais-toi bien saigner l'âme, charcute, elle a existé, elle existe et tu la manques... Tu roules sous la pluie d'un week-end imbécile. Mais je ne pars pas de rien, je ne construis pas à vide, il y a ces lettres, elles sont elle... Refais surface, petit bonhomme, cette chasse n'est pas vaine, tu ne cours pas après un mirage.

— Regarde à gauche.

Une villa, haute sur pattes, avec balcon et clocheton comme au début d'un siècle architecturalement tarabiscoté, une partie s'est effondrée et les pierres taillées se sont mêlées aux cailloux de la falaise.

J'ai la carte sur les genoux, le reflet des nappes d'eau qui noient le pare-brise fait ondoyer les routes et les noms des villages... C'est par là... Il faut tourner entre les haies de fusains lourdes de pluie. La mer a disparu sous les tentures d'encre. Dans la lumière, tout a pris une couleur d'ecchymose. Les dieux frappent fort ces derniers temps, dieux-boxeurs.

Des villas encore, la plupart écroulées.

Darba braque et grommelle :

— On va s'embourber dans ce merdier.

Ce n'est pas possible que des humains vivent ici, ou alors avec des nageoires, pataugeant dans les ruines.

Des allées. Droit devant, un faux palace vénitien bouche la route. Les volets sont fermés et la grille rouille à vue d'œil... Au ras des escaliers un bassin déborde. Darba a coupé le contact. Les gouttes frappent la tôle, un tambour soyeux et continu.

— On va se faire péter le moral, dit Darba, les gens qui vivaient ici se sont suicidés à la tristesse... C'est plus efficace que la strychnine, tu ouvres la fenêtre, tu t'assois, tu regardes la pluie tomber pendant deux jours et le cœur s'arrête tout seul.

— Leurs cadavres y sont encore, dis-je, assis alignés en rang d'oignons. Demi-tour.

Darba enclenche la marche arrière, l'eau fuse sous les roues.

— J'aime les week-ends avec toi, tu as une sorte de don pour l'intense rigolade.

A présent nous avançons au hasard, il y a des plaques à demi cachées sous le feuillage : « Allée de l'Océan », « Les Troènes », « Les Dunes »...

Qu'est-il venu faire ici l'homme qui a su faire naître cet amour ? Oublier et mourir... le coin idéal pour se coller au diapason des chagrins. M. dans la tête, le front contre la vitre, et dehors les cataractes sur des plages interminables et les rouleaux des vagues... Ça m'étonnerait que je le retrouve vivant.

238

— On est déjà passés par ici.

Il a raison, nous avançons dans un labyrinthe mouillé... Les façades fondent derrière les fusains que personne ne taille plus...

— Arrête-toi.

Darba freine. Mon estomac remonte en ascenseur. Dans la trouée grise au bout de l'allée de gravier, un pan de mur s'élève masqué par la vigne vierge.

C'est là, je le sais... Une gouttière coule.

— Ne bouge pas, j'y vais...

Il fait presque froid dehors... Même le minium de la grille n'arrive pas à être orange, tout stagne dans un bain d'ardoise liquide.

La boîte aux lettres pend à un fil de fer : « M. et Mme Sardreux ».

C'est là.

Je regagne la voiture et prends le paquet dans la boîte à gants. Je l'ai achetée hier : une boîte à musique ancienne, chez un brocanteur de la rue Saint-Lazare.

— Tu attends dans la voiture ou tu m'accompagnes ?

— Démerde-toi. C'est toi le flic.

Il a déplié un journal.

Je remonte mon col... Mes semelles s'imbibent doucement. Jamais la pluie ne s'arrêtera. Je sonne.

Un homme approche.

Je sens que c'est lui.

Bon Dieu ! C'est lui, lui qu'elle a attendu, aimé. « *Je n'aime pas, mais alors pas du tout cette façon que tu as de ne pas dormir avec moi depuis quelque temps.* » Pourquoi n'es-tu pas parti, crétin, pauvre con, qu'est-ce qui t'a retenu ? Il est grand, les cheveux blancs à présent, la démarche comme autrefois les acteurs de western... Tu as dû être beau, crapule. Ces lèvres-là se sont écrasées sur les siennes.

— Vous désirez ?

La voix est cassée dans les finales...

239

— C'est moi qui ai acheté votre ancien appartement dans le passage, je m'appelle Berthold...

Des rides, je vois l'eau couler sur ses tempes... Une inquiétude... Il a oublié les lettres et depuis il ne vit plus, il n'a pas osé revenir les chercher.

— Quelque chose ne va pas ?

Elle est là soudain. Je ne l'avais pas vue approcher, masquée par la carrure de son mari et les branches des ronces.

Je n'ai pas eu le temps de répondre qu'il s'est tourné vers elle :

— M. Berthold a acheté l'appartement des Panoramas.

Elle sourit... Un visage doux, des yeux liquides, les cheveux semblent serrés dans une cornette invisible, elle excusera tout, toujours... Elle a dû savoir et lui a pardonné, c'est sans doute pour cela qu'il n'est pas parti.

— Entrez, ne restons pas sous la pluie, dit-elle.

Il se secoue, s'emmêle un peu dans les clefs, il a des mains solides au pouce écarté.

— J'espère qu'il n'existe aucun problème...

Elle est plus forte que lui, plus rapide.

— Absolument aucun. J'ai simplement trouvé dans le tiroir d'une commode un objet que vous avez dû oublier et auquel vous tenez peut-être ; comme je me trouvais dans la région j'ai tenu à vous le rapporter.

La grille grince, un paquet d'orties l'empêche de s'ouvrir entièrement.

Il n'a pas bronché... Pas un cil. Mais la lumière est faible. Je ne l'ai pas quitté des yeux. Je tends la boîte à Mme Sardreux. Le papier s'est gorgé d'eau et se déchire sous ses doigts. Nous marchons vers la maison. Il y a une véranda qui protège le perron, l'un des verres est cassé et l'eau coule le long du mur. Il n'a pas eu un coup d'œil vers la boîte. Il n'a pas peur mais peut-être est-il au-delà, elle a dû tout savoir et même si ces lettres resurgissaient il n'en naîtrait aucun drame... Une vieille histoire oubliée dont il ne reste plus rien.

— Ça par exemple !

Le vestibule sent la confiture trop sucrée. C'est sombre et encombré, une glace dessine nos trois silhouettes maladroites...Mon blouson goutte sur le parquet.

— Je vais vous salir...

— Cela n'a pas d'importance

Il y a une tristesse en lui, marquée au coin des lèvres.

— Regarde : la boîte à musique.

Elle a un sourire d'église. Ce doit être éprouvant de passer sa vie avec une sainte. Je sais à présent pourquoi il a aimé M., elle a dû lui apprendre le rire.

Il regarde, ne dit rien. Elle soulève le couvercle et la danseuse tourne dans le satin rose passé du tutu, des glaces minuscules multiplient son image doucement tournoyante... C'est un air que j'ai connu et dont j'ai oublié le nom, une musique essoufflée et pâlotte pour automate de quatre sous. Nous la regardons, immobile dans ce couloir sombre tandis que la mer crépite sur les galets au bout du jardin invisible. Comment peuvent-ils vivre ici ? Lui le vieux cow-boy lassé et cette femme angélique aux joues de cierge qu'aucune folie n'effleurera jamais.

— Elle était dans un tiroir. Il n'y avait d'ailleurs pas de clef.

Il ne m'a pas entendu, il continue à regarder la poupée qui ralentit dans l'égrènement languissant des notes poussives.

Tout s'est arrêté... L'eau seule à présent, la mer et la pluie mêlées.

Elle tient la boîte d'écaille dans sa main comme un prêtre le calice. Ses yeux ont l'infinie clarté des vierges florentines. Pureté et amour divin s'étendant à l'entière humanité.

— C'est vraiment trop gentil à vous de nous l'avoir

rapportée, dit-elle, j'y tenais beaucoup, je la croyais perdue dans le déménagement, c'est un vieux souvenir de famille.

Bravo, madame Sardreux ! Je dois dire que vous nous la jouez belle. Je ne m'attendais pas à cela. Je ne dois pas être un détective très futé. Deux cents kilomètres pour venir me faire piquer une antiquité qui m'a coûté les yeux de la tête et l'autre qui n'a toujours pas bronché.

— Venez prendre une liqueur et vous sécher un peu.

Elle tient à présent la boîte sur sa poitrine.

— Elle m'a paru fort ancienne et...

— C'est le cadeau de mon arrière-grand-mère maternelle.

Maternelle en plus. Si je poursuis le jeu, elle me dira qu'enfant elle a passé de longs dimanches de pluie à la regarder tourner et que, jusqu'à l'âge de quatorze ans et demi, elle a rêvé d'être ballerine...

Elle fait un pas vers la salle à manger, les volets sont fermés, on distingue les reflets des colonnettes en bois verni du buffet Henri II.

— Excusez-moi, je ne puis m'attarder... Un ami m'attend dans la voiture...

Elle sourit, diaphane.

— Je ne veux pas insister... Merci encore de vous être dérangé, vous ne pouvez pas savoir combien vous m'avez fait plaisir.

Vieille peau !

Il se dandine et entrebâille la porte derrière moi.

— Je vous accompagne à votre voiture.

Il a pris un parapluie suspendu au portemanteau. Une chance encore, je ne la laisserai pas échapper. Je tends rapidement la main à sainte Menteuse de l'Enfant-Jésus.

— Excusez-moi encore, je vous souhaite une excellente journée.

Il m'a suivi, me rattrape et me protège, l'averse

rebondit sur la toile noire et tendue. Il reste vingt mètres avant l'auto.

— Il y avait autre chose dans le tiroir.

— Ah bon ! quoi ?

— Des lettres.

Je le sais à présent. Ce n'est pas lui.

— Des lettres ? Quelles lettres ?

Je les sens dans ma poche intérieure. J'abats toutes les cartes.

— Je ne voulais pas en parler devant votre épouse, ce sont des lettres d'amour d'une femme, signées de la lettre M.

— De la lettre M. ?

Manifestement il ne comprend pas. Il a même soudain l'air idiot.

Nous sommes à la grille maintenant.

— J'ai cru qu'elles étaient destinées à l'ancien propriétaire, donc à vous, et je vous les ai rapportées.

Il hoche la tête.

— Je n'ai jamais reçu de lettres semblables, j'avoue que...

— Qui a pu les mettre là ? Il y en avait d'autres, cachées dans un pied de table.

Il reste perplexe. Nous sommes immobiles à la porte, il a un vague sourire.

— Nous avons peu vécu à Paris ces dernières années, il est possible que...

Pourquoi ce con ne finit-il jamais ses phrases ? L'autre Mater Dolorosa doit épier derrière les volets.

— Qui a demeuré chez vous ?

— Notre fils quelque temps et...

— Je pourrais avoir son adresse ? Je les lui renverrai...

— Il a sous-loué parfois à des amis, il n'est pas sûr qu'elles soient à lui, de plus...

— Il saura me renseigner, je sais rester discret, vous vous en rendez compte...

243

Je ne vais quand même pas lui révéler que ma discrétion me coûte 3 000 balles de boîte à musique.

— Eh bien ! je n'ai pas son adresse en tête mais... enfin Philippe est installé à Menton dans la vieille ville...

Ça peut me suffire, Philippe Sardreux à Menton, je trouverai dans l'annuaire... Et s'il est sur la liste rouge ?

— Je peux vous appeler tout à l'heure pour vous demander son numéro de téléphone ?

Il s'est retourné en direction de la villa. C'est l'autre là-bas qui décide. Je ne te lâcherai pas, vieux cow-boy.

— Je vous le demande comme un service.

Il me regarde longuement, c'est la première fois, il a aussi une esquisse de sourire, il ne va pas jusqu'au bout, il ne doit pas avoir l'habitude... Il oscille un peu.

— Je n'ai jamais vu cette boîte à musique, murmure-t-il, et elle non plus.

J'ai envie de l'emmener se saouler avec moi dans le premier bistrot, mais il est trop tard, il va rentrer avec son parapluie et retrouver les pièces aux volets tirés, le bruit de la gouttière, le jardin mouillé et la mer là-bas avec sa gueule d'ardoise et d'ennui... Il rejoindra Madame et ils mangeront dans la cuisine sous la pendule à tic-tac.

Il gonfle la poitrine, regarde autour de lui, s'attarde sur les flaques et les frondaisons lourdes.

— Les maisons glissent. Vous l'avez remarqué, dit-il, le terrain file vers la mer ; parfois, la nuit, j'ai l'impression de le sentir bouger.

C'est la première fois que je sens une note d'espérance dans sa voix.

— Tirez-vous avant, dis-je, l'eau doit être froide.

Il me serre la main. Il a presque des yeux d'aveugle en ce moment.

— 25.33.28, dit-il.

— Merci.

244

Je sprinte vers la voiture et m'enferme à l'intérieur, j'écris les chiffres sur la marge du journal que Darba n'a pas eu le temps de replier et penche la tête. Sardreux revient vers la maison, il a l'allure exacte d'un monsieur qui rentre et ne sortira plus, j'ai juste le temps de le voir monter les marches, noir sur le gris qui l'entoure. Dedans, Mater Sardreux l'attend, peut-être regarde-t-elle tourner la ballerine en attendant que la pluie cesse.

— Alors ?

Darba bouffe sa moustache.

— Ce n'était pas lui.

— Merde !

— Mais j'ai une autre piste.

— Laquelle ?

— Menton.

— Merde !

— Renouvelle-toi, j'ai le téléphone, je ne serai peut-être pas obligé d'y aller.

Darba remet les essuie-glaces et cherche une cigarette.

— Pas la Côte d'Azur, dit-il, je ferais des tas de trucs pour toi, mais pas la Côte d'Azur.

Nous sortons du parc.

— On peut aller bouffer à Honfleur, dit-il, je connais un restau.

Il connaît toujours un restau où qu'il se trouve. En plein Biafra il connaîtrait un restau.

Il pleut.

Les averses ont cessé à quelques kilomètres de Paris.. Sur les trottoirs, les passants avaient le visage trop blanc des jours de suées caniculaires... Une ville malade peuplée de pâlichons aux joues collantes... Dès la porte de Versailles ma chemise s'est plaquée à mon dos et une moiteur m'a envahi, de quoi faire regretter la pluie normande. Darba m'a déposé.

Le passage était vide. Trois familles du dimanche longeaient les rideaux de fer à l'autre extrémité vers le boulevard, la pizzeria avait débordé et ne laissait qu'un espace étroit entre les tables et les chaises de plastique orange. Ils avaient déjà éclairé les lampes. Une ampoule dans un goulot de bouteille de chianti avec abat-jour à carreaux.

J'ai entendu la musique dès les premières marches de l'escalier.

Elle venait de chez moi.

Je ne sais pas à quoi je reconnais le son de ma chaîne hi-fi, mais je le reconnais. Peut-être parce qu'elle est vieille et que tout disque a tendance à larmoyer.

M.

Pourquoi y ai-je pensé aussitôt? Je sais qu'elle aurait mis la musique tout de suite, il y a des gens ainsi, ils arrivent quelque part et hop! un disque, et le temps de trois volées de marches j'ai pensé que c'était elle. Pourquoi pas? Elle avait voulu récupérer ses lettres, il avait dû lui dire dans les siennes où il les avait cachées... Il lui avait donné une clef... Plausible aussi.

J'entrerais et elle serait là, elle se tournerait vers moi et me dirait avec un sourire dans l'œil qu'elle était passée et s'était permis de...

J'ai poussé la porte et j'ai entendu le bruit de ses talons dans le salon... Elle s'est détachée dans le contre-jour et j'ai appuyé mon dos en sueur contre le chambranle de la porte.

— Tu es vert, a dit Françoise. Je ne savais pas que je pouvais te faire encore tant d'effet.

— La chaleur.

— Et puis ce n'est pas moi que tu attendais.

Ça, je me suis demandé comment elle était arrivée à le savoir, pas très longtemps d'ailleurs, parce que, malgré la pénombre, j'ai vu une feuille dans sa main.

— Tu devrais ranger mieux ton courrier, cette lettre

traînait sur le bureau, je ne l'ai pas lue, juste un œil vers la fin pour être fixée. Ça n'a vraiment plus d'importance mais je peux te demander si ça dure depuis longtemps !

— Longtemps.

Plus longtemps que tu ne peux le croire, ma pauvre Françoise, je n'ai pas dit toujours, cela aurait été plus proche de la vérité.

Je me suis avancé dans le couloir pour allumer, elle m'a devancé. Toutes les femmes que j'ai connues ont toujours été plus rapides que moi.

Nous nous sommes regardés, il y avait de la surprise dans son œil, comme si elle n'arrivait pas à croire qu'elle avait été si vite remplacée.

— Et elle s'appelle comment cette charmante personne ? Car je suppose qu'elle est charmante...

— M.

— Ça veut dire quoi ça, M. ?

— C'est une lettre. La lettre M. Elle s'appelle M.

Elle a fait volte-face.

— Tu as le droit de te taire. En tout cas ce n'est pas très agréable d'être larguée, ça l'est encore moins de savoir qu'on a été cocu longtemps, ça m'aide considérablement.

Je ne sais pas pourquoi j'ai tenu à me défendre.

— Ne parle pas trop de cocuage...

Elle m'avait trompé une fois. Une nuit unique, paraît-il, avec un agent d'assurances dont je ne savais rien, sinon qu'il possédait à un haut degré le sens des acrobaties sexuelles, dont la seule idée avait réussi d'ailleurs à me rendre parfaitement impuissant pendant une bonne semaine. Le type, technicien de la haute voltige, m'avait paru doté, Dieu sait pourquoi, de capacités inépuisables et d'un esprit d'invention véritablement prodigieux.

— Les choses sont bien différentes et tu le sais parfaitement. Au fait, je suis venue te rendre tes bouquins...

C'était bien la première fois qu'elle me les restituait. Il y en avait une pile impressionnante, je ne pensais pas les revoir jamais.

— Merci.

— Pas de quoi. Je te laisse. Et essaie d'être un peu plus agréable avec ta copine, il suffit de lire deux phrases pour se rendre compte que tu as tendance à faire tourner les femmes en bourrique.

— Je ne pense pas que...

— En bourrique. Et je sais de quoi je parle.

J'avais trouvé un adjectif qui lui convenait parfaitement. C'était quoi ? « Pétulante », voilà c'était ça. Pétulante.

Elle est partie sans trop faire claquer la porte et j'ai couru vers la dernière lettre, celle que j'avais gardée pour la fin. Je l'ai déplacée avec précaution. C'était un mot rapide, l'écriture s'était emballée, elle n'avait pas eu beaucoup de temps.

« *Je t'écris de la gare. Ta dernière lettre m'a fait rire. Bravo pour la cachette, le tiroir était banal, le pied de table plus subtil, mais là, j'avoue que tu réalises d'incommensurables progrès. Tu es bon pour la SDEC. [C'est bien la SDEC?] Enfin, disons que tu deviens un espion plus qu'efficace. Mais pourquoi garder tout ça, mon amour? Arrivée à 8 h 19. [Pourquoi les trains n'arrivent-ils jamais sur des chiffres ronds?] Donc couchette, polar, Témesta et qui débarque l'œil vitreux et le mollet flageolant dans l'aube blafarde ? Celle qui voluptueusement et hier encore te noyait sous les caresses ardentes et enflammées que seules, croyais-tu, savaient dispenser les créatures ondulantes qui font, à la minuit venue, travail de la hanche pour des émoluments tarifés. Cette lettre contient des parenthèses, des points d'interrogation et considère-la, en plus,*

comme un baiser de papier, format 21 × 27, ce qui est la dimension
normale des bises lorsqu'elles passent par les Postes et Télécommu-
nications.

M. »

J'ai regardé autour de moi. Les boiseries dormaient. Où
étaient cachées ces lettres ? Il y en a d'autres. Quelque
part...

VI.

J'AI téléphoné dix fois à Menton, personne ne répond jamais. Vacances?

Il faudrait déclouer les boiseries. « *Bravo pour la cachette!* » Bravo, en effet... Un après-midi à chercher, toutes les pièces passées une à une au peigne fin, je ne me suis interrompu que pour composer le numéro du fils Sardreux, à intervalles plus ou moins réguliers.

Echec. Je sais d'ailleurs que je ne trouverai pas. Je n'ai jamais entrepris la moindre recherche sans savoir pertinemment qu'elle ne servirait à rien. Je suis battu. Depuis l'enfance. Lorsque je jouais à cache-cache, il en était déjà ainsi, j'étais sûr de ne pas aboutir, cette évidence était telle qu'en fin de compte je ne jouais pas vraiment, je faisais semblant, je faisais l'affairé, le futé, mais le cœur n'y était pas, je suis par nature un chasseur sans conviction qui a décidé que tout gibier lui était introuvable.

Lorsque le soir est tombé, j'ai appelé Paule. Elle était d'humeur joyeuse et m'a appris avec une joie vibrante dans la voix qu'elle avait décidé de s'offrir un an de chômage. Elle s'y était pris de telle manière que les sommes mensuelles que la Caisse devait lui verser ne contribueraient pas peu au déficit du budget national.

Tout de suite, je lui ai proposé de venir à Menton.

— Pourquoi à Menton, c'est bourré de vieillards!

— Justement, c'est reposant... On mangera des glaces en bord de mer. Deux jours c'est pas bien long, tu peux faire ça pour moi, emporte un tricot, un pliant, de l'ambre solaire...

— Je n'ai jamais voyagé avec toi.

Elle a dit ça drôlement, elle a pris une voix d'enfance presque fragile, dont je n'avais pas le souvenir.

C'est vrai que je ne l'ai emmenée nulle part, jamais. Qu'aurais-je fait de cette asperge aux jambes désordonnées, aux chaussettes en tire-bouchon, qui faisait la gueule pour tout et pour rien et que je croyais ne pas aimer. Embarrassante. Elle fut si longtemps embarrassante...

— Tu hésites pour Sébastien? Il peut bien rester tout seul quelques jours.

— Sébastien se démerde parfaitement. Si je lui annonce que je pars, il va bondir de joie en songeant aux bouteilles de vieux bordeaux qu'il va pouvoir se descendre en regardant des matches de foot à la télé.

— Alors où est le problème?

— Qu'est-ce que tu vas faire là-bas?

— C'est pour mon histoire d'amour. J'ai une piste.

— Dépravation complète. Tu emmènes ta fille assister à tes turpitudes...

— Des glaces énormes au bord de la mer... Le casino le soir... Visite de la vieille ville. Bains dans l'eau tiède...

— Et ton copain Darba? Pourquoi tu n'invites pas plutôt ton copain Darba?

— Il déteste la Côte d'Azur. Trop de couleurs. Tu connais les peintres!

— C'est pour ça que tu me demandes à moi?

Pourquoi est-ce que je tiens à ce qu'elle soit là? Je rattrape quelque chose... Une peur soudaine de la solitude, je ne sais pas... Je n'envisage pas ce voyage sans elle, c'est à cela que l'on s'aperçoit que l'on tourne vieux, insidieusement. Je dois sentimentalement m'effilocher entre une fille manquée et une femme inconnue. Belles amours.

— Tu t'occupes des billets?

— Oui, si ça veut dire que tu viens.

— Je viens. Tu as intérêt à ce que le palace où nous descendrons ait de la classe.

— Il y aura l'eau courante.

J'ai raccroché guilleret. J'avais envie qu'elle vienne, nous avons fait trop peu de choses ensemble, je ne rattraperai rien, mais tout de même...

Menton, dans quatre jours... J'y ai vécu une histoire autrefois, au temps où l'on a des illusions, de l'acné et la première partie du bac... Josyane... Un prénom démodé aujourd'hui. C'était en septembre, quand la chaleur se fait douce et que tout se tartine de la confiture des bougainvilliers, je rentrais la bouche douloureuse de trop de baisers et, détail que romantiquement j'essayais de me gommer à moi-même, les testicules en transes car c'était l'époque des étreintes quasi désincarnées dans les crépuscules propices le long des murs des villas, contre le tronc des eucalyptus aux odeurs poivrées... Nos mains s'enlaçaient, nos yeux se perdaient et nous censurions le reste... Le rêve était de n'être que regards. J'ai longtemps aimé Josyane en souvenir...

Hier soir, en rentrant dans le passage, j'ai deviné des amoureux contre le rideau de fer du marchand de parapluies... deux formes mêlées, un bruissement d'étoffe... et Menton a resurgi, l'odeur du sable refroidi, des cheveux en boucles... Fini cela... Jamais la nuit pour moi ne sera de nouveau connivence, je ne connaîtrai plus l'attente au creux du noir, les bises de vingt ans sentent le caramel...

Je garde aussi une image, celle d'un soir sur une terrasse bordée de tuiles surplombant les citronniers et les cours profondes, et nous sommes là, à jamais deux, sous les balcons de la nuit...

Qu'est-ce qui m'arrive ? Qu'est-ce qui m'a chaviré dans le souvenir ? Je m'en rends compte à présent, Josyane confère à M. son visage comme si le passé contaminait le présent. Chaque femme est peut-être le produit de toutes les autres... Non, ce n'est pas vrai, je ne fabrique pas M., elle existe, elle a écrit tous ces mots, je sens en les lisant ce qu'une femme possède de plus vrai : le rire, la détresse et l'amour — et personne n'est plus vivant qu'elle.

Six heures du soir, le même jour.

« Je ne résiste pas. Une petite dernière pour la route, une petite pour la nuit ; comme durant ce mois de juillet quand les fées se penchaient encore sur nos traversins, les larmes ont fait s'embuer mes lentilles, je viens de les virer pour les nettoyer de l'opaque couche de chagrin qui m'a empêchée de lire ce soir le nom des rues où je traînais.

Je ne veux plus pleurer, je vais perdre mes paillettes et me faire dégouliner l'azur le long de mes joues... Je ne parlerai pas du sentiment grinçant du temps perdu, du manque de toi une respiration sur deux, de la vie trop injuste, de la merde qu'on remue... Je t'attends encore un peu, juste un tout petit milliard d'années, jusqu'au découragement, parce que c'est toi... N'en abuse pas... Je veux qu'on égrène les matins blêmes, les soirées douces, le ménage et les voyages, tes rhumatismes et mes fous rires. Pour faire reculer la mort...

M.

Ça s'est bien passé dans l'ensemble, sauf le dessert, il aurait été souhaitable d'équiper les convives avec un marteau-piqueur plutôt que de petites cuillères en vermeil, cadeau de la tante Edma, mais j'ai toujours eu du mal avec les pâtes à tarte, celle-ci s'est vengée. Je n'ai jamais rencontré quelque chose qui refuse aussi obstinément de se laisser manger. Ils étaient contents quand même. En fin de compte ils sont partis après minuit, ce qui pour eux est un véritable tour de force.

La maison est vide à présent, j'ai même rangé et fait la vaisselle. Je suis tranquille pour un an en ce qui concerne les réceptions parentales.

Bien sûr j'aurais aimé que tu sois là, je ne suis pas très sûre que tu aurais passé la meilleure soirée de ta vie mais au fond je les aime bien...

Tu as ce soir une femme éreintée qui n'a plus la force de pousser le stylo plus avant, juste pour écrire le mot baisers, juste pour m'enfouir dans tes bras, juste pour y mourir de bonheur...

M. »

Je ne suis pas sûr que la cachette ait été bonne... Lorsque j'ai pris mon sac de voyage sur la dernière étagère du placard du salon, le papier à fleurs qui la recouvrait s'est déchiré. Elles étaient là... M. si triste, M. si joyeuse, M. qui pleure dans les rues, M. qui cuisine des tartes bétonnées... Et toujours pas une indication, ni de lieu ni de date, pas un nom propre...

Elle parle d'un bébé, une amie vient d'accoucher... je sens l'envie poindre sous les mots.

« Il ressemble un peu à une saucisse de Francfort en plus souriant, je l'ai pris dans mes bras en me disant que je ne ressentirais rien. Je ne suis pas sûre d'être parvenue à rester impassible, cela ne veut rien dire, toute femme à ma place, je suppose, aurait eu cette douceur irradiante. Il était si léger ce petit nain chauve, et si laid, et si costaud déjà puisqu'il est arrivé à me faire le coup de l'émotion ancestrale... Les chaussons étaient trop grands pour lui, j'ai dû me tromper de taille, mais qu'est-ce qui ne serait pas trop grand pour lui ? En plus il sentait le savon... Il s'appelle Félix, comme un chat. C'est un peu ridicule, mais cela signifie Heureux... »

Elle est pour moi, faite pour moi, exprès, je le sens. Je n'ai jamais cru à Dieu ni à diable, mais il me vient avant de m'endormir d'étranges divagations. En gros je peux les résumer ainsi : ces lettres étaient là pour moi, comme un signal, à moi maintenant de poursuivre la quête, M. m'est destinée, je dois la retrouver, ne pas la manquer surtout, surtout pas. Evidence. J'ai trop été seul, c'est la chance ultime qui me reste de ne pas finir spectateur de ma propre vie.

Il pleut un peu à présent, un tam-tam sourd sur la verrière. L'intérêt de vivre sous un passage est que nous ignorons la pluie.

— J'avais demandé à la pistache.

Dans le soleil le garçon bat des paupières. On ne la fait pas à ma fille, si elle a demandé de la pistache ne tentez pas de lui apporter des fruits de la passion, vous joueriez votre vie. Ce brave homme en veste blanche ne sait pas ce qu'il risque, en tout cas il a compris qu'il n'y avait pas à discuter. Il reprend la coupe et j'ai un instant l'impression qu'elle pèse 300 kilos.

— Excusez-moi...

Je m'étire sur ma chaise longue. Finalement, c'est une bonne idée ce voyage, il règne en ces rivages un grand parfum de vie facile et baguenaudante... Sur la promenade, des dames un peu nues baladent des toutous tondus devant la mer, et la ville derrière grimpe jusqu'aux collines... De vieux palaces se délitent entre les palmiers, résidences anglaises du temps des duchesses et des princes... Tout à l'heure j'irai jusqu'à la vieille ville où m'attend le fils Sardreux, rendez-vous est pris à 11 heures... M. est au bout, cette fois...

— C'est encore moi. Il n'y a plus de pistache.

J'entrouvre un œil et cadre Paule. J'espère qu'elle ne va pas sortir un colt de son sac de plage. Sa voix est étonnamment mielleuse : un filet de sucre ondoyant en couleuvre dans de la crème anglaise :

— Pourtant, sur votre carte si joliment dessinée, je

255

vois bien écrit : Coupe Riviera : Chantilly, amandes, café, vanille et pistache. J'insiste sur le « et pistache ».

Le garçon ancre ses espadrilles dans le goudron mou, il doit sentir qu'il en a pour un bout de temps.

— Voui, c'est marqué mais il n'y en a plus.

— Il est moins de 10 heures du matin et il n'y en a déjà plus ?

Geste désespéré des bras. Le sémaphore de la désolation.

— On n'a pas été réapprovisionnés cette nuit, c'est pour ça.

— Ah, ah ! fait Paule.

Je connais cette façon de faire : « Ah, ah », elle a dû glacer le sang à plus d'un téméraire. Le type a nettement chancelé.

— Vous êtes le plus grand glacier de la ville et vous n'êtes pas foutu de servir de la pistache ? Appelez-moi un responsable.

Je me recroqueville. Une fois, elle devait avoir quatorze ans, elle a fait reporter trois fois sa pizza en cuisine parce que, d'abord elle n'était pas cuite, ensuite il manquait les anchois et enfin elle n'était pas bonne. J'avais tenté de faire croire que je n'étais pas avec elle, ce qui est difficile lorsqu'on occupe la même table. Malgré la Méditerranée paisible, le ciel d'azur et la sérénité imperturbable des géraniums en pots, je sens se lever le vent des grandes paniques.

— Tu ne crois pas que tu pourrais...

Onomatopée. Elle ne desserre pas les dents et produit un bruit de clapet, quelque chose comme « Tut, Tut ». Ce n'est pas exactement « Tut-Tut » mais ma fille est souvent intraduisible en mots, de toute façon, le sens général est « boucle-la, c'est pas tes oignons, roupille ». Je commence à lorgner sur la chaise voisine, si je parviens à ramper jusque-là, je suis sauvé. Ultime tentative.

— Tu ne crois pas que tu en fais un peu trop ? En plus, je suis certain qu'au fond de toi tu ne tiens pas vraiment à de la pistache.

— Tu ignores ce qui se passe au fond de moi.

En face, la mer miroite, là-bas, vers Roquebrune, un voilier cherche un vent absent. Déjà quelques pédalos traînassent, libellules de fer... Il y a un charme dans tout cela, nul pays n'est plus onctueux, toutes les aspérités en ont été gommées, rien ne peut arriver ici, jamais.

Troisième apparition du garçon avec la même coupe qu'il dépose sur le guéridon.

— Monsieur le Directeur vous présente ses excuses et vous fait dire qu'il est désolé et...

— Il est collé à sa chaise, le directeur ?

— Je ne pense pas, enfin il m'a dit de pas vous faire payer.

Je lorgne Paule entre mes cils. Je la trouve admirable en cet instant. Ses yeux viennent de s'arrondir.

— Qu'est-ce que vous voulez que je paye ? Je vous demande de la pistache, il n'y a pas de pistache et vous voudriez qu'en plus je vous donne des sous ?...

Le serveur soupire.

— En effet, dit-il, en effet... Enfin, si vous voulez pas la manger, je la reporte.

Paule toise sévèrement l'énorme tas de Chantilly surmontant café, vanille, amandes et pistache absente.

— Laissez-la, je vais essayer de l'avaler, mais je ne promets rien.

— Merci, dit le garçon épuisé, j'espère que vous allez réussir.

J'essaie de détendre l'atmosphère en intervenant dans le débat :

— Je voudrais une glace à la pistache.

Paule rit, le garçon pas, et s'éloigne voûté.

Elle pioche à présent allégrement dans la coupe.

257

— Tu as vu comment on bouffe à l'œil ? Je t'ai toujours dit, pour quelqu'un qui a un peu de repartie, tout peut être gratuit.

Je lève un œil vers l'azur.

— « Un peu de repartie » ! Ça fait une heure que tu le bassines avec tes histoires...

Elle déglutit, repioche et parle la bouche pleine.

— Tu es un vaincu, dit-elle, tu commandes un steak tartare, on t'apporte une sole meunière, tu la manges, tu t'excuses et tu dis merci.

— Tu as oublié de préciser que je laissais un pourboire.

Difficile de trouver la vie fadasse avec elle, hier soir nous avons fait un tour au casino. Elle a gagné 500 francs avec ses sous et perdu 2 000 avec les miens. Nous avons bu du champagne pour fêter ça et à la troisième coupe elle m'a regardé sévèrement et a proféré comme une sentence sans appel.

— Je ne me suis jamais ennuyée avec toi...

J'ai immédiatement sombré dans l'attendrissement le plus moite, j'ai eu tort.

— Il est vrai que je ne t'ai pratiquement jamais vu.

Je me suis insurgé :

— Tu plaisantes, tous les dimanches je t'ai traînée au...

— C'est la première fois que tu passes plus de quarante-huit heures avec moi depuis ma naissance.

La révolte à nouveau m'a submergé.

— Mais c'est faux, toutes tes vacances jusqu'à quinze ans, c'était...

— Tu parles, il y avait vingt personnes à chaque fois, entre tes femmes gloussantes et tes copains exaspérants, tu as dû passer des semaines sans m'adresser la parole... Tu pérorais à table des heures et moi je devais faire la sieste ou jouer avec les crétins du village.

— Je sens comme une injustice dans tes propos.

Je ne suis pas très sûr de moi en disant cela, ces journées

258

d'autrefois à la campagne... c'est vrai que je ne me suis guère occupé de cette gosse — échalas qui se cachait derrière ses mèches...

M., derrière moi, me regarde, si je me retourne je verrai son sourire d'indulgence avec juste au coin de la lèvre un fragment de reproche, juste une esquisse, c'est vrai, M., que j'ai oublié Paule, qu'elle n'a pas été suffisamment mon souci durant ces années d'enfance... Je l'ai laissée pousser sans moi.

Nous nous sommes quittés à près de 3 heures du matin, la bouteille était vide et j'ai eu du mal à m'endormir. M. est venue pendant la nuit, pour la première fois la douceur de nos rapports s'est troublée, le désir était là soudain entre nous... J'ai tenté de deviner dans l'obscurité de la chambre son visage d'amour, sa tête a bougé sur l'oreiller et j'ai entendu sa plainte répétée et croissante, ses hanches dansaient dans la sueur de mes doigts... M. renversée et livrée... Les lettres ont disparu, toutes, elles avaient déposé leur auteur dans ce lit et jamais une femme entre mes bras n'avait été plus vivante, possédée jusqu'aux ultimes branches d'un arbre de bonheur.

Trop de champagne.

Mais cela a été si fort, si troublant que je n'ai pas eu d'amertume à me retrouver dans la solitude du matin.

Paule lèche la cuillère. Là-bas c'est l'Italie.

— Tu as rendez-vous à quelle heure ?

— Dans moins d'une heure, je ne vais pas tarder.

Ricanement.

— Tu as cinq bonnes minutes de trajet...

Je sais, mais je ne peux pas arriver en retard... Je connais la rue, c'est dans la vieille ville, près des escaliers de l'église Saint-Michel, un ruelle taillée en canyon dans un pan d'ombre épais, les tuiles des toits bordent le ciel bleu de soleil.

Philippe Sardreux a une voix paisible, il s'est inquiété

lorsque je lui ai appris que j'avais eu son adresse par ses parents, non, ils allaient bien, j'avais simplement une question à lui poser, pouvait-on se voir? C'était un problème relatif à des lettres trouvées dans l'appartement du passage des Panoramas, il y avait vécu, peut-être lui appartenaient-elles. Il y avait eu un silence et il m'avait fixé le rendez-vous, chez lui...

Je vais savoir. Il y a un rapport entre M. et lui, rien n'a été dit mais il ne peut en être autrement, pourquoi aurait-il accepté de me recevoir?

Je quitte Paule et marche en promeneur. J'ai déambulé là autrefois, la place aux Huiles sent éternellement l'anis et la mousse de la fontaine est toujours la même, sur les chaises des terrasses, les estivants ont gardé la pose...

Voici les premières marches des escaliers de la rue Longue. Mon cœur bat régulièrement, aucune anxiété, je suis sur la bonne voie... Sous le porche c'est la même boulangerie, c'est la même fraîcheur. Je fumais des Baltos à l'époque, je me demande s'il s'en vend toujours... Il y avait un bateau sur le paquet et le tabac sentait le caramel, c'était avant les filtres...

Elle se rapproche de moi... Cette nuit était une prémonition, elle sera à moi, un vrai corps, une vraie voix, bientôt...

« Je t'attends encore un peu, juste un tout petit milliard d'années, jusqu'au découragement, parce que c'est toi... N'en abuse pas... »

Lorsque je descendrai tout à l'heure le long de ces mêmes ruelles, je saurai où te retrouver et nous partirons... Il y a l'Italie si proche, nous irons retrouver le pays des places vides et des palais finissants, Bergame, Ferrare, Parme, Vérone, les balcons de pierre donnent sur le parvis des églises désertes, les toits de Florence brillent dans un matin percé de campaniles...

Freine, petit, freine des quatre fers, elle a aimé un homme si fort qu'il ne restera peut-être rien pour toi, elle sera vide, creuse comme une coquille oubliée...

Numéro 14. C'est à vingt mètres. Je suis en avance évidemment. Dans la dégringolade des escaliers, après les palmes, la mer commence.

Et si je partais? Si je me débarrassais de tout ça? Qu'est-ce que c'est que cette folie? Que cette fille de papier et d'encre? Plus de cigarettes.

Il y a un tabac au coin, j'ai le temps d'aller en chercher. Reprends-toi, André Berthold, reviens, il en est temps, retourne au passage, tu diras à Paule que la piste ne menait à rien et tu reviendras à tes bouquins, à ton commissaire en panne, stoppé depuis trois jours en pleine arrestation... Tu dois remettre ta copie dans moins de quinze... Laisse tomber M., elle n'est personne... Profite de cette crise de bon sens, c'est une reprise en main, solide, raisonnable.

Redeviens sensé un peu, quarante ans que tu accumules les rêves, les exaltations, que tu te fais Hollywood de temps en temps, trop souvent.

Arrête. Salut, M., petit fantôme, ce monde est trop exact, trop vibrant de lumière pour que s'y profile ta silhouette imprécise... Je reviendrai à l'hôtel par la route des citronniers.

VII.

— Elles étaient dissimulées dans des endroits diffé-rents : un tiroir de commode, un pied de table, sous le papier tapissant l'étagère d'un placard, peut-être y en a-t-il d'autres ailleurs, sous la moquette et les boiseries, je l'ignore...

Je l'observe tandis que je parle. Il ne me quitte pas des yeux. Il a une trentaine d'années, la chemise est stricte, la cravate démodée, une moustache trop finement taillée, la raie de la coiffure est parfaite... Trop propre, pire que propre, récuré comme s'il se lavait au détergent... Même un pli au pantalon en lame de rasoir contribue à donner à ce type une totale absence de charme... Mais je ne suis pas une femme, je ne suis pas M. Il a la stature de son père, ses yeux noisette ont peut-être pu la troubler jusqu'à l'amour... Mais comme je le vois peu se lancer dans une aventure !

— Je vous sers quelque chose ?

— Non merci.

Il se lève, s'approche de la fenêtre... Sa taille s'enve-loppe, il a l'aspect de ces hommes qui pourraient être athlétiques et qui se laissent envahir par les graisses, une lourdeur lui est venue, mollassonne, des joues de nourris-son trop tendre.

— Ma vie est à présent réglée, dit-il.

Son regard file vers les toits, au-delà des limites

imprécises des anciennes rues, les parcs commencent et les villas, les colonnades surannées, les péristyles, le surgissement des statues submergées par des plantes voraces.

— Ma femme est institutrice, j'ai trois enfants...

Voilà, c'était donc lui : Philippe Sardreux, agent d'assurances. L'amour enfui, il s'est entouré de lard d'abord, il s'est laissé pousser sous la peau un cocon protecteur, avec deuxième couche de famille et, rempart ultime, cet appartement, clair, fonctionnel, depuis le début j'entends ronronner une machine à laver dans la pièce voisine. Décor rangé, pas un livre n'en dépasse un autre dans la bibliothèque, sur la table basse quelques revues comme chez le coiffeur, pour la parade, personne ne les lit jamais... Il s'est fabriqué une maison en forme de salle d'attente... Et elle l'a aimé... Incroyable !... Enfin non, qui peut comprendre ? Tout cela est à ranger sous la rubrique des mystères du cœur... Françoise m'avait dit avoir été, durant des années, amoureuse d'un homme superbement beau, j'avais vu sa photo un jour, c'était un mâtiné d'haltérophile et de basset artésien, doté apparemment d'un Q.I. en perte de vitesse et d'un coefficient de mastication maximal. Des années plus tard, elle ne pouvait en parler sans émois dans le regard, salivation accélérée et changement de registre vocal. Miracle de la subjectivité...

— Je peux vous demander si vous savez où elle se trouve aujourd'hui ?

Il continue à fixer l'horizon de tuiles. Qui voit-il ? M. ? Lui-même ? Le couple qu'ils formaient autrefois avant l'institutrice, la machine à laver et les conseils en placements ?

Il a haussé les épaules.

— Je suppose qu'elle est retournée chez elle... Je n'en sais rien...

— Et... c'était où chez elle ?

263

— Je ne sais pas, j'ai oublié le nom du village, dans l'extrême sud de l'Italie, elle avait acheté une maison, elle en parlait souvent, on y voyait la mer...

Je ne peux pas poser trop de questions, de quel droit ? Pourquoi m'y intéresserais-je ?

— Je suppose que vous désirez récupérer ces lettres ?

Il revient, s'assied avec ce geste d'autrefois qui empêche les pantalons de pocher aux genoux, ses chaussettes apparaissent et une bande blafarde à l'amorce des mollets... Tu aurais dû lui apprendre à s'habiller, M. Tu n'as pas dû avoir le temps...

— Je n'y tiens pas... enfin, je crois qu'il vaudrait mieux les brûler...

Il a peur sans doute que le passé surgisse, il n'a pourtant pas l'air du type qui va lâcher marmaille et institutrice et bondir dans le premier avion pour le fin fond de la Calabre retrouver l'amour de sa vie, ça supposerait qu'il ait une vie et qu'il ait eu un amour car qui me dit qu'il fut fou d'elle ?

— Ecoutez, ce fut certainement indiscret de ma part mais je n'ai pas résisté à la curiosité, j'ai lu ces lettres.

Il hoche la tête.

— Je vous comprends... Vous ne voulez vraiment rien boire ?...

Il semble y tenir, l'alcool lui manque, et puis c'est le moyen de prolonger la discussion. Il faut que ça lui arrache des souvenirs...

— D'accord, mais je ne veux pas vous déranger...

— Pas du tout.

Il est déjà en train de farfouiller dans le bar Les bouteilles sont rangées en ligne par ordre de grandeur, petit rangement impeccable.

— Pastis, whisky, bourbon, Martini ?

— Un pastis léger.

Il verse, fait tomber le glaçon en prestidigitateur.

— Comment s'appelait-elle exactement ? Elle ne signait que d'une initiale...

— Mélina.

Mélina... Un prénom grec...

— Vous ne vous souvenez pas de son nom ?

Il repose son verre sur le plateau. Pas d'eau dedans, seuls des glaçons troublent le Ricard... encore quelques années de ce régime et son foie est mort.

— Non. Mélina seulement.

Elle n'a pas compté pour lui, je le sais maintenant, les plus belles lettres du monde pour le plus gros con de l'Univers. Un con rempli de pastis.

— Cigarette ?

Il refuse. Il faut y aller, secouer cette torpeur.

— Puis-je vous demander si vous...

Son visage s'éclaire.

— Belvedere. Voilà, c'est ça, ce village en Italie, c'est Belvedere, je le cherchais depuis tout à l'heure.

Mélina vit à Belvedere. La lumière du matin s'est survoltée, il sera bientôt midi... Je pourrais partir à présent, le laisser mariner dans ses apéros, s'imbiber d'anis avant l'arrivée des mômes et de sa régulière... Je vais la voir, je peux la voir à présent, bon Dieu il y a trop de bonheur dans tout cela... Je peux louer une voiture demain, descendre la Péninsule : Gênes, Rome, Naples, Belvedere, Mélina... Qu'est-ce que je lui demandais déjà... Ah ! oui...

— C'est très indiscret, mais est-ce que vous l'avez aimée ?

Il fait un geste pour me resservir, s'arrête.

— Qui ?

C'est vraiment un con ou l'alcool lui a déjà emporté les neurones.

— Mélina.

Il fronce les sourcils, se ressert lentement, repose la bouteille et se frotte l'arête du nez et de l'index.

— Attendez, attendez! dit-il.

Qu'est-ce que je dois attendre?

— Il y a une erreur, une grave erreur... Enfin non, pas grave, mais une erreur...

— Laquelle?

— Ces lettres ne m'étaient pas adressées.

Ma main gauche trouve immédiatement le paquet de cigarettes dans ma veste. Il fait chaud tout d'un coup dans la pièce.

— Je ne comprends pas. Vous m'avez dit que votre vie était à présent réglée, j'en ai conclu qu'elle ne l'était pas autrefois et que...

Sardreux se lève.

— Reprenons tout, dit-il, c'est un quiproquo.

Il a le don de ne pas employer les mots qui conviennent, un quiproquo, c'est rigolo, c'est un mot pour des messieurs en caleçon qui sortent des placards par erreur et y entrent au moment où il ne le faut pas.

— J'ai habité longtemps au passage des Panoramas, j'étais étudiant et j'y ai souvent logé des amis...

C'est à mon tour d'avoir envie d'un autre verre.

— ... et parmi eux, cela remonte à cinq ans, un ami, Iranien exilé, il est resté deux ans chez moi, Shamin... Reza Shamin... Ces lettres sont à lui.

Cela expliquerait les précautions qu'elle prenait, cet homme était recherché, jamais de nom, jamais de date.

— Un jour, il m'a dit avoir rencontré une femme. Il en était fou... Mais il n'avait pas de papiers, une situation d'immigré, compliquée, je l'ai accompagné plusieurs fois à la préfecture pour des formalités. Il faisait des études à la Sorbonne, cherchait un travail... Et puis un jour il a rencontré Mélina, je ne sais pas trop où...

266

— Vous l'avez vue?

Il se ressert une rasade d'amiral.

— Une fois... Dans un restaurant du Marais... Ils avaient l'air très amoureux l'un de l'autre... Nous avions pris tous les trois le plat du jour, je me souviens : du petit salé aux lentilles...

Une tendance à la digression... De toute façon il ne peut plus m'être utile... Belvedere... Un village, je le trouverai facilement.

— Quel âge avait-elle?

— Je ne sais pas, trente ans peut-être, un peu plus, je n'ai pas fait très attention.

Allons, les dernières questions.

— Comment était-elle?

Sardreux boit, sa glotte monte et descend... Etrange, ce type si propre, si nickelé qui tourne à l'éponge, le jour où il desserrera sa cravate il plongera jusqu'au delirium.

— Des yeux très bleus, cela m'avait frappé... Un sourire aussi, mais surtout les yeux, magnifiques, avec du gris dedans... Il y a longtemps... Mais je crois que je pourrais la reconnaître...

— C'est elle qui l'a quitté?

La bouteille s'incline encore au-dessus du verre. Les glaçons ont fondu et il ne se donne plus la peine d'en rajouter.

— Non. C'est lui. On peut dire que pour la quitter il l'a quittée.

Il a trop bu à présent pour que je prenne des précautions en inventant des raisons à ma curiosité.

— Comment cela s'est-il passé?

L'odeur de l'anis semble avoir envahi la pièce.

— Je l'ai trouvé dans le salon un soir en rentrant : il s'était pendu.

La plage est peuplée à présent. Le long des quais les terrasses sont pleines, et je reviens par le marché. Ce sont peut-être les mêmes marchands qu'autrefois, je ne sais plus, tout cela est trop vieux.

Reza Shamin, un nom de soie, nocturne, un nom-chuchotement murmuré par la pénombre même... Ils étaient amis avec Sardreux, de vrais amis, ils avaient tout partagé, il lui avait parlé durant de longues soirées de Mélina... Ils ne pouvaient pas se voir souvent, Shamin téléphonait à la femme qu'il aimait, il avait dû recevoir des lettres, il se cachait des semaines entières pour échapper à la double poursuite, celle des services de son pays et ceux de la France... Sardreux avait continué à emplir son verre... Peut-être ne buvait-il pas avant le moment où il avait soulevé le corps et coupé la corde... Ce geste avait marqué la fin de sa jeunesse. Il avait quitté Paris, s'était marié, avait accepté ce travail et la suite était facile à deviner : les enfants, la moustache en ciseau, la nuque dégagée, le bureau, les clients, les costumes ferreux, la Côte d'Azur sur tout cela, le soleil avait fondu le chagrin, chaque année il devait un peu plus voiler l'image de l'ami mort... Tout s'enchaînait. Reza cachait les lettres en cas de descente de police, des cachettes naïves qu'il devait croire suffisantes, il n'avait pas pu se résoudre à les détruire... Philippe était parti très vite après le drame et tout était resté tel quel des années. J'étais arrivé et j'étais tombé sur les lettres de M. Pardon, de Mélina.

J'ai baguenaudé entre poivrons verts et tomates rouges et suis rentré à l'hôtel. J'ai demandé une carte d'Italie et le portier me l'a confiée comme s'il se fut agi d'un manuscrit de l'aube de l'écriture.

J'ai trouvé Belvedere.

C'est tout en bas de la botte, juste sur le cou-de-pied, bien après Salerne. C'est le pays des montagnes chaudes, j'y suis passé il y a quelques années : Cosenza, Catanzano... Les rues vidées par la lumière blanche, un âne sur le parvis des églises plus grandes que leurs villages et le feu dans les murs, dans les fenêtres du soir, sur les places désertes... Dans la retombée du jour, des vieux sortent et s'installent sur le pas des portes dans des chaises paillées, des femmes noires s'accoudent aux fenêtres... Des cités immuables, cernées de remparts, qui dévalent vers le saphir de la mer. Un pays sec et râpeux comme les ceps de vignes mortes le long des murs de pierres éboulés... Toutes se ressemblent, Belvedere doit être ainsi.

Et elle vit là-bas. La mort de l'amant a dû déclencher cet exil.

Je l'ai retrouvée, voilà ce qui sonne dans ma tête, voilà ce qui compte.

Je ne peux pas partir tout de suite, je ne veux pas écourter le voyage avec Paule, elle ne me le pardonnerait pas... Je prendrai un avion de Paris plutôt qu'une voiture, ce sera plus rapide... Une question de jours.

Pas de Paule ni dans le hall, ni au bar, ni dans la chambre mais un mot sur mon oreiller : « Je suis à la pistoche. »

La pistoche ! Cette enfant a toujours eu le sens de la distorsion de vocabulaire, elle devrait écrire, c'est peut-être là sa vocation, si je ne savais pas que le propre de Paule est d'avoir deux mille vocations, la plupart en même temps.

Résultat des courses, je me retrouve dans un maillot de bain verdâtre dont je ne me suis pas servi depuis dix ans. Le reflet que me renvoie la glace est démoralisant. Deux constatations immédiates s'imposent : je suis blanc et avachi.

Blanc d'abord, du blanc des faibles endives, avec côté malsain des lavabos d'hôtel borgne, encore un effort et ce blanc tournerait au gris. Je constate la fuite des couleurs... En plus, si je m'approche, chaque centimètre carré est un désastre : comédons, taches de rousseur, poils follets, étonnant de ne pas découvrir des pustules et autres saloperies dermiques, de près c'est une géographie repoussante... Comment me suis-je laissé aller à ce point ? Côté avachissement c'est le désastre. Je n'ai jamais été athlétique. La seule gymnastique que j'effectue depuis vingt ans est de rentrer le ventre pendant les cocktails lorsque passe une jolie femme.

Je m'inspecte. Il y a eu une époque où j'avais des abdominaux. Où sont-ils passés ? En tâtant je les sens encore moins mais ils sont dessous. Je me demande ce qui leur a pris de se laisser recouvrir par cette sorte de sac mollasson et tremblotant qui me sert de ventre. Comment va-t-elle supporter cela ?

Contraction de biceps. Entre épaule et coude une mince ficelle vibrote. Malgré une posture avantageuse les pectoraux fuient tout à fait. Tout a fui. Est-ce réparable ? Il va me falloir au moins cinq ans de cyclorameur, d'haltères et d'appareils de torture pour ramener à moi mes muscles en vadrouille... Je n'aurai jamais le courage.

Dernier regard. Je suis un séisme vivant sur pattes grêles... Un pitoyable et livide marasme surmonté d'une tête d'ahuri complet. Je vais avoir un succès fou à la pistoche.

Peignoir. Je m'enroule dedans. Moins on en verra, mieux cela vaudra.

Soleil sur les dalles. Il n'est rien de plus bleu que l'eau d'une piscine sur la Côte d'Azur... Il y a peu de monde. Paule gît, enduite de crèmes opportunes. Elle a un maillot noir qui doit peser dans les dix grammes.

Son œil me fixe avec sévérité.

— Lève ton peignoir, tu vas rissoler là-dedans.

— Je crains les coups de soleil.

— J'ai de la crème.

Elle a toujours tout ce qu'il faut au moment où il le faut, c'est sa malédiction. Je fais glisser le tissu-éponge et apparais, royal dans ma semi-nudité, lys fragile offert aux regards et aux ironies... De l'autre côté, un couple me lorgne. Ils ont l'air de deux tranches de pain d'épice. Ils doivent être là depuis la fondation de l'hôtel. 1906. Des fous de la bronzette. Ils sont enduits d'huiles diverses éparpillées au pied de leurs chaises longues, ce sont des pros du brunissage, ils y consacrent leur vie et leurs efforts ? « Qu'est-ce que tu voudrais faire plus tard, quand tu seras grand ? — Bronzer. »

Je m'étale avec parcimonie une lichette de produits sur les épaules.

— Ce n'est pas comme cela qu'on s'y prend. Assieds-toi.

J'obéis, lamentable. Ma fille est ma mère. Instant tragique.

Je sens qu'elle me tartine son tube sur les omoplates tandis que je me recouvre le nez d'une sorte de mayonnaise gélifiée.

— Il y a combien d'années que tu ne t'es pas mis au soleil ?

Mon geste se perd dans la nuit des temps.

— Tu devrais t'occuper un peu de toi de temps en temps.

— Je n'arrête pas.

— Je veux dire corporellement.

— J'oublie.

C'est vrai, comme si je n'avais pas de corps, j'ai toujours eu l'impression que Françoise s'en moquait. Et puis je n'ai jamais cherché à la séduire. Elle avait dû me dire un jour qu'en ce qui concernait les hommes, le côté biscoto, dorsaux, triceps, quadriceps la gonflait énormément, je me suis donc parfaitement satisfait de mes insuffisances.

Paule me pince la brioche que je tente instantanément de me rentrer à l'intérieur de l'estomac.

— Tu devrais freiner sur le scotch.

Je la regarde. Elle est, elle, bien bâtie ; sous le hâle pas d'empâtement ni l'ombre d'un bourrelet. Comment est-ce que je m'y suis pris pour la fabriquer aussi bien ?

— Tu fais du sport ?

— Pas assez.

Ça veut dire un peu et ce peu lui suffit largement.

— Je vais en faire, dis-je, je m'y mets le mois prochain.

— Je ne crois pas. Tu vas être trop occupé.

C'est vrai que je le suis, ce bouquin à finir, d'autres qui vont suivre, mais tout cela prend un sens à présent. M. sera là. Je n'arrive pas encore à l'appeler Mélina. Pourtant c'est joli, Mélina.

Une chose bizarre se produit, je suis sans doute le type le moins sûr de lui de l'univers, et cependant il ne fait aucun doute dans mon esprit que je ramènerai cette fille, pas une seconde je n'envisage la possibilité qu'elle puisse m'envoyer paître, que je ne lui plaise pas, c'est hors de question... Comme si l'amour de l'un allait emporter l'autre, comme si un instinct l'avait déjà avertie qu'un homme allait venir et qu'elle le suivrait.. Il y a là peut-être une folie mais je ne le crois pas... Il est impossible qu'il n'en soit pas ainsi, ces lettres m'étaient destinées, elles devaient un jour ou l'autre me parvenir. Et puis je saurai trouver les phrases.

— J'ai retrouvé M.

— Qui ça ?

— M., j'ai retrouvé sa trace.

Les paupières de Paule clignent dans la lumière violente.

— Et qu'est-ce que tu vas faire ?

— Je vais la chercher. Dans quelques jours.

Elle se retourne sur le ventre.

— J'espère que ça marchera pour toi. A mon avis c'est une connerie, mais tu verras bien.

272

Elle a un côté négatif, souvent exaspérant, mais il m'a semblé qu'il y avait de la tendresse dans le ton

— On plonge?

— Je suis sûr qu'elle est froide!

— L'eau est toujours plus froide que l'air, c'est même la raison essentielle pour laquelle on se baigne.

Elle est déjà debout, s'étire, plonge en championne olympique, faisant vibrer le tremplin à mort. Personnellement, j'ai déjà deux orteils dedans, deux orteils rétractés.

Sa tête réapparaît à l'autre bout.

— Décide-toi, tu me fais honte!

Je glisse silencieusement dans l'agressif liquide et entame un barbotage frénétique... Il y a longtemps que je n'ai pas nagé. Je n'ai jamais très bien su. Je me tiens trop droit, j'avance verticalement comme un vibrant reproche. Paule rit. Je suis content d'être avec elle.

Elle me regarde approcher et nous restons au bord à fixer nos jambes déformées... C'est vrai que cette tiédeur est agréable. J'aime cet endroit, cette ville, ce pays, ce ciel, cet univers, cette galaxie...

— Combien as-tu écrit de livres dans ta vie?

Je ne les compte plus. C'est vrai que je m'y perds, j'ai à une époque fabriqué des polars en série que signait un diplomate distingué et j'ai oublié leur nombre...

— Je ne sais plus exactement... Disons une quarantaine.

— Une quarantaine...

Elle plonge la tête sous l'eau, remonte, luisante, les cheveux plaqués.

— Et tu n'as jamais eu envie d'en écrire un qui serait à toi et que tu signerais?

— Jamais.

J'ai peut-être tort de répondre si vite... En fait, je ne me suis jamais posé la question.

— C'est anormal.

— Qu'est-ce qui est anormal ?

D'un coup de reins elle se rétablit sur le bord, je la suis péniblement et nous regagnons nos chaises. Les deux pains d'épice captent toujours les rayons avec une immobile frénésie. Ils ne se parlent même pas, ce serait une déperdition d'énergie.

— C'est anormal que tu écrives des tas de bouquins à la place de chanteurs, de champions, de toubibs, d'avocats, de ministres et que tu n'aies jamais eu envie d'écrire un jour un truc à toi avec ton nom sur la couverture.

— Je m'en fous d'avoir mon nom sur la couverture ou ailleurs, je suis un nègre. Le plus blanc de tous les nègres mais un vrai nègre.

— Ce n'est pas vrai, je suis sûre que tu te racontes des histoires.

— Non.

Françoise déjà ne comprenait pas. « Tu n'as pas d'amour-propre ! » Non, je n'ai pas d'amour-propre... Elle avait bâti toute une théorie là-dessus, j'écrivais pour les autres parce que je ne voulais pas écrire pour moi-même. Un blocage, une fuite devant mon propre moi.

— Je gagne ma vie avec cette combine, ça m'arrange, il n'y a rien de plus simple, ce n'est pas une honte.

— C'est un trucage.

— Toute écriture est trucage.

Sauf les lettres de M. C'est ce que j'ai senti à la seconde même où j'ai lu la première phrase.

« Et voici que je t'emporte et ne serai plus seule dans l'été qui vient, jusqu'à l'automne, qui sait ? »

— Et tu ne te dis pas, tu ne t'es jamais dit, un jour je ferai un livre à moi ?

Qu'est-ce que c'est que cette rage qu'elles ont toutes à vouloir... Non, non et non...

— J'aime ça. Ça peut te paraître cinglé mais j'aime ça, j'aime être inconnu, dans l'ombre complète, voilà, c'est ça mon domaine.

— O.K. dit-elle, O.K., ne t'emballe pas... A chacun ses névroses.

— Ce n'est pas une névrose, Paule, c'est une décision. Jamais le devant de la scène. Jamais. Je déteste ça. Déjà à l'école, j'étais dans le fond. Je n'aime pas être en pleine vue.

Elle claque des doigts, le serveur fond sur elle en aigle des montagnes. Je l'aurais appelé, moi, il aurait mis trois jours pour arriver.

— Deux pastis.

Il repart, courbé par le choc que lui a causé la détermination de la commande.

— Tu es sûre que c'était un pastis que je voulais boire ?

— Certaine.

Je ris malgré moi... Allons, elle gagnera toujours, je m'en fais une raison.

— J'ai discuté avec le concierge, il y a un restau sympa à Roquebrune, on y va ce soir ?

Le soleil chauffe à présent. Je suis bien... Je me rebaignerai tout à l'heure. Je vais finir par changer un peu de couleur... Rosâtre sans doute, la teinte nouveau-né...

— Je parie l'apéro que tu as déjà commandé le taxi.

C'est à son tour de rire.

— Comment le sais-tu ?

— Parce qu'il ne peut en être autrement : toi tu commandes les taxis, moi j'écris les livres des autres, et tout est bien ainsi.

Oui, tout est bien en ce moment, vraiment bien, cette clarté, ce miroitement, les palmes sur les colonnades roses

275

et le chant bleu du ciel, la note d'améthyste et, si je tourne la tête, l'Italie qui commence déjà, qui continue, continue, longeant la mer violette jusqu'au village aux jardins en terrasses... jusqu'aux balcons déserts de midi... jusqu'à Belvedere...

VIII.

— Il m'est arrivé vingt fois de prendre du retard, je voudrais que tu me dises combien de fois je ne t'ai pas remis mon manuscrit à l'heure ?

— Le problème est de savoir si...

— Réponds-moi. Combien de fois ai-je demandé un délai ?

— Encore une fois la question n'est pas là.

Je vais le tuer. Cette fois je le tue. Je ne sais pas encore avec quoi ni comment, sans doute par étranglement.

— Combien de fois je t'ai demandé un délai, bordel de merde !

Là, j'ai hurlé. A m'en faire péter les cordes. Du coup, Dumarin s'est nettement rétréci dans son fauteuil. Encore trois coups de gueule semblables et je le sors de chez moi à la serpillière.

— Ça te brûle la gueule de dire « jamais » ? Jamais je n'ai été en retard, tête de nœud !

Il a un mouvement d'enfantine rébellion.

— Calme-toi, qu'est-ce qui t'arrive ?

— Il y a que tu viens m'emmerder à 10 heures du matin alors que je travaille pour toi, que tu tiens à voir, Dieu sait pourquoi, les deux premiers chapitres, que je n'ai pas envie de te les montrer parce que notre accord a toujours été le même : tu lis lorsque le bouquin est terminé, pas avant.

— Mais c'est le commissaire qui demande à...

— Ça mon bonhomme, c'est ton boulot, arrange-toi avec lui.

— Il tient à savoir si tu le présentes dès le départ comme un dur, ou bien si tu insistes sur son aspect humain, presque fragile d'un homme qui...

— Fragile ! Tu déconnes ou quoi ? A quinze ans et demi il était champion de France junior d'épaulé-jeté et s'était fait défoncer toutes les dents par une manchette récoltée dans un hammam de la Goutte d'Or et tu voudrais qu'il soit fragile ? Je devrais peut-être lui faire cueillir des pâquerettes dans les halliers et lire Anna de Noailles ?

Il se lève.

— Arrête de brailler comme ça, je ne t'ai jamais vu dans cet état.

— Eh bien tu me vois.

Il se rassoit, désarçonné, Dumarin. Depuis le temps qu'il me fait la loi, il était temps qu'il s'aperçoive que j'ai mes humeurs.

— Tu as des ennuis ?

— Je n'ai aucun ennui. File-moi une cigarette, je n'en ai plus.

Il me tend les super-légères, des trucs de paille nauséabonde.

Il se relève pour tendre son briquet allumé. Il est capable en cet instant de me cirer les chaussures, de faire ma vaisselle, de me repasser mon linge, ce qui serait d'ailleurs une bien bonne chose étant donné le tas accumulé dans la salle de bains. Quatre jours que je mets le même tee-shirt. Il faut que je m'y mette, je ne peux pas arriver devant M. tout fripé. Je ne lui ai pas dit que je partais demain. Je me prépare une soirée face à face avec un fer à repasser vapeur. Encore quelque chose de « pas sorcier ». Avant c'était simple, on promenait une surface chaude sur le tissu, maintenant il y a une foultitude de

278

boutons, des programmes, ça fait de la fumée, de la buée, ça ressemble à un T.G.V. miniature avec des voyants, ça siffle, ça cliquette, il faut être ingénieur en informatique pour défroisser le moindre calbar...

Dumarin parle depuis au moins dix minutes. Aucun intérêt, j'ai coupé le son, à son attitude il est visible qu'il me joue la scène de la conciliation, de la compréhension totale... Voilà, il a fini, il se lève, il a rendez-vous avec une romancière. Je la vois d'ici sa romancière, il va finir par se tartiner une de ces maladies vénériennes en béton armé.

Je le raccompagne. Sur le pas de la porte, il prend l'air amical préoccupé qu'il réserve d'ordinaire aux auteurs à tirages modestes.

— Tu es sûr que tout va bien ? Je te trouve nerveux.

— Je ne suis pas nerveux, je suis agacé, et la cause de mon agacement, c'est toi.

Il soupire, fait le navré et disparaît. Ouf!

En fait, je suis réellement nerveux. Je déteste les voyages en avion. J'ai pris mon billet hier. La fille de l'agence pesait 120 kilos et sa coiffeuse avait dû la persuader qu'une coupe à l'Iroquoise lui irait bien. Elle avait commis l'erreur d'accepter, ce qui lui donnait l'apparence d'une meule de foin surmontée d'un balai-brosse. La location de la voiture à l'aéroport avait posé des problèmes, trois cents coups de téléphone pour me trouver au volant d'un Fiat bas de gamme qui me claquerait dans les doigts à la première côte.

Mais la joie ronfle en moi comme un vieux poêle d'hiver... Sous la peau je la sens battre. Tout est prêt dans ma tête. J'ai déjà commandé un taxi pour Roissy, très à l'avance car il risque d'y avoir des embouteillages. Je mettrai mon jean, c'est ce qui me va le mieux. N'oublions pas que je dois plaire... Une chemise repassée, la verte, un peu délavée pour le côté baroudeur. Je me demande depuis trois jours si je prendrai ou non mon blouson

279

totalement inutile vu la chaleur qui doit régner là-bas, mais il m'avantage. Et Dieu sait si j'ai besoin d'être avantagé.

Depuis trois jours je fais des abdominaux sur la descente de lit. Aucun résultat perceptible jusqu'à présent. Il est peut-être un peu tôt. La seule vue de mes maigres guibolles s'agitant frénétiquement a failli me couper le moral, mais je ne peux m'empêcher de penser que je vais retrouver la ligne dans les vingt-quatre heures de façon à débarquer, superbement élancé, en Italie méridionale.

Bref, j'ai le trac. Comme jamais. Si, peut-être, comme à la fin de ma cinquième, l'année de Mlle Mation, quand j'ai joué *Andromaque* le jour de la distribution des prix, en jupette pour faire plus grec. J'avais peur qu'on voie mon slip en dessous et, étant donné que ma mère m'avait acheté des sandales d'été à Bata, à l'angle du boulevard Rochechouart et de la rue Custine, j'avais du mal à m'imaginer qu'elles avaient quelque chose à voir avec les cothurnes de l'Epire antique. Je faisais Pylade.

« Modérez donc, Seigneur, cette fureur extrême,
Je ne vous connais plus : vous n'êtes plus vous-même. »

Gaston jouait Oreste. Mation nous avait choisis parce que nous étions copains. Elle aurait mieux fait de nous prendre si nous avions été bons acteurs. On a eu du succès quand même : les parents d'élèves ne connaissaient rien au théâtre.

J'ai téléphoné au commissaire pour le tenir un peu au courant du livre... Je l'ai senti intimidé, il s'est excusé de ne pas avoir eu beaucoup de rebondissements dans sa vie et j'ai eu du mal à lui expliquer que c'est ce que Dumarin cherchait, que le public en avait assez des superflics et serait touché par une vie de sous-flic, un type qui passe plus de temps à taper avec deux doigts sur une machine à écrire qu'à tirer à coups de colt sur des braqueurs de bijouterie. Je lui ai demandé si ça le gênait que je lui invente une histoire d'amour, il est devenu tout pétillant et m'a dit qu'il en avait eu une avec une serveuse de restaurant qui s'appelait Thérèse. On est tombés d'accord pour que, dans le bouquin, elle soit secrétaire médicale et se prénomme Ursula. Il doit m'envoyer quelques pages où il me racontera tout ça, à moi d' « enjoliver », comme il le dit.

J'enjoliverai donc, c'est mon travail.

J'ai étudié la carte, j'aurai deux cents kilomètres de route en suivant la côte... Scalea, Cuella, Diamante, Belvedere.

J'ai classé les lettres et je les ai toutes relues. Je me suis aperçu que j'avais oublié le verso d'une page. D'ordinaire elle n'écrivait que sur un côté de la feuille, mais cette fois elle avait employé les deux.

« *Une fenêtre ouverte sur le jardin j'ai écouté, hier soir, la cassette que tu m'as offerte. Il faisait bon encore. En descendant ce matin, la concierge a dit que cette saison n'en finissait pas. C'est vrai. Elle est en cela semblable à nous, mais peut-être est-ce parce que nous n'avons pas encore commencé vraiment, j'ai cette sensation souvent que cet automne nous ressemble, qu'il refuse l'hiver et la mort diffuse qu'il propage... Je voudrais tant contenir encore toute la vie du dernier printemps, je la sentais battre si fort en moi, elle y est toujours mon bel amour, apprivoisée, et pourtant aussi vivace qu'en mai, ne me crois pas quand je suis triste, lorsque mes yeux te regardent sans vie c'est qu'ils te mentent, rien n'a changé sinon que je suis peut-être moins impatiente, moins révoltée qu'au temps des promenades, les paysages alors ne m'apaisaient pas, ni la lourdeur des eaux rhénanes, ni la Seine, ni les rochers, ni les embruns de l'Océan... Merci pour cette musique, elle te contient un peu puisque tu l'aimes et c'est un peu toi qui étais là hier soir avec l'odeur des herbes qui montaient vers moi...* »

Ils ont voyagé. Nous voyagerons, je t'emmènerai partout où tu voudras, nous quitterons l'Italie... Je pars demain, je n'arrive pas à y croire... J'ai fait si peu de folies pour les femmes, à ce point-là, c'était anormal, je n'ai jamais rien risqué, rien sacrifié, rien donné au fond... J'ai même cru être amoureux un jour d'une blonde cendrée avec laquelle j'ai rompu parce qu'elle habitait dans le 15ᵉ, moi dans le 19ᵉ, et qu'il me fallait traverser Paris pour la rejoindre, impossible en plus de se garer, je perdais des heures en embouteillages, à tourner pour trouver une place... J'en avais tiré l'idée que pas plus qu'il ne résiste au temps, l'amour ne supporte la distance... Et demain l'Italie, les routes brûlées bordant la Tyrrhénienne, allons, il était temps que je devienne un peu cinglé, que j'en finisse avec les eaux tièdes des passions sans passion... Je vais prendre un cachet car sinon je ne dormirai pas... Trop d'excitation, comme à la veille de la deuxième partie du baccalauréat. Sans doute son sommeil à elle est-il calme, peut-être chaque soir remet-elle la cassette offerte autrefois et l'amant perdu surgit dans la chambre obscure... Demain, je sonnerai à ta porte...

— Parce que, en fin de compte, tous ces types-là, c'est des gens comme nous. Seulement voilà, c'est eux qui nous commandent et moi quand on me commande je dis Polop.

Ça fait cinq minutes que je suis dans son taxi et ça fait quinze fois qu'il dit « Polop... » Il ne dit pas Polop d'ailleurs, il dit : « Je dis Polap. »

Ça a commencé dès le départ :

— Y a trois jours, je prends un client qui habite votre passage, y me dit : je vais à Fontainebleau, Fontainebleau c'est cinquante bornes mais qui c'est qui retourne à vide ? Je me suis dit Polop...

La conversation a ensuite évolué vers la présidence de la République et, dès la porte de La Chapelle, il m'a expliqué pourquoi la Troisième Guerre mondiale allait éclater d'une seconde à l'autre, le phénomène serait dû essentiellement à la présence d'éléments étrangers immiscés subrepticement dans les différents secteurs de l'économie nationale et ayant mission de la saboter. Ainsi, il a constaté que son pavillon tout neuf prenait l'eau, ce qui constitue pour lui l'équivalent d'une action terroriste d'envergure, fomentée par des escouades maghrébines et là, il a dit Polop.

Ciel clair, soleil, nous doublons des camions à toute allure sur l'autoroute. Il dit « Polop » mais il va vite.

Roissy.

Je suis en avance, c'est un vol Alitalia et l'enregistrement n'a pas encore commencé... J'aime assez cet endroit. J'ai voyagé beaucoup à une époque et j'y ai connu de grandes paniques ; j'ai un jour perdu successivement mon passeport, ma carte d'embarquement et un certificat de vaccination...

Les aéroports sont de curieux endroits, un silence d'autant plus ouaté y règne que l'extérieur s'emplit de grondements. A travers les baies les avions atterrissent, l'air vibrant dans la violence des réacteurs. Je survolerai les Alpes, je n'aime les montagnes que vues du dessus. J'y suis à présent... J'ai reculé si souvent, devant la difficulté, devant le danger, devant la vie... j'ai l'impression d'avoir passé mon existence à faire des pas en arrière, si j'avais été boxeur j'aurais combattu le dos contre les cordes. Pas cette fois. Je ne veux pas la manquer, je n'ai rien prévu, rien préparé, j'ignore tout de ce que je vais lui dire... Cela me surprend d'ailleurs, je suis plutôt du genre prévoyant, pire même, j'ai tendance à apprendre mes répliques par cœur.

Soirée arrosée hier soir avec Darba, il songe à abandonner la période omelette pour se lancer dans le spermatozoïde géant. Il prévoit des toiles variant entre six et huit

283

mètres carrés. Il m'a expliqué longuement que tout peintre cherchait la source même de la vie, et où trouver la source même de la vie ailleurs que dans le spermatozoïde? Donc il va en peindre. Sa prochaine exposition à Mexico sera composée de trente tableaux de spermatozoïdes dans différents attitudes : spermatozoïde au repos, spermatozoïde en plongée, etc. Je lui ai demandé s'il ne comptait pas améliorer les choses en représentant des spermatozoïdes devant la mer, spermatozoïde au téléphone, spermatozoïde regardant un feuilleton télé, etc. J'étais heureux d'être un peu ivre, cela m'a permis de m'endormir vite, d'oublier Mélina, le voyage,... ai-je si peur que ma vie change?

L'avion a décollé à l'heure, j'ai une place près du hublot et, devant moi, une pleine Chantilly de nuages... un peu plus de trois heures de vol. Les lettres sont dans mon sac. Je bois un jus d'orange acidulé à l'odeur de pharmacie étonnante comme seules savent en servir les compagnies aériennes.

Rien n'est plus important et plus vrai que ce que l'on pressent... J'ai toujours, sans le savoir, modelé ma vie sur ce précepte... J'ai su que le métier que j'exerce serait le mien à la seconde même où je suis entré pour la première fois dans une maison d'édition, j'ai su que Françoise représenterait une longue et paisible histoire dès le premier regard échangé, j'ai su avant d'y entrer que l'appartement des Panoramas me conviendrait... Mon instinct ne m'a jamais trompé et, en cet instant, je sais que cette femme vers laquelle je vole est celle qu'il me faut, je n'ai pas d'hésitation, aucune. Mariée, fiancée, amoureuse, avec enfant, malade, tout cela ne me concerne pas. Ce jus d'orange est imbuvable.

J'ai sommeillé... J'ai vaguement entendu le commandant de bord annoncer Rome à la gauche de l'appareil et je me suis renfoncé dans une ouate un peu semblable à celle des nuages que nous surplombons. Un bébé a pleuré un moment pendant l'atterrissage et j'ai foulé par grand soleil et une chaleur intense le sol italien.

J'ai hérité sans trop de paperasses de la Fiat que j'avais appréhendée. Le levier de vitesse semble doué d'une vie propre et capricieuse. Ce ne serait rien s'il ne paraissait pas dangereusement fragile. Il y a en lui quelque chose du roseau.

Je me sens calme, ce qui m'inquiète. Comme le fait de me sentir inquiet ne me rend pas serein, ma situation est sans issue.

Il est 16 heures.

J'ai quitté la route du littoral pour gagner Marakea où des chèvres m'ont arrêté, quelques-unes ont commencé à brouter les pare-chocs... Paysage d'Afrique, l'air chaud m'a séché les poumons... Je suis descendu pour laisser passer le troupeau : j'étais cerné de collines ocre... Aucune terre ne peut être plus râpeuse que celle-ci, pas une herbe, pas un arbre, une poussière pourpre s'est collée au pare-brise.

Marakea est faite de soleil et d'arcades. Sur la place s'élève une fontaine dont les dauphins s'effritent, et on devine derrière les façades des demeures de hauts plafonds dont le plâtre s'écaille. Qui vit ici ? A l'angle nord, un ancien palais croule doucement, les volets ont été brisés, peut-être le bois desséché est-il tombé tout seul.

Il faisait nuit dans la trattoria. Au centre traînait un baby-foot comme il en existait dans les années 50. Je me suis installé à une table et j'ai résisté à l'envie de vin qui m'est venue, j'ai toujours eu un faible pour le vin italien. Il ne restait que le plat du jour : l'escalope viennoise. Bravo pour la couleur locale. Il est vrai qu'il y a quelques années j'avais mangé un cassoulet à New Delhi. Excellent d'ailleurs. Le monde s'uniformise.

Le patron avait les yeux dans le vague. Au-dessus des

285

étagères de bouteilles on devinait les photos d'une équipe de football aux maillots dépareillés. Nous étions seuls et nous n'avons pas parlé. Pour rompre le silence je lui ai demandé s'il pouvait m'indiquer la route de Belvedere que je connaissais parfaitement. Il a montré l'angle de la place vide et a dit « Tout droit ». Darba est l'inverse de moi, il suffit qu'il entre dans un bistrot pour trouver des personnages fourmillant d'anecdotes, il aurait été à ma place il aurait trois cents personnes autour de lui, jacassantes...

J'ai terminé mon escalope sans enthousiasme. Malgré le rectangle de lumière de la porte, j'avais du mal à voir mon assiette et la limonade sirupeuse m'a pesé sur l'estomac.

Cent cinquante kilomètres encore... Deux heures à peine... quelques camions se traînent sur les routes, j'y serai à 6 heures. La chaleur commencera à tomber et je demanderai la maison de Mélina.

Il n'y a depuis quelques instants que le bruit de ma fourchette sur le bord de l'assiette et un crissement de cigales. Derrière son comptoir le patron fixe la fontaine. Difficile de dire qui est le plus immobile des deux. Je me demande si ce type est né ici, peut-être est-il le seul survivant, l'unique habitant d'un village déserté...

J'ai payé et suis remonté en voiture.

C'est la dernière étape à présent. Depuis combien de temps cette aventure a-t-elle commencé ? Un mois à peine, un peu plus... Mes mains sont moites sur le volant. Jamais un homme n'aura autant suivi son intuition. Que va-t-il se passer ?

C'est une plaine à présent, des maisons-forteresses éparpillées, fermées sur la fournaise. Depuis Scalea il n'y a plus aucune voiture... La route est à moi, le bitume miroite sous les traînées de sable et l'horizon s'étale, calciné.

Comment peut-elle vivre là ? Comment supporte-t-elle l'exil de ce bout du monde ?

Parfois, sans raison, des panneaux publicitaires déglingués vantent les mérites d'apéritifs disparus, de marques oubliées... Mon dos me fait mal, tant le dossier est dur mais le moteur semble tenir.

Cirilla. J'approche... En contrebas de la route, quatre barques en radoub dans un port minuscule, un homme torse nu passe au goudron la coque de son bateau de pêche. Le soleil baisse très vite à présent. Depuis plus de cinquante kilomètres j'ai doublé une femme en noir sur un vélo rouge. La mer disparaît, revient... A la sortie du village j'ai fait le plein et, en sortant, la chaleur équatoriale m'a collé instantanément la chemise aux épaules. Je me suis emmêlé dans les lires en payant, l'homme qui m'a servi avait un regard de charbon et m'a proposé une vidange avec l'expression du tueur qui s'engage à vous débarrasser d'une maîtresse gênante. Son pantalon était raide de cambouis et des montagnes de vieux pneus s'élevaient derrière les deux pompes.

J'ai eu du mal à repartir, la batterie doit faiblir, je suppose que l'eau doit s'évaporer à toute allure...

Des collines à présent, elles avancent vers moi, se resserrent. Quelques arbres sont apparus, des camionnettes surchargées de pastèques. Par l'échancrure des rochers, j'ai vu un campanile, jaune sur le bleu immuable. Une côte assez longue et je me suis aperçu soudain que les ombres avaient grandi.

J'ai vu l'indication au dernier moment, elle était camouflée par les ruines d'une ancienne ferme. J'ai freiné aussitôt et regardé ma montre.

Il était 18 heures et j'étais à Belvedere.

Une connerie. Une de plus. La plus belle de toutes. 1,85 mètre au bas mot. Une géante. J'avais dit que l'amour ne résiste pas à la distance, résiste-t-il à la longueur ? Je me suis souvenu que Sardreux ne l'avait vue qu'assise.

Le vent du soir s'est levé et les rideaux ondulent devant les fenêtres béantes, leurs gonflements scandent la respiration du jour qui meurt.

— Encore du café ?

— Merci.

Mélina.

Elle sourit.

— Il est très fort, nous en buvons beaucoup... hiver comme été.

Le salon ouvre sur le jardin. De l'eau coule dans l'herbe, je l'entends mais ne la vois pas. Je la regarde et, comme la première fois où nos yeux se sont croisés, il y a quelques minutes, sur le perron de la villa, le même phénomène se produit : tout se tait en moi — tout. Je ne suis plus qu'un vide et qu'un silence.

Elle est belle en fin de compte, le nez pur, l'attache du cou... sculpturale, avec cependant quelque chose de la limande-sole dans un regard que les paupières ne semblent jamais voiler. Sévère. Pétrifiante. Une connerie. Je n'ai plus d'amour, vidé comme une baignoire. L'enfant qui m'avait mené jusqu'à elle s'était écarté et m'avait montré du doigt la silhouette de la signora Mélina. Où sont tes rires, M. ? Tes désespoirs ? Où caches-tu la vie en toi ? Elle n'avait même pas exprimé une vraie surprise.

— Vous êtes un ami de Sardreux ? Entrez, je vous en prie... Comment va Philippe ?

— Il est sur la Côte d'Azur, marié, trois enfants, dans l'immobilier...

— C'est bien, très bien...

Elle s'en fout profondément, c'est évident, elle se penche vers moi pour me parler, elle a des mains de déménageur.

Un salon confortable, colonial. Beaucoup de toiles aux murs, peut-être d'elle. Je tourne la cuillère dans ma

288

tasse... Par où commencer ? Elle ne supportera pas que je lui parle de son suicidé... Et puis cela n'a plus d'importance à présent, je peux raconter que je passais par hasard...

— En fait, dit-elle, je connaissais assez peu Philippe, j'en ai surtout entendu parler par un ami qu'il hébergeait.

Je prends mon courage à deux mains.

— Reza Shamin ?

Elle n'a pas bougé un cil.

— Reza, oui... Un immigré iranien... Le malheureux s'est pendu.

Bon sang ! je rêve. Je ne suis pas à Belvedere. Je vais me réveiller, le jour va se lever sur le passage des Panoramas, je vais entendre le bruit des rideaux de fer qui se soulèvent...

— Philippe ne vous a pas raconté cette histoire ?

J'avale ma salive amère. Ce café est imbuvable.

— Si, pas dans le détail mais suffisamment... En fait, je suis venu vous apporter quelque chose qui vous appartient...

— C'est gentil à vous.

Je lui ramènerais sa brosse à dents que ça lui ferait autant d'effet. Elle a un geste maniaque sur le bras de son fauteuil, elle essuie une trace. Elle essuie beaucoup, tout à l'heure elle a essuyé de l'index une poussière sur la desserte. Cette femme est une essuyeuse née. Horripilant.

Je n'ai pas cessé de mourir d'amour pour toi, imbécile, depuis un mois, tu pourrais faire un effort tout de même... Comment tous ces mots alignés ont-ils pu sortir de cette main qui poursuit sur la table une miette de biscuit ?

L'ennui qu'est capable de dégager cette femme est sidérant.

Mélina Santini est l'inverse de ses lettres. Je viens d'apprendre qu'elle s'appelle Santini.

J'ai commencé mon récit depuis ma découverte dans le

tiroir sans clef, j'ai abrégé bien sûr, elle me regarde sans émoi de son œil poisson, je vais vite parce qu'elle appartient à cette catégorie d'êtres humains avec lesquels on n'a pas envie de faire d'efforts. Elle a pris un magazine et s'évente tandis que je parle, le visage de Maradona passe et repasse en un balancement régulier, il n'y a pas un journal italien dont il ne fasse la une.

— ... C'est lui qui m'a appris que Reza Shamin avait... avait une amie et il m'a donné votre nom, je me suis dit alors, puisque je me rendais dans la région, que...

Incroyable ce que cette histoire racontée objectivement peut être inintéressante, je me suis monté à moi-même un gigantesque bateau qui vient de couler corps et biens. Je suis le Titanic des histoires d'amour.

— Bref, voilà !

Je lui tends les lettres. Elles sont mortes de toute façon, redevenues des feuilles de papier, un petit tas de mots, dérisoire... elles m'auront pourtant fait beaucoup voyager.

Maradona effectue deux aller-retour et s'arrête.

— J'ai eu en effet une liaison avec Reza à cette époque... Je pense aujourd'hui qu'il y a accordé plus d'importance qu'il n'y aurait dû, mais je peux vous affirmer une chose, monsieur...

— Berthold, André Berthold.

— Monsieur Berthold... c'est que je ne lui ai jamais adressé une seule lettre de ma vie.

Badaboum et patatras, Alléluia, Hosannah, Allah est grand, God Save the Queen...

Le vent se lève vraiment à présent, les rideaux s'envolent et une poussière terreuse crépite contre les murs de la villa, il faudrait fermer les fenêtres car tout dans la pièce sera bientôt recouvert d'une poudre chocolatée.

Ma main revient vers moi, serrant les lettres.

— Je déteste écrire, c'est une paresse, et puis de nos jours il y a le téléphone.

Une joie tremble en moi, fragile encore, mais elle va éclater et je vais finir en miettes, collé au plafond.

Je le savais. Je l'ai su dès la première seconde : M. n'est pas Mélina. Ça ne pouvait pas être ça... M. redevient M. et l'amour charge au galop, ça y est, je me remplis à nouveau, en montgolfière...

Ça ne pouvait pas être cet échalas, cet escogriffe, voilà, je décolle, je vais flotter, je flotte, à pleines voiles sur le bonheur... Bienvenue à bord, M., nous repartons vers le grand large, vers les îles, ouf! on a eu chaud, on a contourné le récif.

Je m'embarque, nous gagnons la cabine...

— Je me suis alors installée ici pour peindre plus calmement, c'est un pays intense, une sorte de grande blessure.

Je la prends dans mes bras... Je sens l'odeur de sa peau à travers le coton de la chemise, sa lueur jaune semble éclairer la chambre, nous levons l'ancre.

— Je n'ai jamais regretté de quitter Paris, où trouver un tel calme, d'ailleurs...

Mes mains sur toi, animées, et ce frémissement qui t'est venu tandis que la côte s'éloigne, les rives déjà s'estompent et nous entrons en royaume de haute mer, en houle d'amour...

— Comme je devais préparer cette exposition à Florence, je me suis installée ici et, de fil en aiguille...

... ma voyageuse, mon inconnue, ma frégate, mon Nouveau Monde...

Je me suis levé d'un coup.

— Bonsoir, madame Santini.

Je lui ai coupé sa phrase entre les dents, et j'ai filoché à travers le parc comme si j'avais eu un essaim de guêpes dans le pantalon... Elle a tenté de me suivre à grandes enjambées mais je l'ai semée dès la grille franchie... En m'engouffrant dans la Fiat, j'ai eu le temps de m'apercevoir qu'elle avait l'air ahuri et que cela ne faisait pas grande différence avec son air ordinaire, et j'ai démarré en direction de Naples. J'étais heureux comme un roi : j'avais M. tout sourire contre moi et pas la moindre piste pour la retrouver.

En quittant Belvedere, le vent a poussé une longue rafale sableuse qui a fouetté la voiture. Le ciel était dégagé et, malgré que la nuit fût encore loin et le pare-brise crasseux, j'ai distingué les premières étoiles.

IX.

Voilà ! il n'y a plus qu'à attendre.

C'est d'ailleurs par là que j'aurais dû commencer, tout bêtement.

Je me sens bien. Frisquet ce soir, j'ai résisté à l'envie de faire un feu dans la cheminée. Je me suis quand même sorti la petite laine du placard, tout cela dans une atmosphère doucement vasouillarde due à la fatigue. Je n'arrive pas à récupérer de ce voyage.

Cette bon Dieu de Fiat a tout de même fini par me lâcher. En pleine nuit évidemment, dans une plaine désolée, loin de toute créature vivante. J'ai tenté de dormir, mais c'est difficile avec les reins sciés en deux et les genoux sur le menton. Et puis un Martien est arrivé sur une pétrolette, je l'ai arrêté et il est revenu deux heures plus tard avec un garagiste qui a soulevé le capot, a promené longuement une lampe électrique sur l'emmêlement des organes vitaux et a proféré cette sentence :

— C'est le moteur.

J'ai alors éprouvé l'intense satisfaction qu'il y a à savoir que l'on est entre les mains de professionnels avertis. En fin de compte, j'ai pris le car pour Salerne, il partait à l'aube et s'arrêtait environ tous les deux cents mètres pour faire monter et descendre des femmes fortes, aux jambes variqueuses et à l'odeur de salade mouillée. J'ai eu l'impression que le voyage avait duré quatre jours. Divine

293

surprise à l'aéroport, une grève du personnel au sol entraînait des annulations et des retards. Je n'ai échappé ni à l'un ni à l'autre, puisque, mon avion annulé, j'en ai pris un autre qui a eu du retard. C'est ce qu'il convient d'appeler une épopée.

Et ce matin, idée : je décroche le téléphone et je passe une annonce dans trois journaux.

Je suis allé à M. Pourquoi ne pas demander à M. de venir à moi ?

De toute façon, je n'ai plus de piste.

« Il a été trouvé des lettres à caractère personnel dans un appartement 12, passage des Panoramas — Paris 75002. La personne qui désire les récupérer peut, soit écrire à l'adresse indiquée, soit téléphoner au 42.52.25.42. — A. Berthold. »

L'annonce passera trois fois... je croise les doigts.

Plusieurs appels sur mon répondeur. Dumarin me propose un maire de village après le commissaire, un élu du Cantal, poete a ses heures, spécialiste en charcuterie locale et en coups de gueule... Darba m'invite demain soir pour un sauté d'agneau et Françoise a besoin de me voir vite, une question d'argent. Je lui ai laissé un message lui donnant rendez-vous ce soir au bar du Lutétia, à 22 heures.

Au temps de nos amours, c'était l'heure de nos retrouvailles. Je trouvais ça trop tardif, j'ai conservé de l'enfance une mentalité de couche-tôt et, longtemps, me trouver dehors après minuit m'a paru avoisiner l'illicite. Ce qui est nocturne est louche... Les braves gens vivent le jour... les ténèbres lâchent leurs créatures de danger.

Anna traînaille chiffons en main. Je n'ai jamais vu une femme de ménage ayant autant de chiffons. Un pour chaque meuble sans doute, elle les sort des poches de son tablier comme une prestidigitatrice. Je l'ai prise pour avoir la paix et, en général, au moment où je m'installe devant la machine à écrire, elle me demande de pousser les divans ou de soulever les chaises car un lumbago chronique lui interdit l'effort le plus infime. Sa besogne consiste essentiellement à épousseter d'un geste aérien la surface des choses en sifflant entre ses dents des airs d'opérettes bavaroises. Je l'entends passer l'aspirateur dans la chambre. Parfois elle arrête l'appareil et de longs silences ont lieu. Que fait-elle ? La sieste ? Si je n'avais pas eu peur de paraître suspicieux je serais allé à pas de loup la surprendre.

— Monsieur Berthold !

Ça y est. Le lit à pousser sans doute. Une demi-tonne au moins. Je dois m'arc-bouter férocement, gagner centimètre par centimètre...

J'entre dans la chambre. Anna me tend les lettres.

— J'ai trouvé ça juste dans l'angle... La moquette s'est déclouée et c'était dessous... J'ai failli les aspirer... Il y en a peut-être d'autres... Je les mets à la poubelle ?

M.

Un tapis de lettres, je marche dessus depuis le début... Je ferai déclouer tout ça dans la semaine...

— Merci, Anna.

Elle vient à moi... Je le sens, elle s'approche... Elle sera là peut-être bientôt... C'est idiot ce rendez-vous avec Françoise alors que j'avais ces heures avec elle... Trois cette fois... Ce type avait le don de multiplier les cachettes...

« *Pourquoi n'avons-nous pas passé une soirée heureuse ? Un spectateur objectif ne l'eût pas compris : ils se retrouvèrent dans un palace à boire des cocktails compliqués, ils dînèrent aux chandelles et la nuit était claire à travers les marronniers. Ils rentrèrent dans leur chambre et firent l'amour, longtemps, d'où leur venait alors cette amertume ?*

Que s'est-il passé ? Quel était ce filtre insidieux qui a empoisonné nos regards et nos âmes ? Je ne sais pas... Peut-être était-ce dans tes yeux un éclat de lumière qui m'a semblé être la couleur soudaine que prenait l'indifférence, peut-être était-ce un ton, une sonorité dans ta voix que tu n'avais jamais eue et qui ne contenait pas de chaleur, peut-être était-ce en moi comme une fatigue qui me rendait impossible la dégustation de l'instant.

Tout était si merveilleux pourtant, j'ai eu tout le long de ce soir l'envie de toi comme jamais, mieux que jamais... Tu m'as troublée chaque seconde et je n'ai pas dû savoir te le montrer... Pardonne-moi, je croyais être plus chatte, plus folle, plus fille... Je me suis amusée parfois à mimer les vamps, ce qui est trop la preuve que je n'en suis pas une et comme je l'ai regretté ! Il y a eu en toi cette nuit une part mécanique que je ne soupçonnais pas, mais peut-être à un moment ou à un autre une femme a-t-elle l'impression que l'homme qui la possède a eu avec d'autres les mêmes gestes, les mêmes postures, elle cesse alors d'être elle pour devenir n'importe qui, c'est une chose idiote qui naît dans nos esprits balourds, ce n'est ni intelligent ni sensible, c'est ainsi, et j'en suis encore malheureuse. Ne m'en veux pas d'être une gâcheuse, c'est un peu ma spécialité, l'art de transformer les bons moments en mauvais ne possède pas de secrets pour moi...

Je relis ma lettre et la trouve sinistre autant et plus que moi hier soir, il faut que j'attrape une couleur vive, un baiser tout rouge, un regard tout bleu, une fleur violente, un papillon, n'importe quoi pour le fourrer dans l'enveloppe afin que cette lettre chante un peu. Ne m'en veux pas, je ne suis que ta grisailleuse, tu sais que tout de même ce n'est pas si souvent...

Je t'embrasse tant tellement, jusqu'à la blessure.

M. »

Un palace... « Des cocktails compliqués. » Le pauvre étudiant de Reza y aurait laissé sa chemise... Je lirai les autres au retour... J'aurais le temps mais toujours cette fâcheuse manie d'économiser les sentiments, de me garder une provision d'émotions pour plus tard, dans le placard aux provisions... Qu'avait-elle ce soir-là ? Peut-être l'amour avait-il commencé entre eux à se faire la malle... Et puis, il y a des soirs où tout tourne au marécage, allez savoir pourquoi, une larme de lassitude en trop et les couleurs s'étouffent, le violon devient pleurard et les oiseaux la bouclent. Qu'arrive-t-il ? Hier encore ils pépiaient sous les ombrages et les archets dansaient sur les cordes... Au plafond des palais, traversant les dorures et les fresques, une fissure imperceptible est apparue... On ne l'avait pas remarquée tant la valse avait été rapide et tournoyante. Mais elle est là et les vins que nous boirons désormais n'auront plus l'arôme d'autrefois.

En parlant d'amours d'autrefois, il est temps d'aller retrouver la mère Françoise. Rendons-lui justice, ce n'est pas elle qui aurait remarqué des fissures au plafond ou des sanglots dans les violoncelles... C'était plutôt le genre mains aux fesses et prenons du bon temps... Pas sujette aux coups de grisou, la mignonne... Une capacité d'empoigner la vie par le bon bout qui confinait au délire. Le style chantons sous les missiles...

Ce n'est pas le bar que je préfère mais il possède la portion de colonnades et de moquette feutrée qui me fascine dans les grands hôtels de Paris... Je ne sais pas pourquoi, je pense qu'ayant horreur des voyages j'aime à me trouver entouré de voyageurs en ayant la satisfaction de pouvoir prendre un verre sans avoir deux jours d'avion pour rentrer chez moi... Ce monde qui m'entoure est en transit, moi j'y suis installé... Au fond ces palaces sont des pantoufles géantes dans lesquelles je me sens bien.

Le bar bruisse... Conversations tamisées... Personne ici n'élève la voix, un murmure soyeux au-dessus des théières... La voilà ! Si elle est déjà là c'est qu'elle a vraiment un problème.

Je l'embrasse, en cousin de province, deux fois sur chaque joue. Je fais l'aimable.

— Tu as bonne mine.

— J'ai 40 de fièvre.

Ça n'empêche pas les glaçons dans le Martini. Je sais par expérience qu'elle compte toujours deux degrés de plus, donc elle doit faire un petit 38, état fébrile, on peut ne pas appeler le SAMU.

— J'ai une angine et les impôts, l'angine tu n'y peux rien, les impôts peut-être... Il me manque 5 000 balles pour faire le compte, je te rembourse en fin de mois prochain.

— Quinze pour cent d'intérêts, ça te va ?

Plaisanterie éculée mais rituelle, pourquoi ne pas sacrifier à l'habitude ? Je lui signe le chèque à toute allure, on n'en parlera plus...

— A part l'angine, tout va bien ?

— A part l'angine, les impôts, le lave-vaisselle qui déconne, la voiture qui débloque et le boulot par-dessus la tête, c'est le nirvana.

Je commande un Martini. J'ai tendance à boire ce que boit la personne avec laquelle je me trouve, ce qui dénote un manque d'imagination doublé d'un esprit suiveur. Cela m'a entraîné à consommer une grande variété de boissons diverses dont du Fernet-Branca et de l'eau de Vittel.

— Il reste l'amour... Comment va le beau moustachu en tweed ?

— Lui va bien... Sa femme beaucoup moins, ce qui l'amène à s'occuper d'elle et à m'octroyer une soirée par quinzaine.

— Quand on aime, on ne compte pas...

Elle a le ricanement qu'elle conservait autrefois pour les moments où j'apparaissais nu devant elle.

— Et toi, tu en es où ?

298

Les glaçons tintent. Le citron est coupé trop épais.

— Un petit voyage en Italie... deux jours...

— Lorsque l'on choisit l'Italie, ça veut dire que tout va bien... Un Français qui emmène sa maîtresse en Suède, c'est mauvais signe. Je suis ravie de voir que vous en êtes encore à choisir des contrées favorables aux épanouissements romantiques. Merci pour le chèque. Au fait, comment elle est ?

— Qui ça ?

Elle me regarde avec une indulgente commisération.

— Ta copine !

J'ai un geste vague.

— Jolie..

Je module ma voix pour qu'elle ne croie pas tout de même que c'est la merveille de l'Univers.

— Tu ne peux pas préciser un peu la description ?

— J'avoue que je ne vois pas l'intérêt...

— Laisse tomber, dit-elle, n'y vois aucune curiosité malsaine de ma part, mais je pensais qu'un homme amoureux adorait faire le portrait de la bien-aimée, je pensais t'être agréable, s'il n'en est pas ainsi je n'insiste pas. Donc, couleur du rouge à lèvres, taille, tour de poitrine, forme des oreilles, signe distinctif... J'attends.

Je ris. J'ai été bien avec elle. Formidablement bien. Nous nous faisions des cadeaux idiots. Je me faisais battre régulièrement à ce jeu, en particulier pour mon dernier anniversaire, j'avais reçu deux caisses de 50 kilos de raviolis bolognaise en boîte. J'adore les raviolis. J'ai eu droit également à une poupée gonflable de plastique noir, avec rustines en cas d'accident, notice explicative et une très jolie boîte sur le couvercle de laquelle ladite poupée, beaucoup plus jolie qu'en réalité, se pavanait en proclamant : « Je m'appelle Samantha. » Samantha possédait également un petit gonfleur qu'on pouvait adapter au milieu de son épine dorsale et pouvait atteindre des dimensions de montgolfière. Elle avait malheureusement tendance à devenir flasque très vite et offrait alors un spectacle désolant. Jamais je n'ai eu une créature aussi avachie, une triste image du Ghana.

— Je vois que tu as décidé de ne pas être bavard. Je vais finir par supposer qu'elle pèse 80 kilos, a les cheveux gras et une couperose.

— C'est à peu près ça...

Elle écluse son verre d'un trait.

— Je ne prends pas la peine de te demander si ta soirée est prise et si tu accepterais de casser une petite croûte avec une vieille copine...

— Ma soirée est prise.

Je suis rarement aussi net... Mais mon rendez-vous est urgent : deux lettres de toi, M., je ne peux pas te faire attendre. Et puis il peut y avoir un message sur le répondeur...

— Mais une autre fois, bien sûr...

Elle sourit.

— Bien sûr, bien sûr...

Françoise sourit toujours.

— Tu as une envie folle de partir mais tu n'oses pas...

— Si, une autre fois, on bavardera davantage.

— C'est ça, dit-elle, on parlera de la situation internationale et de la crise du dollar...

Nous nous levons ensemble.

Beaucoup de Japonais, impeccables sur les canapés et les fauteuils Louis XV, comme s'ils n'avaient fait que ça toute leur vie. Jolies cravates distinguées aux insignes de clubs... Tourbillons odorants de femmes aux jambes fumées... mode toujours... Glaïeuls dans les cheminées monumentales... Ils remplacent les flammes de l'hiver... Un jour j'emmènerai M. dans cet endroit, dans plein d'autres... Il n'y aura que nous de vivants, nous longerons des lacs, nous marcherons dans des neiges, tout sera vaste, illimité, il y aura des cafés le matin sur des comptoirs rapides, des ponts sur des fleuves larges, des escaliers de marbre descendant vers des terrasses, et des falaises, et des plages profondes, et tous les déserts des planètes, et merde! je ne supporte plus le Martini, je ne supporte plus rien.

Françoise a eu un geste rapide d'au revoir, elle s'est fait volatiliser par un taxi, il y a quelques années ces départs éclairs me désarçonnaient, je m'y suis fait... je m'en fous, j'ai mon rendez-vous aussi... Je vais rentrer à pied, j'aurai l'air seul mais ce ne sera pas vrai.

« *Je ne suis jamais fière de mes nuits, c'est vrai, ne me le reproche pas, je me sens balourde, maladroite... Pardon de n'être pas somptueuse et déchaînée, je pourrais jouer ce rôle, j'en ai joué bien d'autres, mais pas celui-ci, je ne le peux pas... Tant de choses se passent en ces instants, j'ai tant à lutter, tant à combattre... Je me bats pour toi, pour nous, il n'est pas simple d'obtenir l'orage qui m'inondera et qui tarde... Je suis une vieille fille percluse qui a tant de mal à se sentir belle... Cela m'arrive au hasard de l'un de tes regards, au reflet d'un miroir... L'autre jour, dans ce troquet du 18ᵉ entre deux charbonniers, c'est survenu, mais l'impression s'enfuit et il ne reste que la réalité, c'est-à-dire moi, sans magie, sans mystère, alors le brouillard entre... Quelle patience, mon pauvre amour, quelle patience doit être la tienne...* »

Le ton change... Que se passait-il entre eux? Les amoureux d'hier ont aujourd'hui des problèmes d'amants... Rien de bien neuf... Peut-être avaient-ils cru que leurs deux corps ne pouvaient, rapprochés, n'être qu'en fête... C'est une illusion fréquente, les choses ne sont pas simples parfois, mais il me vient égoïstement comme une satisfaction de leurs échecs nocturnes... Peut-être ne s'expliquaient-ils que parce que leur amour n'était pas si intense qu'ils l'avaient cru...

« Je suis entrée chez Martine, décidée à acheter un chapeau d'envergure... quelque chose entre la capeline et le Stetson, bref un bibi à faire chavirer les têtes, j'ai essayé tout le magasin. Avec voilette, sans voilette, en cloche, avec bouquet garni, hirondelle planante, nœuds velours, trapézoïdal, en pyramide, tronc de cône, cocher de fiacre... La vendeuse n'a pas cessé de pousser des petits cris d'admiration à chaque essai. Elle a tellement répété que j'avais une " tête à chapeau " que cette expression a fini par me devenir péjorative... La tête à chapeau ne doit pas être tellement loin de la tête à claques... En fin de compte, je suis sortie avec une casquette de voyou. Je ressemble à Jean Gabin en 1936. Elle est à carreaux et fait très " congés payés ", il ne manque plus que les pantalons de golf, les chaussettes à losanges, un vélo et Arletty sur le porte-bagages. En général je sors avec et au bout de dix mètres je la fourre dans mon sac, il m'a semblé que les flics me regardent d'un drôle d'air lorsque je l'arbore. »

Fait-elle un effort pour redevenir une fille gaie et sans histoire ? Est-ce volontairement qu'elle occulte les problèmes, qu'elle repart à l'assaut, l'humour en bandoulière ? Quelque chose me le dit, l'écriture entre autres qui s'efforce d'être ferme, vaillante jusqu'au bout...

« Je partirai donc comme convenu pour la Toussaint, c'était prévu de longue date, je suis surprise que cela soit survenu si vite, hier encore l'été était là et ces journées d'octobre ont été si ensoleillées... Vérone m'a fait oublier que le temps pouvait couler, ce n'était qu'un week-end seulement mais il y a l'impatience bien avant et le souvenir si fortement après... Deux jours avec toi me durent trois bonnes semaines... Quelle économie de vie ! Donc visite au cimetière, il pleuvra sans doute et les hortensias en pots pèseront lourd, je hais ces fleurs mouillées et molles qui sentent le terreau et le chagrin. Chassons tout cela, je serai revenue dès vendredi, appelle-moi puisque cela m'est impossible, j'espère que tu te retrouves dans

l'avalanche de numéros que je t'ai assenés. J'aimerais entendre ta voix dans ma maison d'enfance, murmure-moi dans le secret de l'ébonite des mots salaces pour chasser de cette chambre ce qui fut virginal. Jolie phrase, non ? Je t'embrasse mon grand garçon, tiens-toi droit, mange ta soupe et pas de doigt dans le nez pendant que maman voyage... Je t'embrasse à en faire trembler les murs.

M. »

C'est une missive d'automne, il m'en reste une et...

Ce n'était pas une lettre. Une feuille de papier blanc pliée en quatre. Lorsque je l'ai ouverte la photo est tombée.

J'ai manqué deux systoles d'affilée. Le faisceau de ma lampe n'éclairait pas jusqu'à terre... C'était un format carré, plus petit qu'une carte postale. J'ai dû glisser l'ongle pour le soulever sur l'un des côtés.

J'ai déposé le cliché devant moi en écartant les feuilles et la machine à écrire, j'ai délimité un espace dont il occupait le centre exact.

Jusqu'à cette seconde mes yeux ne s'étaient volontairement pas fixés dessus... Il fallait pour cela que toutes les conditions soient parfaitement réunies. Elles l'étaient à présent... J'avais simplement deviné une silhouette de femme sur une plage, il y avait des rochers et des nuages. J'ai réglé l'axe de la lampe halogène et poussé à fond l'intensité lumineuse. J'ai dû déplacer la photo en lui imposant une légère diagonale pour effacer un reflet, et je me suis penché.

M.

Elle tourne la tête vers la gauche. Il est difficile de savoir si c'est pour échapper au vent ou parce qu'elle regarde quelqu'un qui l'appelle de l'une des fenêtres de l'hôtel qui se trouve derrière elle.

Les cheveux balaient le visage, ils sont courts mais pas

303

suffisamment pour laisser un centimètre de peau apparente... Entre deux boucles, on discerne un morceau de joue, à moins que ce ne soit une mèche plus claire. Elle porte un imperméable kaki de coupe militaire, la ceinture est serrée autour d'une taille mince... Les chevilles semblent fines, on ne voit pas les chaussures qui s'enfoncent dans le sable mais peut-être a-t-elle les pieds nus. Difficile de lui donner une taille, par manque de moyens de référence, mais je ne saurais dire pourquoi, elle semble grande.

Cabourg !

Je me disais que je connaissais cette façade et le souvenir m'en est revenu soudain. Un hôtel blanc où j'ai séjourné il y a plusieurs années...

Une photo d'amateur, mal cadrée... Une grande étendue de sable au premier plan et elle, au fond, les mains dans les poches... A la loupe, les grains du papier apparaissent mais ne m'apprennent rien, même si je scrute chaque millimètre carré.

Au verso, une simple indication en écriture script : *Juin 88.*

Enfin une date !

Rien de plus. Comment décider le directeur d'un hôtel à laisser compulser ses registres pour savoir qui, parmi toutes les clientes de ce mois-là, avait un prénom commençant par M. et ressemblant à une photo dont le visage est masqué.

La feuille de papier dont elle est tombée n'est pas vierge comme je l'avais cru, M. y a tracé deux lignes :

« C'est le portrait le plus ressemblant que l'on m'ait tiré depuis toujours... Ceci est l'unique photo de moi où l'on ait besoin d'imagination pour me reconnaître. Quelle tête pouvais-je bien avoir ce jour-là ? Bises.

M. »

Mon index suit les bords de la silhouette.... le tissu plaqué par les rafales dessine la courbe de la hanche et de l'épaule... Elle fut là, elle est là... Ce sable a connu son empreinte, le vent a conservé le parfum de sa peau... Elle se rapproche, je le sais... Demain elle frappera à ma porte.

« *Je t'embrasse tant tellement. jusqu'à la blessure.* »

Mme Chovrinsky m'a offert des paupiettes.

Enfin elle appelle ça des paupiettes mais, comme elle a remplacé le veau par un filet de poisson non identifiable, et la farce habituelle par une confiture de mandarine, la ressemblance est lointaine. J'avais un grand souvenir de paupiettes, aussi étais-je ravi de goûter à celles de Mme Chovrinsky, elles ont fini rapidement dans la poubelle. J'ai plus de mal à me dégager de l'odeur! L'inconvénient d'un appartement dans le passage, c'est l'aération. Si vous faites griller des sardines, vous embaumez deux kilomètres de boulevard.

— Vous avez aimé paupiettes?
— Délicieuses!

Elle plisse des yeux de malice gourmande.

— Demain aussi. Pour vous. Et après-demain...

Formidable! Lorsqu'elle fait des paupiettes elle en fait pour la semaine.

Si tout marche comme je le pense, ce jour sera un grand jour : j'en termine avec le commissaire. Pas si grand jour que ça d'ailleurs, puisque je dois enchaîner avec le maire du Cantal... Dans la série petits métiers-grands destins, Dumarin a commencé à planter des jalons au sujet d'un éboueur maghrébin. Pas demain que le chômage frôlera mon stylo de son aile noire.

Coup de fil de Paule qui part à New Delhi chercher des brocarts pour une copine.

305

Je trouve ça magnifique : « Bonjour papa, je vais chercher des brocarts pour une copine. » Vous imaginez alors votre fille sortant de chez elle avec un cabas au bras, traversant des rues et allant faire ses provisions chez le marchand de brocarts. Rien de plus simple. Eh bien non ! C'est à New Delhi ! On va faire ses provisions aux Indes, tranquille, décontracté... Mettez-m'en donc dix mètres, mon bon Indien... Heureuse époque. Je termine mon bouquin :

« *Aujourd'hui, comme dans l'élaboration d'un portrait-robot, tous les visages se fondent : ceux des Gitans du quartier des Ecluses, les voleurs de poules de l'enfance, les manouches, les caraques, les boumians, ceux des Abbesses, travelos, malfrats, tireurs de sacs, les minables de l'arraché, les faux caïds du vol à la traîne, les embrouilleurs, les maquilleurs de brèmes et de voitures volées... Tous dealers, chapardeurs, détrousseurs, demi-sel et casseurs, petit monde braillard et sans envergure, vous devenez semblables et vous possédez en cet instant un visage unique — il est composé d'un peu de malchance, une trace de mauvaise enfance, de roublardise, de combine débrouillarde, quelques rides de méchanceté mais toujours l'innocence dans l'œil, celle que confère la croyance que l'on est un gros malin et qu'on ne sera pas pris... Ce visage m'émeut presque.* »

Très bon cela, très bon, encore une bonne double page de cet acabit et je vais pouvoir boucler. Ça s'appellera *Commissaire*. Le comité de lecture s'est trituré les méninges pendant trois séances plénières pour trouver ce titre, Dumarin a payé ferme de sa personne, il a été question de *Au service de la rue*, *Du flagrant délit au procès-verbal*, *Le Nettoyeur des bas-quartiers*, etc. Finalement on a abouti à ça : *Commissaire*. Avec en couverture une photo de pavés luisant de pluie, les lettres en rouge, un peu baveuses, comme un cachet de poste. Toujours l'originalité.

Je travaille avec devant moi la photo de M. appuyée sur

306

le socle du téléphone. Il sonnera tout à l'heure et ce sera elle.

Quarante-huit heures déjà que l'annonce est parue. Demain encore, après les chances seront faibles, il restera la piste Cabourg mais elle sera difficile à suivre, voire impossible.

Il est 13 h 35, le frigidaire est vide et la faim me tenaille au point que je me demande si je n'aurais pas dû garder les paupiettes Chovrinsky.

Petit saut au restaurant d'en face. Cela va faire deux jours que je ne suis pas sorti du passage. Je sifflote dans l'escalier et, je peux le jurer : sur le palier du premier étage je sais que la lettre est là. On peut appeler cela comme on le désire, je le sais. Elle y est, un point c'est tout.

L'entrée est obscure, on distingue à peine les noms sur les boîtes aux lettres, ma clef tourne et le rectangle de l'enveloppe blanche illumine le couloir. Une sorte de néon presque phosphorescent. Je le savais, c'était certain. Elle a tapé l'adresse à la machine mais c'est elle, c'est dans mes veines, j'ouvre en déchirant :

> La Galerie Bergame vous prie d'honorer
> de votre présence
> l'exposition qui...

Nom de Dieu !

Se méfier des prémonitions, c'est un symptôme d'aliénation mentale.

Il y avait le dernier relevé de banque, une publicité pour l'American Express, une carte postale de Barcelone d'un ancien copain de régiment et une autre bon Dieu d'enveloppe verdâtre, format faire-part, le style qui contient une carte avec des oiseaux bleus et des bébés roses et qui vous apprend que Muriel est heureuse de vous annoncer que la cigogne lui a apporté un petit frère prénommé Sébastien et que tout va bien.

Du monde dans les Panoramas aujourd'hui, un groupe de Japonais philatélistes bloque la circulation en s'entassant devant la boutique de timbres et monnaies de collection. Au restaurant, il ne restait qu'une table dans le fond, je m'y suis installé en regrettant de ne pas avoir acheté un journal car il n'y a rien qui ait autant l'air d'un con qu'un type qui attend, tout seul, qu'on veuille bien lui servir une entrecôte Bercy. Du coup, j'ai repris mon courrier en me collant sur la face le masque des importants préoccupés. J'ai vérifié les chiffres de mes comptes courants et comptes bloqués dont je me soucie comme d'une guigne dans la mesure où ils sont conséquents, j'ai appris que la Galerie Bergame présentait des aquarelles marines de Benjamin Gontrain (1834-1907), peintre médaillé à différents salons, j'ai ouvert l'enveloppe verte et, sur une carte de visite, c'était son écriture.

« *J'ai vu votre annonce. J'ai lieu de croire que ces lettres sont de moi, leur destinataire ayant bien résidé au 12, passage des Panoramas. Elles sont à caractère personnel. Toutes sont signées de la même initiale : M.*

J'aimerais, bien sûr, les récupérer, je suis actuellement en province mais me rendrai à Paris vendredi prochain, le 17. Je me permettrai de vous appeler pour que nous convenions d'un rendez-vous ce jour-là ou les suivants, à votre convenance. D'avance merci.

M. »

Trompettes, hautbois, cymbales, fifres et tambourins. Je m'en suis renversé une giclée de sauce sur le pantalon.

Nous sommes mercredi... Non merde, mardi, deux jours et demi à attendre... La prémonition est une science exacte. Je l'avais senti trop fort pour que ce ne soit pas vrai.

Ça y est, j'ai gagné, je n'y crois pas, quel con de ne pas y avoir réfléchi plus tôt! Quand je pense que je me suis payé la Normandie sous la pluie, l'Italie sous le soleil, que je serais parti au fin fond de l'Asie ou de l'Afrique... alors qu'il suffisait de... Vendredi! Ça s'arrose, alors ça, ça s'arrose, ça s'arrose énormément.

— Un armagnac, s'il vous plaît!

— Avec l'entrecôte?

— Oui.

Comment vais-je passer le temps d'ici là? Je pourrais... Merde, l'enveloppe! Je fouille dans mes poches, la ressors... Le cachet est presque illisible. On dirait Montpellier? Elle habiterait Montpellier? Jolie ville, Montpellier, et pourquoi n'habiterait-elle pas Montpellier? Pas sûr que ce soit ça. Seule la date est réellement visible, elle l'a postée hier.

Comment vais-je m'habiller? Ne pas penser à cela, peu importe, mais les gens en proie à l'agitation ont toujours tendance à se réfugier dans la futilité et Dieu sait si je vais être agité.

Qu'est-ce que cela peut bien faire que j'arrive en bleu ou en vert?

Mon Dieu, c'est possible peut-être, dans quarante-huit heures je pourrai... Il suffira de tendre la main pour effleurer son bras... « *J'ai laissé dégouliner l'azur de mes yeux.* » Les cheveux sont noirs, si j'en crois la photo... « *Je m'appelle André Berthold.* » Prendre la note plus bas, plus grave, faire vibrer au fond de la gorge la corde de violoncelle, faire chanter le charme de l'émotion contenue... Je l'emmènerai où? Allez, rêvons un peu... Un bistrot vers les Ternes ou la Bastille, nous aurons bu deux petits noirs sur un guéridon et nous descendrons par une avenue vers des places indécises, brume et soleil, nous baignerons dans cette poussière d'or qui monte des caniveaux durant les matins frisquets de l'automne... Je connais des rues douces, des rues gaies, tenir compte de l'humeur, il est des boulevards à souvenirs, des squares d'espoirs, des impasses rigolottes, sur le visage de la ville aucune ride n'est équivalente et je te guiderai dans ces courts voyages... Je connais les itinéraires, il fera bon, peut-être monterons-nous jusqu'à Montmartre... Tu auras un peu de temps, très peu mais...

— Restez jusqu'à ce soir, laissez-moi vous inviter.

Elle n'hésite pas, déjà elle a le sourire de l'acquiescement, il n'y a pas eu l'atermoiement traditionnel. Oui, non, peut-être, je ne sais pas si je dois, je vous trouve bien direct, je vais réfléchir, etc. etc.

Nous dînerons sur les flancs de la Butte, nappe à carreaux et gratin dauphinois, un chat sur le comptoir et du vin de Touraine qui t'a fait grimacer tandis que les lumières s'allument de l'autre côté de la vitre... Nous monterons tout à l'heure par des ruelles vers les jardins... Il en reste quelques-uns coincés derrière de hauts murs et puis nous nous laisserons couler vers le passage...

Il y aura la fête en nous à l'heure des derniers taxis, nous savons déjà que quelque chose est né et je sais aussi que je devrais arrêter de boire de l'armagnac les yeux dans le vide, à me monter toute une mayonnaise de rêvasserie romanesque... Les choses pourraient être plus simples : « Bonjour, monsieur, vous avez mes lettres ? Merci beaucoup, au revoir monsieur.

— Mais, mademoiselle...

— Madame.

— Est-ce qu'on ne pourrait pas...

— On ne pourrait pas quoi ? J'ai un train à prendre et six mômes qui m'attendent sur le quai.

— Il m'avait semblé que...

— Qu'est-ce qui t'avait semblé, mon gros minet ? Tu commences à me cavaler avec tes yeux de saumon de la Baltique, j'ai pas le temps, il faut te le dire en chinois ? Tu sais ce que ça veut dire pas le temps, p'tite tête ? Allez, tire-toi de mes pattes, tu me fatigues, tu m'indisposes, casse-toi mec ou je vais frapper...

J'arrête définitivement l'armagnac.

Après-midi douloureux du côté de la migraine, mais il y a de grandes fleurs qui me poussent en plein cœur.

Une soirée Darba.

Georgette-Agrippine était là. Elle a conservé des années-gymnase une musculature sérieuse... Les deltoïdes roulent toujours sous le pull-over et son rire fait trembler les verres. Je me suis souvent représenté leurs étreintes amoureuses sous la forme d'un combat d'ours polaires : feulements, enlacements gréco-romains, prises de catch... grognements, éruptions telluriques de haute amplitude sur l'échelle de Richter, orgasmes de Titans, ruptures de ressorts de sommier, ébranlements de cloisons, etc.

En tout cas, Georgette a été charmante... Tandis qu'elle préparait le café en cuisine, j'ai pu annoncer la nouvelle : je vais voir M. dans moins de deux jours.

Darba a tenu à ouvrir une bouteille de vieille prune des années 50. Il m'a expliqué que les années 50 n'avaient rien produit d'autre que de l'alcool de prune, tout le reste était nul : musique pré-débile, cinéma merdeux, théâtre insipide, voitures grotesques, littérature à pleurer... Restait de cette époque hautement lamentable une bouteille de vieille prune et, lorsque nous l'aurions finie, c'en serait fini de cette décennie, et ce ne serait pas trop tôt.

Je suis rentré vers 3 heures avec le casque de mineur de fond posé à même le cerveau. Les années 50 étaient mortes et, après que la chambre eut effectué une dizaine de tours sur elle-même, je me suis endormi sur cette excellente nouvelle.

Je ne sors plus.

Je ne veux pas manquer son appel.

J'ai fini *Commissaire* et en ai relu cent pages d'affilée. Je vais l'envoyer à la frappe. Pas mal ce bouquin, Dumarin va se frotter les mains, calculer les tirages, prévoir le lancement... Moi je rentre dans l'ombre. Comme toujours.

Quatre coups de fil. J'ai été bref, je ne veux pas encombrer la ligne. Il est déjà midi et elle n'a toujours pas appelé.

Qu'est-ce qui se passe ? Le voyage remis ? Elle a changé d'idée ? Après tout, qu'est-ce que quelques lettres ? Une décision soudaine de fuir le passé... Je ne sais pas ; ces heures sont longues, longues et trop courtes car le temps fuit... De plus, ayant achevé le bouquin, je n'ai plus rien à faire et d'ordinaire c'est pour moi le bon temps de l'entracte... Il ne dure jamais longtemps, d'ailleurs je le remplis de balades, de bistrots, d'orgies de cinéma, mais cette fois je tourne en rond, je me suis même mis la télé en plein après-midi et me suis fait un vieux feuilleton aux couleurs délavées de vieille laine avec famille unie, chien moussu, cottage charmant, enfants chahuteurs, mères à chignon crêpé et papa faussement bougon. Qui va finalement passer la tondeuse sur la pelouse ? Cela, vous le saurez la semaine prochaine.

Dîner au Martini et au gruyère râpé. La flemme de me faire une omelette. Il va être 19 heures, elle n'appellera plus. Si je regarde longtemps le téléphone, je vais le faire chauffer au rouge, les fils vont fondre, les circuits exploser, je...

J'ai décroché à la troisième sonnerie.

— Allô ! monsieur Berthold ?

312

— C'est moi.

— Bonjour, je vous ai envoyé une lettre il y a trois jours, au sujet de votre annonce...

La voix est lointaine, étouffée... Où est-elle ? Dans quel fin fond de province... J'avale ma salive, ma voix me surprend par sa blancheur, c'est foutu pour les violoncelles.

— Vous êtes à Paris ?

— J'y serai demain...

Elle téléphone d'une gare, d'une cabine sur un quai, il y a du bruit autour d'elle, c'est presque inaudible et le son si faible...

— On peut se retrouver, où serez-vous ?

Je ne comprends pas ce qu'elle me dit... Panique totale, je tente de me rentrer l'écouteur à l'intérieur de l'oreille, c'est trop con, tant de temps de rêve, de folie et d'amour pour voir tout échouer par une connerie de mauvaise communication.

— Je vous entends très mal... très très mal... A quelle heure et où ?

Je comprends six heures.

— Six heures ?

— Dix heures.

— Dix heures. Cinq fois deux. Où voulez-vous ?

Elle a une phrase, j'ai saisi seulement dedans « Père-Lachaise ». Pourquoi « Père-Lachaise », et puis c'est immense le Père-Lachaise, jamais je ne la trouverai.

— A quel endroit du Père-Lachaise ? Il y a plein d'entrées... Répétez-moi ça... Vous arrivez à m'entendre ? Très mal ?

J'ai pris le marqueur sur la table et griffonne sur une enveloppe...

— Au coin de l'allée H et de la division 32. Oui, j'y serai, à 10 heures, d'accord... Nous devrions...

Raccroché.

A cet instant je me suis aperçu que je tremblais, pas

313

énormément mais un peu, j'avais une contracture complète des épaules, comme si j'avais scié à moi tout seul la
forêt de Fontainebleau.

Qu'est-ce que c'est que cette histoire ?

Un rendez-vous dans un cimetière.

Pourquoi ?

En général on choisit un café, un hall de gare, un
monument célèbre... l'Opéra, la Concorde, les marches de
la Madeleine...

Un goût morbide des pierres tombales ? Peut-être un
défunt à qui elle rendait visite... Peut-être l'homme à qui
elle écrivait est-il mort... Quelle étrange idée... Non, en y
réfléchissant, pas si bizarre que ça... Comme nous ne nous
connaissons pas physiquement, il fallait un endroit précis... Et rien ne l'est plus que la rencontre de deux allées.
Ensuite il y a peu de monde, nous ne pouvons pas nous
confondre avec d'autres... Et puis c'est un endroit de
silence, très beau, je me souviens d'arbres, tout sera doré,
nous marcherons dans les premières feuilles mortes... En
fin de compte c'est un choix magnifique : un peu lugubre
évidemment mais à peine...

Je ne vais pas dormir. L'ennui lorsque je ne dors pas,
c'est que je m'effondre sur le matin vers les 7 heures pour
ouvrir un œil à midi. Horrible perspective.

Pour plus de sûreté j'ai remonté la sonnerie du réveil sur
8 heures. Douche, déjeuner, habillage, je prendrai le
métro. Un taxi s'il fait beau... Je suis sûr qu'elle était dans
une gare, elle doit rouler en ce moment. Si je ferme les
yeux je peux entendre le bruit régulier des roues, inlassa-
ble, ta-ga-dan, ta-ga-dan... Elle a pris une couchette et va
s'endormir... M. arrive. M. vient... Il le fallait, c'était
écrit... Une histoire de destinée.

Je n'ai jamais pensé la retrouver autrement qu'au soleil.
Eh bien ! il est là.

Il diffuse sous la verrière une écharpe de cuivre qui se plaque aux vitrines... De la Boutique Bulgare à Tout pour l'Enfant, l'espace baigne dans un caramel joyeux... L'eau des géraniums en pots de Mme Chovrinsky dégouline le long de la façade, formant une traînée de bronze. Je ne me suis jamais autant regardé dans la glace, la dernière fois c'était pour aller voir *Jody et le Faon* avec Lucienne, j'avais treize ans, elle un début de poitrine et nous arborions chacun des socquettes blanches.

Je me suis peigné de façon négligente, ce qui m'a demandé un bon quart d'heure. Rien de plus délicat que de donner l'impression de ne pas donner d'importance à son apparence. Le résultat est là : style décontracté, comme disent les publicités réservées à l'homme moderne... Un peu trop d'ailleurs, je me demande si l'écharpe est bien nécessaire, si justement à force de décontraction on n'arrive pas à créer une impression inverse. Qu'est-ce qu'il a dû se donner comme mal pour arriver à faire croire qu'il ne s'en donnait pas !

Et puis cette allure de type qui-ne-fait-pas-attention-à-la-manière-dont-il-s'habille me convient-elle bien ? Est-ce qu'elle colle à mon style personnel ? La question est de savoir quel est véritablement mon style personnel.

Pas besoin de me creuser les méninges car je connais la réponse et elle est simple : aucun.

Je n'ai jamais eu la moindre ombre de style. Il y a des types, vous les regardez et vous vous dites : il a le style à porter des fringues anglaises, un autre, avec ce profil de toréador, il lui faut des costards tendance souteneur hidalgo-professeur de tango, moi vous me voyez, et aucune idée ne vous vient. On pourrait croire que, de ce fait, tout me va, eh bien pas du tout : rien ne me sied.

Donc blouson, chemise, pantalon — je hais cette mode de falzars trop larges qui vous rapetissent — et mocassins.

Cela fait quarante ans que je porte des mocassins, pour une raison simple : si vous multipliez le nombre de jours de votre vie par le nombre de secondes que vous passez chaque matin et chaque soir pour lacer et délacer vos chaussures, vous aurez, en vous supposant une vie moyenne de quatre-vingts ans, mis environ trois jours. Trois jours de votre vie à mettre et enlever des chaussures m'a paru au-dessus de mes forces en même temps qu'un bel exemple de temps perdu car, en plus, je n'ai pas tenu compte des nœuds inextricables, des ruptures au ras de l'œilleton, des erreurs d'enfilage, des serrages trop brutaux qui vous compriment le cou-de-pied, d'où varices, contractures, et je ne parle pas des lacets défaits entraînant chutes, entorses, cassures, ruptures de col du fémur, immobilisation dans chaises roulantes, bref je pense de toutes mes forces à n'importe quoi sauf à M. pour ne pas exploser. *Premier rendez-vous*. Il y a un vieux film qui s'appelle comme ça, en noir et blanc, il y avait une chanson dedans :

> « *Ah ! qu'il doit être doux et troublant*
> *L'instant du premier rendez-vous...* »

Une musique guimauve, les violons englués dans du sucre filé, marmelade et nougatine...

Sur le boulevard, une arroseuse municipale achève de noyer les trottoirs.

Devant le Théâtre des Variétés un couple dort sur les marches, adossé à des sacs à dos. Les ombrages des arbres se sont safranés, sur les grilles qui encerclent leurs troncs, des balayeurs ont accumulé un petit tas de feuilles sombres et glissantes... J'ai plus d'une heure et demie devant moi. Largement le temps d'un café-croissant au comptoir du Balto.

« Mais nous avons eu la pluie sur nous un soir de Ritz moite, le silence des pendules et tes lèvres dans les carillons soudains de Clignancourt... et nos projets, vous en souvenez-vous ? On partira, bien sûr, et pour toujours... »

— Et m'sieur Fernand, qu'est-ce qui veut m'sieur Fernand ce matin?

Je tourne le sucre dans ma tasse. A l'autre bout du zinc, Fernand enfoui dans son *Parisien libéré*, grommelle, crachoteux.

— Ce serait-t'y pas un p'tit blanc sec qu'il voudrait m'sieur Fernand par hasard?

Le visage de Fernand surnage des feuilles. Il n'est que de le voir dix secondes pour se dire que ça doit faire un demi-siècle qu'il s'est installé là, vissé sur sa chaise, à s'enfiler des muscadets de l'aube au crépuscule. Il se retourne vers moi, pour une raison de lui seul connue, je lui suis sympathique.

— Ça fait dix ans qu'il me dit ça, ce con : « Ce serait-y pas un p'tit blanc sec ? » Il sait que je prends jamais autre chose parce qu'ici tout est dégueulasse, arrêtez de boire votre café, c'est de la lavasse.

Le patron rit, je ris, Fernand rit, le soleil rebondit contre les vitres, des clients entrent, un autobus passe presque à vide, dans ses fenêtres les arbres défilent, les façades, le Balto, j'ai failli me voir moi-même.

— Qu'est-ce que c'est le plat du jour, patron?

— Entrecôte Bercy, pommes allumettes.

Fernand ricane.

— Allez bouffer ailleurs, les gars, vous vous en remettrez jamais...

Un petit râblé en blouson allume sa première gauloise bleue, sans filtre, en répandant une odeur d'after-shave consternante.

— Un crème avec un jambon-beurre...

D'autres arrivent encore, je ramène ma tasse vers moi. Fernand n'a pas tort, le croissant date au bas mot de l'avant-veille.

« C'était cet été-là, quatre heures volées entre deux avions... nos vies sont des vies volées... Je chaparde du temps... Ne m'en veux pas de cette lettre mais tout va mal, tu le sais, tout est si glacé et je voudrais tant que tout revive... »

— Je vous dois combien ?
— 13,50.

Je ne sais jamais le prix des choses, je les oublie instantanément, c'est comme ma pointure de souliers, mon numéro de Sécurité sociale, l'anniversaire de Paule...

Je retrouve la rue, descends jusqu'à la République. Sur la place il y a toujours des taxis à la station. Mon Dieu, ce qu'il fait beau... Un matin frisquet et frétillant comme un gardon dans un ruisseau, un vent rapide farandole dans les kiosques à journaux et chahute dans les pages des magazines, ébouriffant les couvertures... Incroyable ce que Paris parfois ressemble à un chien fou.

« Tu es dans ma vie comme le vent sur la lande, comme un cheveu sur ma soupe, saugrenu et nécessaire, aussi vital qu'embarrassant... Bref tu me saccages les sérénités mais n'aie pas de remords, il n'est plus de sérénité sans toi... Tu dois dormir à cette heure, continue, je ne veux pas que mon baiser te réveille... »

Des phrases coulent... je ne savais pas ma mémoire si fidèle.

Je me penche par la portière. Les chauffeurs de taxi sont les rares personnes que l'on aborde courbé. Je me suis longtemps demandé d'où me venait à leur égard ce sentiment d'infériorité que je ressens encore, je crois que c'est de là... Alors qu'ils sont assis, royaux, nous nous approchons et nous inclinons vers eux, serviles comme autrefois les paysans devant les seigneurs.

— Au Père-Lachaise, s'il vous plaît.

La place pivote, au centre, une dame de bronze aux formes lourdes scrute le ciel d'une orbite vert-de-gris, la tête recouverte de cacas de pigeons...

Il reste une heure. Un peu moins. Je pouvais y aller à pied évidemment, mais il vaut mieux tenir que courir.

Que pense-t-elle en ce moment ? Rien d'autre qu'à l'émotion qu'elle ressentira à récupérer ces feuilles... Elle appréhende sans doute tout ce qui en découlera... Le retour du passé, la nostalgie, vieille et douce blessure... Je ne suis encore pour elle qu'un messager anonyme, un facteur... Intriguée pourtant à mon égard, elle se sera dit que j'aurais pu balancer le tout à la poubelle... Pourquoi avoir pris la peine de passer cette annonce ? Elle se demande en cet instant ce que je cherche... Mais non, rien de plus normal que rendre ce courrier à son destinataire ou à son auteur...

M'y voici. Cinquante minutes d'avance.

J'y déambulerai entre les tombes, là-haut sur les collines, le grès des stèles et des colonnes se cerne de l'or des frondaisons... Famille Marinier... Famille Combes... Sur un socle le buste d'un barbichu en col cassé surplombe dédaigneusement l'enfilade... Des maréchaux d'Empire caracolent sur des palefrois de calcaire, l'un d'eux menace le ciel d'une lame brisée...

Allée H. Voilà, c'est ici, juste à l'angle.

Calme-toi. Marche à pas lents, comme si tu cherchais entre les tombeaux une femme aimée dont tu as oublié la trace... Comme un visiteur épisodique venu ce matin de clarté se faire un peu saigner l'âme au-dessus des urnes qu'a envahi le lichen du passé... Le lierre a recouvert la dalle.. On ne discerne plus les noms... Des cadavres de fleurs achèvent de pourrir, la pierre se fendille, vaincue

319

dans sa vieille lutte avec les racines insidieuses des plantes... Quelle est cette tombe ? Les feuilles épaisses masquent de toute leur surface le nom du défunt... Pourquoi me suis-je déjà arrêté ? Nous n'avons pas rendez-vous avant quarante-cinq minutes.

Pourquoi a-t-elle choisi cet endroit ? La mousse a creusé, s'est introduite dans les fissures de marbre. Qui repose ici ?

Il a dû y avoir un crucifix autrefois, on distingue encore la trace des vis qui le fixaient. On l'a enlevé. Des voleurs peut-être... Je n'ai toujours pas trouvé le nom sous le rideau de lierre...

J'ai, sous l'épaisseur des tiges, senti le sillon sous mes doigts, il était gravé dans la pierre assez profondément, sous mes ongles j'ai senti l'effritement, une poussière maladive et grisâtre. Il n'était pas besoin que je voie de mes yeux ce qui était inscrit. Aucune date, aucun nom Une simple initiale :

M.

X.

Ne pas trembler. La tombe ne va pas s'ouvrir, et elle ne va pas apparaître tendant vers toi le squelette de ses mains pour enfouir à jamais ses lettres d'amour dans l'ombre glacée de l'au-delà...

J'ai jeté un œil autour de moi... Personne encore... Dans une allée, sur la gauche, le crissement d'un râteau sur le gravier... Quelqu'un ramasse des feuilles... Quatre Hollandais, guide au poing, déambulent dans les flaques de soleil... Il reste vingt minutes. Un peu moins... Je vais marcher, je ne peux pas resté planté là à attendre que la dalle se soulève. J'ai toujours eu horreur des films d'épouvante, des romans aussi. Les vampires sortant des cercueils, les morts vivants, les spectres enduits de ketchup et autres guignolades m'ont toujours soulevé le cœur... Paule adore ça évidemment, depuis l'enfance... « Papa, emmène-moi voir le *Dracula*... » On s'en est fait des dizaines, elle jubilait et j'essayais de rentrer dans mon fauteuil, l'estomac au bord des lèvres tandis que des créatures livides et sanguinolentes essayaient de s'enfoncer mutuellement à coups de marteau des épieux dans les ventricules. Une abomination...

Pourquoi est-ce que je pense à cela en cet instant ? M. dans quelques minutes. Elle est la vie, imbécile, elle ne t'a pas filé un coup de téléphone en direct d'un cercueil...

Dix minutes à peine... juste le temps de faire le tour de

321

la division. Etrange, ce terme militaire en cet endroit, comme si nous avions à faire à une armée de morts...

Beaucoup de tombeaux-chapelles, des faisceaux de soleil entrent par des vitraux cassés... Le temps d'une cigarette et elle sera là. C'est là que tout va se décider, mon bon monsieur... Calme et sourire, il faut que je parvienne à n'être que calme et sourire.

Les pavés sont ronds dans l'allée étroite, elle monte rectiligne entre les troncs des acacias... Peu de fleurs, quelques couronnes rondes de perles fausses couleur de larmes... Ce sont les roues du chagrin... Sous les verres protecteurs des photos ternies, les morts ont le même visage. Pourquoi les photos des défunts sont-elles ovales ? Je tourne l'angle... J'ai encore quelques minutes pour redescendre. Il n'y aura personne. Je le sens. Jamais je ne rencontrerai M. Jamais...

Je prends le côté droit de l'allée pour surveiller mais l'endroit du rendez-vous est dans le renfoncement, masqué par deux monuments élevés.

10 heures pile.

Encore cinquante mètres. Il n'y a personne. Même les touristes ont disparu. Juste cette rumeur lointaine, de l'autre côté des murs, mais les sons pénètrent à peine, retenus par une vitre invisible...

Et je l'ai vue...

Devant la tombe... Un imperméable comme celui de la photo sur la plage, peut-être est-ce le même...

J'avance vers elle. Calme et sourire... Elle me tourne le dos. Sa tête est inclinée. Elle doit à présent entendre le bruit de mes pas... Elle va se retourner.

Elle se retourne.

Il y a de la bravade dans le regard, mais le soleil accroche l'humidité trop grande d'une pupille et les lèvres tremblent un peu lorsqu'elle parle.

— Je t'avais dit que l'on pouvait se battre, contre le

temps, contre l'habitude... Eh bien! voilà : je me suis battue.

Je la regarde tandis que la douleur monte en moi, que je la sens courir et creuser, vieux rat en fond de poitrine, ravageur et grossissant...

M. ne viendra pas, comment vais-je faire désormais sans M.?

Françoise.

Elle fait deux pas, pose sa main sur mon bras. Je me souviendrai toujours de la souffrance de ce matin.

— Je ne savais pas que je réussirais si bien, peut-être ne l'aurais-je pas fait si...

Salope!

La chose la plus ignoble qui soit : elle a créé un être, elle a créé M., elle me l'a donné et jamais... il n'y a rien eu, jamais...

Elle recule. Peut-être vais-je la tuer, lui écraser la tête sur la dalle, elle n'avait pas le droit, personne n'a le droit... Comment est-il possible que M. n'existe pas?

— Parle-moi, ne reste pas comme ça, frappe si ça te soulage, je n'aurais pas cru...

Mon bras part en fronde, et ma main explose sur sa joue, le tronc d'un arbre bloque à demi sa chute. Je vais la tuer.

Elle a fourré les lettres dans le tiroir, demandé à son copain ébéniste de m'en donner d'autres. « C'est pour une blague à un ami. » Même chose pour Anna. « Dites que vous les avez trouvées sous la moquette. »

Chaque fois qu'elle est venue, elle en a semé quelques-unes... sous le papier recouvrant les étagères du placard.

Ma main est mouillée de larmes et de salive.

— Tu m'as fait croire que M...

— Mais c'est moi M., imbécile, c'est moi, tu n'as pas compris que c'est moi aussi, que je l'ai toujours été...

Ce n'est pas vrai... je la regarde sangloter... Non, elle n'est pas M., elle est Françoise, un clown, une rigolotte, une farceuse, celle aux cabrioles joyeuses, sans mystère, sans amour...

Je l'ai frappée très fort... Il y a déjà une meurtrissure sur la pommette... Un groupe monte vers nous, il faut sortir d'ici.

Elle hurle à présent :

— Tu as aimé une femme qui écrivait des lettres, connard, mais c'est moi qui les ai écrites, moi, tu entends... Et c'est à toi que je les ai destinées... Parce que je n'ai jamais osé te dire ce que j'éprouvais pour toi, tu m'en as empêchée...

— Je ne t'ai jamais interdit de parler, de m'écrire...

Elle se déchaîne.

— Si, tu le sais bien, sois honnête une fois dans ta vie... Tu m'as classée depuis le début, tu m'as donné un rôle : j'étais celle qui amuse et qui baise, j'étais la comique de service, j'étais la soubrette, c'est cela que tu aimais, je l'ai accepté, j'ai des dispositions pour ce genre d'emplois, je t'ai fait rire, j'ai fait le pitre huit ans, j'ai répondu à ta demande et puis tu t'es lassé, tu as voulu autre chose, du tragique, du romanesque, eh bien ! ne te plains pas : je t'en ai fourni.

Ils sont trente au moins qui montent vers nous, une visite guidée. Cimetière le matin, le Louvre l'après-midi, le Lido le soir. Leurs voix allemandes résonnent déjà...

J'empoigne son bras.

— Tirons-nous d'ici...

Je marche trop vite pour elle, elle court à mes côtés. Je sens son biceps sous le tissu, elle aura une marque demain, je m'en fous... Le rat disparaît lentement, il va revenir et il faut que je l'en empêche... A tout prix.

Elle trébuche, je la retiens, son rimmel a coulé.

Qu'est-ce qui lui a pris ? Toutes ces phrases, cette

324

douceur, cette tendresse folle... Elle n'est pas cela, elle ne peut pas l'être... Nous avons rompu si nettement, sans histoire, sans drame... Une affaire classée...

Sortie... Il y a des bistrots en face... Il y a toujours des bistrots devant les cimetières, il faut bien se remonter le moral, de la tombe au comptoir, du chrysanthème au Ricard tassé...

Elle file vers les toilettes se retaper la façade et je commande un demi.

Banquettes moleskine, tables Formica et garçon hautement dédaigneux.

— Un demi.

— Et pour la dame?

— Un demi.

Si elle n'aime pas ça, elle ne boira pas autre chose. De toute manière elle buvait toujours des demis, pas de raison qu'elle ait changé.

Salope.

La revoilà. Pas fière. Mais sereine. Elle a dû se tartiner un peu de fond de teint, on voit la marque du coup. J'aurais pu l'éborgner. Je ne me souviens pas d'avoir frappé si fort qui que ce soit dans ma vie.

Elle joue avec la plaque de liège et vide la moitié de son verre.

Nos regards se croisent... S'il y a dans le sien le moindre centième de milligramme de moquerie, je l'étrangle. Je fouille, je n'en trouve pas.

— Explique-toi, depuis le début.

Elle cherche des cigarettes dans ses poches, j'ai failli lui tendre mon paquet. Et puis quoi encore?

— Il n'y a rien à expliquer. Figure-toi que, contrairement à ce que tu as pu croire, parce que ça t'arrangeait, je n'ai pas digéré notre rupture.

— Tu m'avais paru bien d'accord!

— J'ai fait semblant... J'ai failli te dire que je t'aimais

toujours mais ce genre de déclaration n'était pas dans ma partition. Quand sur la piste du cirque l'Auguste dit « Je t'aime », tout le monde se plie en deux.

Elle a trouvé ses Stuyvesant et son vieux briquet antédéluvien, qui s'appelle Pallito car trouvé en Espagne. La fumée monte.

— Alors j'ai décidé de changer de rôle, de devenir romantique.

— Un contre-emploi.

— Ça marche quelquefois. La preuve !

M., où es-tu ? La grande fille aux yeux pailletés marchant dans les rues vides, son amour au cœur, toute cette vie que j'ai devinée... Ses joies, ses tourments...

— Continue. Pourquoi « M. » ? Pourquoi cette initiale ? Cette histoire de Marseille, de Strasbourg ?

Elle a un geste de la main qui tient la cigarette, les volutes bleues s'enroulent.

— Il me fallait t'intriguer, te balancer du mystère par tombereaux, j'ai appris à savoir ce que tu aimais... Je t'ai fourni du rêve sur mesure... Et puis il ne fallait pas te donner trop de pistes, j'ai supprimé les noms, les dates, les lieux, j'écrivais n'importe quoi, des souvenirs, des fantasmes... Je dois dire que parfois je me suis prise au jeu...

Sa voix a tremblé un peu sur la fin.

— Explique-toi.

— M. n'était pas souvent heureuse, je ne l'étais pas non plus, je n'ai pas eu à inventer beaucoup... Je suis devenue un peu elle... Un peu...

Cette bière est amère, tiède et amère. Une vraie tisane.

— Ce que je n'avais pas prévu, c'est que tu t'accrocherais tant à cette histoire que tu remonterais des pistes.

— ... jusqu'en Italie.

Un sourire lui vient, je ne le lui connaissais pas celui-là, il est sans joie.

— Vu ta phobie des voyages, j'ai pensé que tu ne serais

jamais allé aussi loin pour moi, pour elle c'était différent. Mais la machine était lancée, je ne pouvais plus l'arrêter...

— C'est vrai, d'ailleurs, pourquoi ce rendez-vous ce matin, tu pouvais te taire, jamais je n'aurais su...

Elle baisse la tête. Elle a commencé à dessiner des auréoles avec le pied du verre.

— J'en avais assez. Et puis tu oublies qu'il fallait que je joue ma dernière carte.

— Laquelle?

Elle repose son verre. Ecrase le mégot dans le cendrier Cinzano et se penche.

— Il fallait que tu saches un peu mieux qui j'étais, au bout de huit ans, ça s'imposait. Et puis, écoute-moi, André, je n'ai plus que deux choses à te dire : la première c'est que je te demande pardon parce que je n'aurais pas cru que tout cela prenne de si grandes proportions.

— Tu es gonflée! je...

— La deuxième c'est qu'il y a une chose à laquelle tu dois réfléchir, c'est que tu aimes M. et, que tu le veuilles ou non, M. c'est moi.

Elle s'est levée si brusquement que j'ai failli ne pas m'apercevoir qu'elle pleurait à nouveau, sans grimaces, sans retenue, comme une chose naturelle et bienfaisante.

Elle est sortie du café d'un pas de chasseur. Le garçon est passé du dédain à la suspicion et m'a surveillé d'un œil noir : quel était ce salaud qui mettait les jolies dames dans un tel état?

24 F 50. La vie augmente.

Je vais marcher. Je vais marcher durant les cent prochaines années, très vite, de plus en plus vite, jusqu'à ma mort, pour ne pas sentir le poids de cette inexistence soudaine... Je suis arrivé à cela, les hommes souffrent parce que la femme qu'ils ont aimée les a quittés, parce qu'elle est loin, parce qu'elle est morte, mais tous savent que cette femme existe, a existé, qu'il y a eu un jour près d'eux un être réel, vivant... Moi je n'ai rien, même pas une ombre, car l'ombre est l'ombre de quelqu'un...

« Tu as ce soir une femme éreintée qui n'a plus la force de pousser le stylo plus avant, juste pour écrite le mot " baisers ", juste pour m'enfouir dans tes bras, juste pour y mourir de bonheur... »

Rien. Elle m'a forcé à dessiner un fantôme, ce n'est pas vrai que Françoise soit M., M. c'est moi... Moi qui l'ai construite. Je vais vraiment la tuer. Je cours chez elle et je la tue. Il ne faut pas que le rat revienne.

J'ai pilé net au carrefour Gambetta-Pyrénées.

Quand je pense qu'elle est venue me faire une scène ! La scène de la femme bafouée ! Je l'entends encore lorsqu'elle a trouvé sur ma table les lettres qu'elle écrivait : « Et il y a longtemps que ça dure ? » Tout juste si elle ne m'a pas giflé... J'avais complètement oublié l'épisode. Je n'ai pas frappé assez fort tout à l'heure, salope !

Il faut que je me reprenne, comment se remet-on d'une histoire d'amour avec un néant de femme ?

Mes doigts ont trouvé les lettres dans ma poche. J'ai cherché autour de moi. Il y a des poubelles partout à présent. J'en ai aperçu une de l'autre côté du trottoir mais la circulation était intense et le feu rouge trop loin pour faire un détour. Je vais m'installer au passage et je n'en sortirai plus.

Qui des deux s'est investi le plus dans cette histoire ? Celle qui s'est inventé des yeux bleus ou celui qui les a aimés ? Question d'importance. Il y a deux victimes dans cette affaire : Françoise et moi.

Dumarin tripote son briquet, il fait jaillir la flamme quatre fois de suite et le repose sur la table.

— Tu rêvasses. Ça fait une demi-heure que tu rêvasses, tu n'es pas à la discussion, tu es venu ici pour rêvasser.

Rue Daguerre, il est 11 heures à la pendule design du bureau éditorial.

— Expliquons-nous, parce que je ne comprends pas ton problème. Tu as quelque chose contre les éboueurs ? Tu trouves le sujet indigeste ? Tu préfères qu'on passe au douanier ? J'ai déjà le titre : *Passeport, s'il vous plaît,* ou alors une infirmière, j'ai l'attachée de presse qui en a repéré une à Lariboisière, elle s'est payé une appendicite et est tombée sur le sujet idéal, vingt-huit ans, célibataire... Attends, j'ai la fiche.

Il farfouille, fait semblant de ne pas trouver alors qu'il est soigneux et méticuleux au-delà du supportable, mais comme il sait que ça m'énerve il joue les bohèmes, les artistes.

— Voilà !... Madeleine Berthier... La Garenne-Bezons... Je te le lis en vrac : deux heures de trajet par jour, train, métro à Saint-Lazare, une fillette à la crèche... problème de baby-sitter, 6 500 francs par mois... service de nuit... Tu vois ce que tu peux en faire ? Moi je le vois : une tranche de vie, mon vieux...

L'enthousiasme. Il me fait le coup de l'enthousiasme, il va m'expliquer comment, avec Madeleine Berthier et ses transports en commun, je vais concocter le livre du siècle.

— ... La vie de tous les jours, les autobus bondés, les retards, la rougeole de la petite... Elle a sa mère dans le Cantal... tu imagines ? Formidable, ça... Il doit falloir trois jours pour aller dans le Cantal... Ah ! si elle avait une voiture. Une R 5, tiens, d'occasion... Ce serait l'idéal ça, une R 5 pas trop cher... Elle pourrait balader un peu sa fille l'été... Tu vois tout ce que tu peux en tirer ? La vie de tous les jours avec les pansements des grands brûlés, les piqûres et le loyer qui augmente, le stress, la cantine... Tu préfères ça à l'éboueur ? C'était pas mal pourtant, l'éboueur, le contact avec les émigrés, les concierges qui

329

râlent, les types en voiture qui klaxonnent derrière et tout ce qu'on trouve dans les poubelles...

Il ne me lâchera pas. Il faut que je le lui dise. Pourquoi est-ce si difficile ? Pourquoi, depuis que je suis là, ne suis-je pas arrivé à avoir ce courage ?

— Pas l'infirmière, pas le douanier, pas l'éboueur.

Le briquet encore. Il doit coûter à lui seul les salaires mensuels de Mlle Berthier et des deux autres réunis.

— Alors je te pose la question : pourquoi ?

Allez, il faut y aller. Qu'est-ce qui m'arrive pour ne pas oser parler ?

— Tu veux te reposer un peu, prendre une semaine ou deux ? Réfléchir...

Il devient affectueux, attentif, il a posé sur moi un regard de toubib sur un grand malade. C'est vrai que je ne l'ai pas habitué à tant de tergiversations.

D'ordinaire je ne discute pas, on signe le contrat sur un bout de table, on se fait une bouffe et c'est reparti pour un tour.

— Qu'est-ce que tu as ? Qu'est-ce que tu veux ? Un à-valoir ? Tu as des problèmes d'argent ?

— J'ai commencé un truc, dis-je.

Dumarin la bouche ouverte, c'est assez rare.

— Quel truc ?

— Un bouquin.

Ça y est, c'est parti cette fois.

— Quel bouquin ?

Ses yeux se plissent.

— Tu travailles pour une autre maison ? Tu...

Il lève un doigt, le braque sur moi.

— J'y suis... C'est toi qui fais le Michael Jackson pour Doubleday ?

— Pas du tout. C'est un roman.

Deux fois la bouche ouverte dans la même matinée.

— Un roman pour qui ?

— Un roman pour personne. Enfin, pour moi...

Il va tomber en morceaux d'une seconde à l'autre.

— Tu vas le signer?

— Je vais le signer.

Il se lève. Il a toute sa vie essayé de ressembler à Gary Cooper, il n'y est jamais arrivé, en cet instant, moins qu'à tout autre.

— Tu n'as jamais voulu signer le moindre livre de ton nom...

— J'ai changé d'avis.

Il fait le tour de la pièce deux fois de suite, se plante devant moi, se tâte la cravate.

— Tu ne veux plus être nègre?

— Pas pour l'instant.

Sifflement. Je viens de lui chambouler toutes ses certitudes.

— Et qui va te publier?

— Toi.

Il se rassoit comme s'il y avait une douzaine d'œufs frais sur son siège.

— Mais ça va être un premier livre! Personne ne te connaît! Tu imagines le risque qu'il y a de nos jours à publier le roman d'un parfait inconnu...

— Tu vas me publier parce que ce sera bon.

Tant qu'à faire, autant annoncer la couleur d'entrée.

— En plus, tu vas m'inviter à dîner pour fêter ça et on signera le contrat au dessert.

S'il continue à réfléchir avec cette intensité, la fumée va finir par lui sortir des oreilles. Il sait que je ne me débrouille pas mal avec un stylo, mais ce brave homme ne s'embarque pas sans biscuits... Sans un très gros chargement de biscuits.

— Et le sujet de ce livre?

— Tu le sauras quand ce sera fini.

Il se relève, va à la fenêtre, revient et prend une

331

aspiration comme s'il plongeait en vue de battre un record de profondeur en apnée.

— O.K. dit-il, O.K. ! Bon d'accord. O.K., O.K.

Il réfléchit encore.

— O.K., ça va. O.K.

Un silence.

— O.K.

Voilà, c'est dit, c'est fait, c'est O.K., je ne suis plus nègre.

On se serre la main. On se revoit vendredi. Le restaurant habituel. Je prendrai des paupiettes. Des vraies. J'ouvre la porte pour sortir. Il a un ultime geignement.

— Et mon éboueur, qu'est-ce que j'en fais ? Et le douanier, l'infirmière ?

— Démerde-toi.

Il pleuvote sur la place Denfert-Rochereau. Je vais prendre par le Raspail. J'ai encore le temps, elle ne sort que dans une heure.

— Et comme ils ont fait deux tours du monde, un dans chaque sens, elle commence à se lamenter, du style : finalement la planète est trop étroite, on connaît tout, on a tout vu. Moi je dis « même Saint-Pierre-et-Miquelon ? » Alors là elle me toise comme si elle était montée au cinquième et moi resté au rez-de-chaussée et elle répond : « Il n'y a rien à voir à Saint-Pierre-et-Miquelon », c'est ça son problème : elle a tout vu et ce qu'elle n'a pas vu elle croit qu'il n'y a rien à y voir, situation sans issue... Et elle continue : « En plus, on a voyagé séparément, pour le boulot forcément... » Ils sont journalistes.

Je ne pensais pas que le jean lui allait si bien. Elle ne s'habillait pas comme ça avant. Avant quoi ? Osons l'initiale : avant M.

— Alors elle se retourne vers Jérémie... C'est son mari, Jérémie. Et elle lui demande, comme si elle allait lui mettre la main dans le pantalon : « Tu n'aimerais pas au moins qu'on se retrouve dans un endroit où on n'est jamais allés tous les deux en même temps ? » Et tu sais ce qu'il répond ce con ? Il lui dit, tranquille : « Si tu veux, on peut aller pisser ensemble... »

Françoise rit. Elle a un filament de steak-frites coincé entre les canines.

Elle est sortie du bureau avec toute une équipe de jeunes gens frétillants et de godelureaux dernier cri, lorsqu'elle m'a vu, elle les a tous plantés net. On a atterri dans une brasserie fin de siècle où on l'appelle « Mam'-zelle Françoise ».

— Je vais écrire un bouquin, dis-je.

Elle confectionne un petit fagot de frites, piqué sur les pointes de la fourchette.

— Grande première, dit-elle, ça fait le combien ?

— Tu n'y es pas. Je l'écris sous mon nom.

Elle mâche, déglutit, respire, boit du beaujolais, soupire, me regarde.

— Tu t'es décidé...

— Oui. Je tente le coup, cette fois, ça y est...

« *Allez, un p'tit sourire siou-plaît pendant que je t'embrasse à coupe-souffle, toute une sarabande de bisous comme tu n'en as jamais rêvé... Viens, reste encore, tout près, regarde-moi...* »

Elle s'empiffre, joyeuse... C'est toi qui as écrit cela, misérable pruneau...

Café rapide, elle a très peu de temps pour déjeuner... Elle s'enroule autour du cou la vieille écharpe de l'hiver... Je la lui ai toujours connue... J'ai même dû souvent penser que je devrais bien lui en acheter une, mais c'est toujours pareil... la négligence...

En sortant de la porte à tambour, sa main est sur mon bras.

— Je suis contente que tu fasses enfin un bouquin.

Je hausse les épaules.

— Puisque tu as arrêté de faire le clown, je peux bien cesser de faire le nègre...

Elle sautille d'un pied sur l'autre. Le vent d'automne prend l'avenue en enfilade et transperce la rue d'une lame froide d'escrimeur.

— Tu viens me chercher à quelle heure ?

— Disons 8 heures.

Elle a un regard vers sa montre.

— Plus que 6...

Elle a des brillants dans les quinquets... Ce sont ceux de M., je les reconnais, la couleur a changé mais ce sont eux... presque.

— Salut !

Je m'en vais. C'est vrai qu'il fait froid soudain... Sacrément froid. Ils l'ont annoncé ce matin à la météo : baisse générale des températures sur l'ensemble du territoire.

— André...

Elle a couru derrière moi...

— Je voudrais te dire, pour cette histoire de lettres, après on n'en parlera plus... Ne m'en veux pas.

Elle a le nez rouge. Françoise a le nez rouge de l'automne au printemps.

— Quelles lettres ?

Elle se dandine un peu, tire sur le zip de son blouson.

— Au fait, dis-je, et la photo, c'était qui ?

— Ma cousine, à Pâques l'année dernière... Elle a un strabisme convergent mais là, ça ne se voit pas.

— Et la tombe au Père-Lachaise ?

— Je l'ai remarquée depuis des années. Ma tante est enterrée à dix mètres. C'était la touche finale, pour que tu aies un peu la trouille.

J'enfouis mes mains dans mes poches. Il faut que je songe à mettre un pull-over désormais.

— Fais-moi songer à te coller une volée, dis-je.

— Quand tu voudras...

Je la regarde s'éloigner... Décidément, le jean lui va bien. Allons, tout va reprendre, nous le savons déjà.

Je rentre aux Panoramas. Le boulot m'attend, cette fois ça ne va pas être de la tartelette, je travaille sans filet.

Il fait gris sur la Seine : un ciel uniforme, trianon, la couleur des écrans lorsque les télés sont éteintes, il y a encore, pâlissants au-dessus de la rive opposée, vers les Tuileries et les palais, des lambeaux de phrases qui traînent.

« Je veux qu'on égrène les matins blêmes, les soirées douces, le ménage et les voyages, tes rhumatismes et mes fous rires... Pour faire reculer la mort. »

Arrive-t-on à oublier ce qu'on n'a pas vécu ?

Sur le pont des Arts, une femme s'éloigne, elle marche vite... Les boucles dansent sur le col du manteau... Elle aurait pu être ainsi. Elle aurait pu être autrement...

J'ai parfois encore la douleur qu'elle ne fût personne... elle s'atténue.

« Ne me dis pas que ce n'est pas une histoire d'amour. »

Non, je ne le dirai pas... C'en fut une, certainement, je l'écrirai un jour peut-être, lorsque la nuit viendra dans la chambre, je l'écrirai et je dirai que c'est un roman pour que personne n'y croie vraiment.

Au cours d'une longue nuit d'été, un parfum différent m'est venu, d'une femme qui n'avait pas de corps... J'en conserve le chatoiement.

Ce sont bien deux histoires d'amour.

Mais aussi deux arnaques, deux entourloupes dont l'une avait pour but l'argent, et l'autre l'amour...

Deux femmes, même combat, même rêverie, même astuce, mais amoureuses bien sûr... On leur pardonnera donc tout, elles font partie de ces créatures de grand rêve qui hantent depuis toujours les halls nocturnes des grands palaces, recouvertes du collant noir de Musidora, des robes lamées de Marlene et des perlouzes en cascade de Mata-Hari... Elles sont les nouvelles croqueuses de diamants et de cœurs, elles ont dans leur panoplie l'arme brillante et imparable de la malhonnêteté... Elles en usent et en abusent, manipulant les hommes, pantins désemparés, heureux d'être des victimes... Elles sont les escroqueuses, écornifleuses, aigrefines, friponnes, carambouilleuses et filoutes de haut vol... Elles sont le sel de l'amour, de la vie, ce sont les belles arnaqueuses... Elles nous embarquent, frégates d'entourloupes sur de lumineuses et troubles mers océanes à pleines voiles, grands trois-mâts dressés aux scintillants carènes... Ce sont nos belles galères...

DU MÊME AUTEUR

aux Éditions Albin Michel :

Laura Brams
Haute-Pierre
Povchéri
Werther, ce soir
Rue des Bons-Enfants

aux Éditions Jean-Claude Lattès :

L'Amour aveugle
Monsieur Papa
(porté à l'écran)
$E = mc^2$ *mon amour*
(porté à l'écran sous le titre
« I love you, je t'aime »)
Pourquoi pas nous ?
(porté à l'écran sous le titre
« Mieux vaut tard que jamais »)
Huit jours en été
C'était le Pérou
Nous allions vers les beaux jours
Dans les bras du vent

La composition de ce livre
a été effectuée par Bussière à Saint-Amand,
l'impression et le brochage ont été effectués
sur presse CAMERON
dans les ateliers de la S.E.P.C. à Saint-Amand-Montrond (Cher)
pour les Éditions Albin Michel

Achevé d'imprimer en mars 1991.
N° d'édition : 11638. N° d'impression : 548-372.
Dépôt légal : avril 1991.